Les ailes d'Alexanne

TOME 6

Sirènes

ANNE ROBILLARD

Les ailes d'Alexanne

TOME 6

Sirènes

Guy Saint-Jean Éditeur
3440, boul. Industriel
Laval (Québec) Canada H7L 4R9
450 663-1777
info@saint-jeanediteur.com
www.saint-jeanediteur.com

• • • • • • • • • • • •

Catalogage avant publication de Bibliothèque et Archives nationales du Québec et Bibliothèque et Archives Canada

Robillard, Anne
Les ailes d'Alexanne
Sommaire : t. 6. Sirènes.
ISBN 978-2-89455-521-7 (v. 6)
I. Titre. II. Titre : Sirènes.
PS8585.O325A64 2010 C843'.6 C2010-940360-6
PS9585.O325A64 2010

• • • • • • • • • • • •

Nous reconnaissons l'aide financière du gouvernement du Canada par l'entremise du Fonds du livre du Canada (FLC) ainsi que celle de la SODEC pour nos activités d'édition. Nous remercions le Conseil des Arts du Canada de l'aide accordée à notre programme de publication.

Financé par le gouvernement du Canada
Funded by the Government of Canada
Canada
SODEC Québec
Conseil des Arts du Canada
Canada Council for the Arts

Gouvernement du Québec — Programme de crédit d'impôt pour l'édition de livres — Gestion SODEC

Conception graphique : Christiane Séguin
Révision et correction d'épreuves : Lydia Dufresne
Illustration de la page couverture : Jean-Pierre Lapointe

Dépôt légal — Bibliothèque et Archives nationales du Québec, Bibliothèque et Archives Canada, 2015
ISBN : 978-2-89455-521-7

Imprimé et relié au Canada
1re impression, août 2015

ASSOCIATION NATIONALE DES ÉDITEURS DE LIVRES
Guy Saint-Jean Éditeur est membre de l'Association nationale des éditeurs de livres (ANEL).

Chapitre 1

Reconstruction

Les forces du Mal avaient porté un sérieux coup à la planète. Elles avaient commencé par détruire des ponts importants dans plusieurs grandes cités du monde. Puis, après qu'un bon nombre de leurs cellules aient été anéanties lors de l'explosion des *insimuls*, ces pierres noires qui servaient jadis de transmetteurs aux premiers habitants de la Terre, les démons s'en prenaient maintenant aux humains en représailles à ces attentats.

Assis à son bureau, le chef de police Olier Fontaine écoutait d'une oreille distraite les dernières actualités. Tout n'était plus que destruction. Même Montréal, cette ville qu'il s'efforçait de protéger depuis des années, était touchée. Deux ans auparavant, lorsque l'inspecteur Pelletier lui avait remis un rapport traitant de sorciers, de gargouilles volantes et de meurtres commis à l'aide de la pensée, Fontaine avait cru que son meilleur enquêteur venait de perdre la raison. Il n'en était plus si sûr. Sur l'écran de son ordinateur personnel, il regardait en boucle la vidéo que quelqu'un avait placée dans la poche de sa veste un soir où il s'était réveillé par terre, en pleine nuit, à côté de sa voiture.

C'était pourtant bien lui qui faisait descendre Mélissa Dalpé du véhicule, les mains liées dans le dos, et qui appuyait son pistolet sur sa tempe. À quelques pas de lui se tenait le docteur Lee Edelman, un collaborateur de la police depuis de nombreuses années. « Si c'est moi, sur cet enregistrement, alors comment ai-je pu lui obéir comme un chien bien dressé ? » se demanda Fontaine.

« Parce que c'est un sorcier ? » Il avait vu Edelman tirer Pelletier vers lui en utilisant une force d'attraction invisible, comme dans les films de science-fiction. Mais ce qui lui faisait le plus dresser les cheveux sur la tête, c'était de voir les vêtements du psychiatre prendre feu sans qu'aucun agent inflammable ne soit lancé sur lui.

« Je suis en train de perdre la raison », se désespéra Fontaine. « Pourquoi aurais-je voulu tuer Mélissa ? » Rien de ce qu'il voyait sur son écran n'avait de sens. S'il n'avait pas repris conscience à l'endroit même où avait été filmé cet épisode embarrassant de sa vie, il aurait pensé que c'était un choquant montage. Pour achever de le convaincre, il avait encore mal là où on l'avait durement frappé.

Fontaine avait tenté de joindre Mélissa, en vain. Il voulait s'excuser pour sa conduite injustifiable ainsi que pour toutes les remarques désobligeantes qu'il avait prononcées contre son partenaire Pelletier. En fait, il éprouvait un impérieux besoin qu'elle lui parle de toutes les choses invraisemblables qu'elle avait vues. Pour la dixième fois depuis le début de la journée, il appuya sur le bouton de l'interphone.

— Non, elle n'a pas encore appelé, soupira la voix de sa secrétaire.

— Merci, Liza.

Fontaine refit jouer la vidéo une autre fois.

* * *

Malgré la confusion qui régnait partout, le message de la jeune Sara-Anne continuait de se propager à la vitesse de la lumière sur Internet. De façon étonnante, l'enfant, qui avait enregistré cette communication en français, s'adressait aux internautes dans la langue de leur pays. À la loge Adhara, située au dernier étage du manoir de

Lyette Bastien dans les Laurentides, Sylvain Paré avait intercepté plusieurs de ces vidéos et les avait sauvegardées pour les montrer aux autres membres de l'équipe. Ces derniers avaient été surpris de constater que les mots de Sara-Anne n'avaient pas été doublés par d'autres personnes. Au contraire, on voyait bien sur ses lèvres qu'elle les prononçait vraiment.

— Elle va trouver ça drôle de s'entendre parler en chinois, plaisanta Sylvain, assis devant un des ordinateurs du grenier.

Sachiko et Ophélia lui jetèrent un regard amusé.

— J'adore l'étrange, ajouta le journaliste.

Il passait de plus en plus de temps à la loge, où il effectuait du travail de recherche tout en se gardant du temps pour écrire des articles pour les magazines de faits insolites. Avec ses camarades, il se faisait un devoir de brosser quotidiennement un tableau complet de la situation planétaire à l'intention de Lyette et des autres chefs de loge.

— Il est encore trop tôt pour se rendre compte de l'impact du message de Sara-Anne, laissa-t-il tomber.

— Tu te doutes sûrement déjà que les démons feront l'impossible pour empêcher les changements requis pour sauver la Terre, indiqua Ophélia.

— Mais ils seront anéantis eux aussi s'ils ne font rien pour changer les choses, fit remarquer Sachiko.

— L'appât du gain immédiat est plus important pour ces immondes créatures, soupira Ophélia. En d'autres mots, elles ne voient pas plus loin que le bout de leur nez.

— Nous ne les laisserons pas gagner.

— Si la population accepte enfin de sortir de sa zone de confort et de vivre autrement, les démons devront s'incliner, tenta de les encourager Sylvain.

— Je crains que ce souhait ne soit pas très réaliste, déclara Lyette en arrivant dans le grenier. Mon expérience me dit qu'ils vont plutôt se débattre pour conserver leur opulence. Qu'avez-vous à me dire, aujourd'hui ?

— Les actes de terrorisme se poursuivent dans toutes les nations, mais il y en a de moins en moins, lui dit Sachiko.

— C'est une bonne nouvelle.

— La diffusion du message de Sara-Anne est vraiment devenue virale. Des millions de personnes l'ont entendue, l'informa Sylvain.

— Ophélia ?

— En se faisant passer pour des ingénieurs suédois, les Uru-annas ont offert leurs services à toutes les villes où des ponts se sont effondrés. Ils leur ont présenté les plans de structures super résistantes munies de systèmes de détection sur toute leur surface pour empêcher que des explosifs y soient déposés à leur insu. Il s'agit évidemment d'une technologie qui n'est pas de ce monde, mais je pense que nos amis extraterrestres arriveront à la faire accepter par leurs clients.

— Même le Québec ?

— Ils ont été les premiers à signer avec les prétendus Suédois, affirma fièrement la fée, surtout quand ils ont compris que les méthodes de construction proposées par les géants blonds feront avancer les choses plus rapidement.

— Pas encore de transformations tangibles du côté des gouvernements et des usines ?

— Rien pour l'instant, répondit Sylvain, mais je suis certain qu'ils ont déjà commencé à réfléchir.

— Merci pour votre patience et votre dévouement.

— C'est tout naturel, fit Ophélia avec un sourire.

Lyette redescendit au salon, plutôt contente d'avoir

rassemblé une aussi belle équipe. L'automne s'était installé en douceur sur la province. Les feuilles des arbres changeaient de couleur, mais le temps n'était pas encore trop froid. Elle sortit dans la cour et trouva Chayton assis sur une des chaises de patio. Puisqu'il était probablement en transe, la Huronne s'approcha de lui sans faire de bruit et s'installa aussi pour profiter de la douceur du vent.

— Je ne suis plus en train de méditer, chuchota le médium.

— Avez-vous vu quelque chose, monsieur Maïkan ?

— Une main gantée de fer qui s'abat sur tout ce que les hommes essaient de faire pour s'en sortir... C'est vraiment déprimant.

— Savez-vous à qui elle appartient ?

— À un homme de qui Ophélia et moi rêvons souvent. Même Christian l'a vu dans ses visions.

— L'Antéchrist ?

— Peut-être bien... ou le pire de tous les démons. Il fera n'importe quoi pour conserver sa mainmise sur la planète.

— Le Bien finit toujours par l'emporter, Chayton, même si ça prend du temps.

— J'aimerais être aussi optimiste que vous...

— Je suis contente que vous ne fassiez plus de cauchemars au sujet d'inondations et de vagues déferlantes.

— Malheureusement, ces images continuent de me hanter, mais j'essaie de ne pas trop y penser.

— Avez-vous vu monsieur Pelletier, ce matin ?

— Il est allé marcher dans la forêt avec Mélissa. Je crois qu'ils ont des choses à se dire.

Chayton avait vu juste. Remise de la blessure qu'elle avait subie, le soir de l'attentat du docteur Edelman, la femme policier se questionnait sur son avenir. Christian l'avait ramenée dans les Laurentides pour la faire soigner et sans doute pour lui prouver qu'il l'aimait encore, mais ses sentiments à elle n'avaient pas changé. Sa relation avec le bel inspecteur était terminée et elle avait beaucoup de mal à le lui faire comprendre. Elle avait donc profité du fait qu'il lui offre de prendre l'air pour remettre les pendules à l'heure.

— Tu pourrais mettre tes grandes aptitudes à profit dans la loge, insistait Christian.

— Plantée devant un écran d'ordinateur ? Très peu pour moi. D'ailleurs, je ne comprends pas pourquoi un homme d'action comme toi s'y résout.

— On apprend beaucoup de choses utiles pour nos dossiers grâce à Internet.

— Je suis une femme de terrain, Christian, et je veux y retourner.

— Il nous arrive d'y aller nous-mêmes, comme dans le cas des agroglyphes, par exemple.

— Sous toutes ces bonnes raisons de me garder dans la loge, il y a surtout ton désir de me séduire à nouveau, n'est-ce pas ?

— À nouveau ? répéta-t-il, affligé. Ça veut dire que c'est vraiment fini ?

— J'aurai toujours de l'affection pour toi, mais ça s'arrête là. Je sais que ce que je suis en train de te dire te fait de la peine, mais je suis incapable de te mentir. Notre bout de chemin ensemble est terminé. Je vais retourner à Montréal et je ne parlerai jamais de cette loge à qui que ce soit, parce que j'admire le travail que vous y faites… mais ce n'est pas pour moi.

— Bien compris.

Pour ne pas sombrer davantage dans la tristesse, il se mit à parler des progrès qu'il avait faits dans l'apprentissage des pouvoirs dont il avait hérité du sorcier. Ils entendirent le bruit saccadé des pales de l'hélicoptère de Gowan, puis le virent passer au-dessus de leur tête.

Puisque les touristes n'avaient plus le loisir d'aller pêcher dans le Grand Nord, l'Écossais avait changé les activités de son entreprise. Lorsqu'il ne travaillait pas pour la loge, il transportait des gens d'un côté à l'autre du fleuve pour un prix raisonnable. Il rapportait aussi à Lyette tout ce qu'elle ne pouvait plus se procurer à Saint-Jérôme qui avait, comme toutes les autres villes, des problèmes d'approvisionnement.

Il posa son appareil sur le côté de la maison et commença à en sortir les caisses de bois qu'il avait remplies des denrées dont Lyette lui avait remis la liste. Christian et Mélissa étaient revenus sur leurs pas en l'entendant arriver. Ils l'aidèrent aussitôt à transporter les provisions jusqu'à la cuisine.

— Monsieur Menzies, l'accueillit Lyette qui était rentrée, elle aussi. Qu'avez-vous à nous raconter ?

— Je connais un tas de bonnes anecdotes de famille, mais j'imagine que ce n'est pas d'elles que vous parlez, répondit Gowan avec son fort accent. Alors, je vous dirais plutôt que cette semaine, j'ai souvent conduit à Montréal des familles de la Rive-Sud qui venaient de perdre des êtres chers. On dirait que plus de gens sont en train de mourir.

— Il y a en effet beaucoup de décès inexplicables et de réapparitions de maladies que nous croyions avoir vaincues.

— Une autre bonne raison d'habiter dans les Laurentides, commenta Christian.

Mélissa lui décocha un regard réprobateur.

— Pendant que je me rendais ici, je me suis dit que même si toutes ces morts solutionnent en partie notre problème de surpopulation, nous ne serons pas plus avancés si ceux qui restent sont des démons.

— Ils ne perdent rien pour attendre, grommela Mélissa. Nous leur réglerons leur compte en temps et lieu.

— Vous restez à dîner, monsieur Menzies ? lui demanda Lyette.

— Évidemment. Je n'ai pas transporté tout ça pour rien !

Ophélia quitta son poste pour préparer le repas avec Chayton, puis tous furent conviés à table.

— J'ai pensé à autre chose, fit alors l'Écossais après avoir avalé la moitié de son sandwich. Si la petite recommande à tout le monde de réduire nos besoins énergétiques, est-ce que vous ne consommez pas une tonne d'énergie avec tous vos ordinateurs ?

Tous les regards se tournèrent vers Lyette.

— C'était vrai jusqu'à la fin de l'été, mais grâce à un merveilleux cadeau de nos voisins Uru-annas, nous ne dépendons plus des centrales électriques pour répondre à nos besoins. Matthieu ne vous en a pas parlé ?

Ils secouèrent tous la tête, étonnés.

— Ou bien c'est un petit cachottier, ou bien il n'a pas cru que c'était important, répliqua Sachiko.

— Ils ont branché tous nos circuits sur une petite boîte qui contient une source inépuisable d'électricité, expliqua Lyette, mais ne me demandez pas comment ça fonctionne. Je ne suis pas ingénieur.

— Ce serait bien qu'ils transforment aussi mon hélico, parce que l'essence est rare et chère.

— Je leur en parlerai.

— Et s'ils veulent me l'échanger contre un vaisseau spatial, je ne m'y objecte pas… à condition qu'ils me donnent le manuel de pilotage en même temps.

Ils entendirent la porte de l'entrée se refermer.

— C'est David, annonça Ophélia, qui avait mis un couvert de plus pour lui.

— Bonjour, tout le monde ! les salua-t-il en entrant dans la salle à manger.

Après avoir perdu ses récoltes à Saint-Hyacinthe, David avait vendu sa ferme et s'était plutôt acheté un chalet sur le chemin de la montagne. Christian, Sylvain, Alexei et Sachiko lui avaient donné un coup de main pour le rafistoler avant l'hiver. Ce n'était pas une grande maison, mais c'était coquet et chaleureux. Le jeune Français travaillait trois jours par semaine comme infirmier à l'hôpital de Saint-Jérôme et passait le reste de son temps à la loge. En raison de la pénurie de personnel médical, David avait facilement obtenu ses équivalences pour exercer son métier au Québec. Il attendait incessamment l'arrivée de son copain Thibault, qui finissait de vendre leurs biens en France. Les billets d'avion coûtant désormais une petite fortune, il n'avait pas pu partir avant que tout soit terminé.

— Comment ça se passe à l'hôpital ? lui demanda Christian.

— Nous sommes aux prises avec une maladie mystérieuse, avoua l'infirmier en s'installant entre Ophélia et Gowan.

— Contagieuse ? s'inquiéta l'Écossais.

— Pas du tout et c'est ça qui est étrange. Elle gruge le corps par l'intérieur jusqu'à ce que le cœur s'arrête.

— Une sorte d'Ebola interne ? s'étonna Chayton.

— Sans les vomissements, la diarrhée et les éruptions cutanées.

— Si ce n'est pas transmissible, on l'attrape comment cette saloperie ? s'enquit Gowan.

— C'est ce qu'on essaie de déterminer. Au début, on croyait que c'était limité à Saint-Jérôme, mais d'autres villes dans les Laurentides sont touchées.

— Pas Montréal, ni la Rive-Sud ? demanda Lyette, intriguée.

— Non. Pour l'instant, c'est local. L'hôpital est en train d'enquêter sur chaque patient pour trouver des points communs entre eux, comme ce qu'ils ont mangé, bu, touché…

— C'est troublant, laissa tomber Mélissa.

— Peut-être qu'ils ont fait rôtir du démon sur leur barbecue, l'été dernier ? plaisanta Gowan.

— Où as-tu acheté nos provisions, exactement ? voulut savoir Chayton.

— Dans un grand marché d'aliments organiques de Saint-Liboire. N'ayez crainte, je n'en mangerais pas moi-même si j'avais le moindre doute.

Le visage de l'Écossais passa de la confiance au doute.

— Personne n'est malade dans la loge, n'est-ce pas ?

— Non, personne, affirma Ophélia. Mangez en paix.

Pendant ce temps, chez les Kalinovsky, la vie avait repris son cours. Depuis qu'elle avait livré son message, Sara-Anne était redevenue une petite fille normale de dix ans. Elle fréquentait l'école de Saint-Juillet où Alexanne allait la reconduire et la chercher tous les jours. En rentrant à la maison, elle s'appliquait à faire ses devoirs et ses leçons en compagnie de Valéri. Le vieux Russe n'y comprenait pas grand-chose, mais il se faisait un devoir de l'encourager. Elle aidait Danielle et Tatiana à préparer le souper, puis amusait la petite Anya, assise dans sa chaise haute tandis qu'elle faisait l'expérience de nouveaux aliments. Après le repas, elle allait jouer à la balle avec les chiens dans le jardin.

Plantée devant la porte grillagée de la cuisine, Alexanne l'observait en se demandant comment elle avait pu changer si abruptement.

— À mon avis, elle n'était pas possédée par une

entité extraterrestre. Celle-ci s'est plutôt servie de Sara-Anne pour livrer son message, lui dit Tatiana en se postant près d'elle.

— Donc, une fois sa mission terminée, elle est sortie de son corps ?

— C'est ce que je pense.

— Et David ?

— Nous ne le côtoyons pas assez souvent pour évaluer son cas, mais les quelques fois où il est venu ici, je n'ai rien senti de spécial.

— Espérons que les gens agiront en conséquence, parce que les gardiens de la paix galactique pourraient finir par perdre patience et nous anéantir.

— Tu regardes trop de films de science-fiction, toi.

Alexanne retourna à l'évier pour laver la vaisselle. C'était au tour d'Alexei de l'essuyer, mais il avait encore une fois disparu. Tatiana le fit donc à sa place.

— Es-tu bien certaine de ne pas vouloir étudier à Québec ? demanda la tante.

— Avec tout ce qui se passe en ce moment dans le monde, je préfère poursuivre mes études en ligne et être près des gens que j'aime.

— Mais ça ne te procure pas une vie sociale bien trépidante.

— J'ai tout ce qu'il me faut à Saint-Juillet... sauf Matthieu. Mais c'est sa dernière année.

— Où ira-t-il ensuite ?

— Il n'en sait rien encore. Je sens qu'il hésite à poursuivre son éducation en agriculture. Je pense qu'il aime bien ce qu'il fait à la loge. Mais il a promis à ses parents de terminer son diplôme, parce qu'ils ont investi beaucoup d'argent dans sa formation à Québec.

Quand Alexei se présenta à la cuisine, Tatiana venait de ranger la dernière assiette.

— Je suis encore arrivé trop tard ?

— Tiens donc, le piqua Alexanne.

— J'étais occupé avec Anya.

— Tu trouves toujours une bonne excuse.

— Ce n'est pas une excuse ! C'est la vérité !

— Ne vous disputez pas pour si peu, recommanda Tatiana. Le monde a besoin de beaucoup d'amour, en ce moment.

— Oui, c'est vrai. Tu peux au moins suspendre les linges de vaisselle dehors, Alex.

Alexanne les déposa sur les bras de son oncle et quitta la cuisine.

— J'aurais pu le faire plus tard, grommela l'homme-loup.

— Elle te provoque pour s'amuser et tu réagis chaque fois, le taquina Tatiana.

— Je sais… Je me fais toujours avoir.

La jeune fée se rendit au salon. Elle avait visionné tous ses cours de la journée et même commencé ses travaux, mais ce soir-là, elle avait tout simplement envie de bavarder avec Matthieu, son copain, en dernière année à la ferme école du cégep. Elle lui envoya un message privé sur Facebook et attendit. Quelques secondes plus tard, la fonction Skype lui annonça qu'il était disponible.

— Bonsoir, Mou ! s'exclama-t-elle gaiement.

— Est-ce qu'il y a un problème ? s'inquiéta le jeune homme.

— Oui. Tu es à Québec et je suis à Saint-Juillet.

— Seulement pour quelques mois encore et seulement parce que je m'entête à finir le programme, même si je doute de plus en plus que je deviendrai agriculteur. Mais même si je me mettais au service de tu sais qui pour le reste de mes jours, mes connaissances de la terre ne seront pas perdues en cas de catastrophe planétaire.

— Je préférerais qu'on parle de choses plus réjouissantes, si tu n'y vois pas d'inconvénients.

— Eh bien, étant donné que plusieurs élèves se sont désistés du cours, il est possible que je finisse mes études en décembre plutôt qu'en juin. Nous ne sommes plus qu'une poignée et nous apprenons tous très rapidement.

— C'est vrai ?

— Il faut dire aussi que le gouvernement a des priorités plus importantes, en ce moment. Et toi, les études ?

— Je me débrouille sur Internet, mais tout comme toi, je pense qu'il sera bientôt plus important de survivre que de se préoccuper de sa carrière. Puisqu'il n'existe aucun diplôme de combat contre les forces du Mal...

— J'ai cru comprendre que ça s'apprend sur le terrain. La loge me manque...

— Toujours aussi romantique... soupira Alexanne.

— Mais tu me manques plus encore, se reprit-il.

— C'est trop tard. Tu l'as déjà choisie avant moi.

Tatiana entra dans le salon et déposa un thé vert près de sa nièce. Elle l'embrassa sur le front et la laissa parler tranquillement avec son amoureux.

Chapitre 2

L'invitation

Les belles journées de septembre tiraient à leur fin et bientôt les vents froids d'octobre allaient balayer la région. Travaillant tous ensemble, les Kalinovsky se hâtaient de préparer les platebandes pour l'hiver et de rentrer dans le garage les plantes médicinales d'Alexei qui ne pouvaient pas supporter les rigueurs de la saison froide. Dès qu'elle rentrait de l'école, Sara-Anne mettait la main à la pâte. Contrairement aux autres enfants, elle n'aimait pas la neige, car elle la privait des fleurs dont elle adorait s'occuper.

— Il n'y a rien à faire à part pelleter, l'hiver, grommela-t-elle en recouvrant les pieds des rosiers de terre noire.

— On peut patiner, essaya de la tenter Alexanne.

— Je n'ai jamais appris.

— On peut faire de la raquette.

— C'est trop difficile.

— On peut aller glisser.

— La neige finit par entrer dans nos vêtements.

— On peut s'asseoir auprès du feu et attendre qu'elle fonde.

— Ça prend combien de mois ?

— Cinq mois quand on a de la chance.

— C'est trop long.

— Je sens qu'elle aura un pied-à-terre dans le Sud quand elle sera grande, plaisanta Danielle qui transportait des branches, la petite Anya assise dans un porte-bébé sur son dos.

— C'est quoi un pied-à-terre ? demanda Sara-Anne, intriguée.

— Une habitation où on ne passe qu'un certain temps, comme tout l'hiver, par exemple.

— Dans un endroit où il n'y a pas de neige ?

— Exactement.

— Alors, oui, ça me plaît.

Dès que tous les instruments aratoires furent nettoyés et rangés, la famille rentra à la maison pour se réchauffer.

— J'ai faim ! s'exclama Sara-Anne.

— Mange une pomme, lui conseilla Tatiana. Nous allons commencer tout de suite à préparer la lasagne végétarienne.

— D'accord.

Gaie comme un pinson, Sara-Anne attrapa un fruit dans le panier sur la table et trottina jusqu'au salon, où Valéri et Alexei venaient de s'installer. Pendant que le vieux Russe allumait un bon feu, l'homme-loup ouvrait un grand livre devant sa fille assise sur ses genoux pour lui raconter une histoire.

— Je peux écouter, moi aussi ? demanda Sara-Anne.

— Bien sûr, fit Alexei, mais je pense que tu la connais déjà.

— Ce n'est pas grave.

Elle se laissa tomber dans une bergère en croquant sa pomme.

— Marianne était une petite fille gentille qui habitait à la campagne avec sa famille, commença Alexei, qui lisait de mieux en mieux.

— Comme moi ! s'exclama l'Amérindienne.

Son éclat fit rire le bébé.

— Pour leur rendre la vie plus facile, elle s'acquittait de plusieurs corvées.

Au même moment, dans la cuisine, Tatiana, Danielle et Alexanne avaient divisé les tâches entre elles afin de mettre le gros plat au four le plus rapidement possible. C'est alors que l'adolescente remarqua que la petite lumière rouge clignotait sur le téléphone.

— Tante Tatiana, je pense que nous avons un message.

— Continue de râper le fromage, je m'en occupe.

La guérisseuse pianota le code et attendit.

— Je m'appelle Charles Peter Boyens et je suis un homme d'affaires bien connu, fit une voix profonde. Je désirerais rencontrer la fillette de la vidéo afin de lui faire une proposition qui accélérerait la diffusion de son message. Je vous rappellerai plus tard en espérant pouvoir vous parler.

L'inconnu lui laissa tout de même son numéro de téléphone qu'elle nota aussitôt.

— Qui était-ce ? s'enquit Alexanne en constatant que sa tante avait pâli.

— Peux-tu le faire rejouer sur le mains libres, ma soie ? Je ne sais pas comment faire ça.

Pour Alexanne et les autres jeunes de sa génération, l'électronique et l'informatique étaient un jeu d'enfant. L'adolescente s'exécuta en un tour de main. Les trois femmes écoutèrent le message de Boyens sans cacher leur surprise.

— Allez-vous le rappeler ? demanda Danielle, inquiète.

— Il n'est pas facile de déterminer si quelqu'un est de confiance sur un répondeur, avoua la guérisseuse.

— Faisons-le entendre à Alexei, suggéra Alexanne.

Les femmes laissèrent le repas en plan et se hâtèrent au salon. Alexei capta leur agitation avant même qu'elles n'entrent dans la pièce. Il baissa le grand livre et scruta rapidement les alentours, à la recherche d'un danger potentiel. Sur ses genoux, Anya avait perdu son sourire, comme si elle sentait les appréhensions de son père. Alexanne se planta devant lui et fit rejouer le message encore une fois.

— Pourquoi avez-vous peur? s'alarma Sara-Anne. Est-ce un démon?

— C'est impossible de le savoir juste en entendant sa voix, tenta de l'apaiser Alexanne.

— Il ne m'inspire pas confiance, laissa tomber Alexei.

— Comment a-t-il eu votre numéro puisque Sara-Anne ne dit pas son nom sur la vidéo et que Matthieu a fait en sorte qu'on ne puisse pas la retracer jusqu'à vous? demanda Danielle.

— Surtout qu'il n'est même pas dans le bottin, ajouta Alexanne.

— Si c'est un homme riche, il peut sans doute obtenir tout ce qu'il désire, leur rappela Valéri, y compris retracer les gens.

— Ne nous affolons pas, recommanda Alexanne.

— C'est trop tard, soupira Sara-Anne.

— Avons-nous vraiment besoin de son aide? s'enquit le vieux Russe.

— Pas du tout, affirma Alexanne. Matthieu s'est donné beaucoup de mal pour que la vidéo soit diffusée partout et, à en juger par le nombre de gens qui l'ont vue jusqu'à présent, il a bien réussi. Les chiffres augmentent tous les jours.

— Alors, c'est très simple. Tatiana, rappelle-le pour le remercier de son intérêt et lui faire savoir que nous nous débrouillons déjà très bien.

— C'est ce que j'ai l'intention de faire, mais j'aimerais d'abord en parler à madame Bastien.

— J'approuve, fit Alexei, tendu.

Tatiana s'assit près de Valéri sur le sofa et demanda à Alexanne non seulement de composer le numéro de la loge, mais aussi de s'assurer que tout le monde puisse entendre la conversation. La jeune fée enregistra le message sur son ordinateur de façon à pouvoir le faire jouer à l'intention de la loge.

Lyette était en train de parcourir les journaux sur un des écrans du grenier lorsque son cellulaire sonna. Elle vit sur l'afficheur qu'il s'agissait des Kalinovsky et répondit tout de suite. Elle écouta ce que Tatiana avait à lui dire puis porta attention au message laissé par Boyens. Elle lui demanda de le faire rejouer et le fit entendre aux autres membres de la loge qui se trouvaient autour d'elle. Sans qu'elle ait à le lui demander, Sylvain lança une recherche sur l'homme en question.

— Si vous aviez indiqué vos coordonnées sur la vidéo, il serait normal que vous receviez ce type d'offre, fit la Huronne, mais puisque nous avons bien couvert nos pistes, c'est plutôt dérangeant, en effet.

Elle se tourna vers le journaliste.

— J'ai trouvé quelque chose, annonça-t-il. Bonjour, les Kalinovsky.

— Bonjour Sylvain ! répondirent les filles.

— Charles Peter Boyens est un puissant homme d'affaires qui possède des intérêts financiers partout dans le monde. Mieux encore, selon d'autres sources, moins officielles, il influencerait même les décisions de certains gouvernements. À mon avis, la seule façon de savoir ce qu'il veut, c'est de le rappeler.

— Je n'ai pas vraiment envie de me frotter à ce genre de personnes, avoua Tatiana.

— Nous non plus, l'appuya Lyette, mais il vaut mieux vous en débarrasser tout de suite, sinon, il continuera d'appeler jusqu'à ce que vous répondiez.

— Vous avez raison. Je vais mettre fin à cette histoire tout de suite et espérer que ce sera la seule.

— Si vous recevez d'autres demandes ou si vous avez besoin de notre aide, n'hésitez pas à faire appel à nous.

— Merci, madame Bastien.

Lorsque Tatiana mit fin à la communication, elle ne semblait pas du tout rassurée. Elle se leva sans dire un mot et retourna à la cuisine pour poursuivre la préparation du repas. Alexanne s'empressa de l'y rejoindre.

— Je connais cet air-là, s'inquiéta l'adolescente. Que savez-vous que vous ne nous dites pas ?

— C'est juste une intuition, mon ange.

— Cet homme vous fait peur à vous aussi, n'est-ce pas ?

— Il y a très peu de véritables bons samaritains en ce monde, Alexanne. Il faut se méfier de ceux qui nous tendent la main surtout quand ils sont multimilliardaires.

— Vous croyez que Boyens veut du mal à Sara-Anne ?

— Je n'en sais rien.

— Allez-vous le rappeler ?

— Ce soir, sans doute.

La jeune fée comprit que sa tante voulait prendre le temps de réfléchir avant d'entrer en contact avec cet homme. Elle ne reparla donc plus du message sur le répondeur et s'efforça même de trouver des sujets de conversation qui s'en éloignaient pendant tout le repas.

Lorsque la table fut desservie, Alexei se présenta à la cuisine avant que la vaisselle soit déposée dans l'eau savonneuse.

— Je lave ou j'essuie ? demanda-t-il.

— Incroyable ! fit mine de s'étonner Alexanne. Il va falloir que je note ça sur mon calendrier.

— Je veux vous aider ! s'exclama Sara-Anne en arrivant derrière eux.

Pendant que le trio remettait de l'ordre dans la cuisine et que Danielle lavait Anya dans la salle de bain de l'étage, Tatiana s'empara du téléphone et s'enferma dans la bibliothèque. Elle respira profondément pour reprendre son calme et composa le numéro de l'homme d'affaires.

— Charles Peter Boyens, fit une voix grave et assurée.

— Bonsoir monsieur Boyens, le salua la guérisseuse. Je suis la tutrice de la fillette qui apparaît sur la vidéo. Que lui voulez-vous, exactement ?

— Rassurez-vous, madame, je ne suis pas un pédophile. La vie m'a choyé, alors je cherche toujours des occasions de lui remettre ses bienfaits. Avant d'aller plus loin, savez-vous qui je suis ?

— Un homme très riche, si je ne m'abuse.

— En effet. J'irais même jusqu'à dire l'un des plus puissants du monde. J'aimerais aider l'enfant à transmettre son message à ceux qui ne naviguent pas encore sur Internet et croyez-moi, ils sont légion.

— Vous pouvez utiliser sa vidéo à cette fin. Nous ne nous y opposerons pas.

— J'aurais aimé la rencontrer.

— Je crains que ce ne soit pas possible, monsieur Boyens. Nous avons choisi d'utiliser Internet pour la protéger contre les apparitions publiques. J'espère que vous comprendrez. Si vous voulez vraiment l'aider, utilisez votre influence pour faire diminuer la pollution sur la planète et investir dans des énergies renouvelables. Merci tout de même d'avoir pris le temps de nous appeler.

Même si ce n'était pas dans ses habitudes, Tatiana ne lui donna pas le temps d'essayer de la convaincre et raccrocha. Cet homme avait son numéro et il lui était toujours loisible de rappeler, mais il n'en fit rien. La guérisseuse espéra qu'il avait bien compris qu'elle ne lui permettrait pas de s'approcher de Sara-Anne, surtout que d'autres démons avaient déjà essayé de la tuer quelque temps auparavant. De toute façon, l'entité qui avait permis à la petite de s'adresser à la population ne semblait plus l'habiter. Celle que Boyens voulait rencontrer n'existait tout simplement pas.

Tatiana chassa cette histoire de son esprit et monta à sa chambre afin d'aller méditer. À la loge, toutefois, Sylvain était encore perturbé par l'intérêt que l'homme d'affaires américain portait à Sara-Anne. Il s'était donc attardé devant son ordinateur afin de fouiller plus profondément dans son passé. Lyette ne se rendit compte qu'il était encore là que lorsqu'elle revint chercher ses lunettes de lecture après le repas.

— Vous n'êtes pas rentré chez vous, monsieur Paré ?

— Je voulais pousser mon enquête plus loin sur Boyens.

— Votre femme sait-elle que vous êtes encore ici ?

— Je lui ai dit que j'arriverais plus tard.

— Avez-vous trouvé quelque chose ? s'enquit Lyette en s'assoyant près de lui.

— J'ai cherché dans toutes les bases de données que je connais. Il n'a pas d'adresse fixe. En fait, il possède des maisons partout dans le monde. Officiellement, il finance un nombre impressionnant d'hôpitaux et d'écoles dans le tiers monde et il a récemment offert de participer au coût de reconstruction de plusieurs ponts de la côte est des États-Unis.

— Officiellement ?

— J'essaie de déterminer si c'est une image de bon garçon qu'il se donne, qui pourrait cacher des activités moins angéliques.

— En d'autres mots, vous jouez au détective ?

— C'est à peu près ça, oui, et je crains de ne pas être aussi doué que Christian dans le domaine criminel. Toutes les pistes que je flaire ne mènent nulle part.

— Ce serait une bonne idée que vous fassiez participer monsieur Pelletier à cette enquête. Il a besoin qu'on lui remonte le moral, en ce moment.

— Il est vrai qu'il connaît sans doute des avenues que je n'ai pas encore explorées.

— Ne rentrez pas trop tard.

— Promis.

Lyette quitta le grenier afin d'aller lire dans sa bibliothèque avant de se mettre au lit. Après le souper, les médiums s'étaient eux aussi retirés dans leurs quartiers et Sachiko était allée s'entraîner dans son dojo. La Huronne jeta un œil au salon en se dirigeant vers l'escalier. Christian regardait la télévision. Il était seul. « Où est Mélissa ? » se demanda-t-elle. Elle grimpa à l'étage et vit que la porte de la chambre de la femme policier était fermée. Elle était probablement en train de prendre une importante décision pour son avenir.

Découragé, Sylvain ferma l'ordinateur, enfila son manteau à carreaux rouges et noirs et s'engouffra dans l'ascenseur. Il chercha l'ancien policier et le trouva sur le sofa, un café dans les mains. Christian avait choisi une chaîne qui ne présentait que des nouvelles en continu, mais il ne semblait pas s'y intéresser. Il regardait plutôt dans sa tasse.

— Comment vas-tu ? demanda Sylvain.

— J'ai connu de meilleurs jours…

Le journaliste prit place dans un fauteuil à la gauche de son ami.

— Tu as donc mis ta situation au clair avec Mélissa ?

— Disons qu'elle m'a gentiment rappelé que nous avions rompu.

— Elle n'éprouve plus rien pour toi ?

— Je suis persuadé qu'elle m'aime encore, mais qu'elle ne veut plus participer à toutes les histoires abracadabrantes dans lesquelles je me fous les pieds.

— As-tu essayé de lui faire comprendre que tu ferais en sorte de ne pas la mêler à tes nouvelles enquêtes ?

— Dans toutes les langues que je connais. C'est une femme irréductible.

— Tu ne l'oublieras sans doute jamais, mais je suis certain que tu finiras par rencontrer ton âme sœur, Christian.

— En faisant la chasse aux sorciers et aux démons ? Je suis aussi bien de me faire à l'idée qu'aucune femme ne voudra jamais de moi.

— J'aimerais savoir quoi te dire pour te remonter le moral…

— J'arrive toujours à me consoler par moi-même.

— Quand tu te sentiras mieux, j'aimerais obtenir ton avis au sujet de recherches que je veux faire sur Boyens au niveau criminel.

— Criminel ? s'intéressa Christian.

— Je trouve que son image est trop parfaite.

— Alors, là, peut-être que je pourrais t'aider. J'ai encore quelques contacts dans la police.

Sylvain le remercia et lui demanda de ne pas trop boire de café, puis rentra chez lui. Le soleil se couchait de plus en plus tôt en automne, alors quand il arriva chez lui, il faisait sombre. Maryse l'accueillit avec un baiser.

— Viens manger, l'invita-t-elle en lui prenant la main.

Elle sortit son repas du micro-ondes et le posa sur la table.

— Félix est-il déjà au lit ?

— Oui, et il dort comme un ange. Tu le verras demain matin.

Affamé, Sylvain se mit à manger.

— As-tu passé une bonne journée ?

— En plus de mes vérifications quotidiennes, j'ai effectué des recherches supplémentaires pour la loge. Je suis désolé de m'être absenté, ce soir.

— Tant que tu ne recommences pas trop souvent...

— Je te jure que c'est une situation exceptionnelle.

Le journaliste regarda la télévision avec sa femme en faisant bien attention de ne pas lui parler de son travail. Au matin, il fut réveillé par le rire cristallin de son fils que Maryse venait de déposer dans leur lit. Puisqu'il était entouré d'adultes qui le motivaient depuis sa naissance, Félix parlait déjà franc et s'intéressait à tout malgré ses deux ans et demi.

— Papa, on va aux pommes ?

— Quelle merveilleuse idée, dis donc.

Le petit garçon avait les cheveux bruns et les yeux sombres de son père, mais il tenait son nez et sa bouche de Maryse.

— Maman va faire des tartes avec les pommes.

— Et des chaussons, de la croustade, de la compote et des confitures, ajouta Sylvain.

— Aujourd'hui ?

— Non, mon petit lutin. Aujourd'hui, je dois aller travailler. Mais demain, c'est mon jour de congé.

— On va aux pommes demain ?

— Promis.

Sylvain déjeuna avec sa famille. Véritable moulin à paroles, Félix en profita pour lui raconter tout ce qu'il avait fait la veille.

— Ma foi, je pense qu'il deviendra journaliste comme son père, plaisanta Maryse.

— Ou politicien ?

— Jamais de la vie !

— Jamais ! répéta Félix avec un grand sourire.

— Nous aurons pourtant besoin d'hommes honnêtes et convaincants pour nous guider dans ce nouveau siècle.

— Il possèdera certainement de belles qualités, mais il trouvera une autre façon de les utiliser.

— Que feras-tu quand tu seras grand, Félix ? lui demanda son père.

— Des tartes aux pommes !

— Nous les préparerons tous ensemble, décida Maryse.

Après avoir joué pendant un peu plus d'une heure avec son fils, le journaliste monta dans sa voiture et se rendit au manoir de Lyette. La bande était encore en train de déjeuner en discutant des derniers bouleversements mondiaux. Sylvain salua tout le monde et se prépara un thé, qu'il apporta au grenier. Il ne fut pas surpris de trouver Christian déjà au travail, puisqu'il ne l'avait pas vu à table avec les autres.

— Du nouveau ?

— J'ai bien peur que Boyens soit vraiment une bonne personne, en fin de compte, répondit l'ancien policier.

— Il n'a rien à se reprocher ?

— Pas à première vue. Il n'a pas de casier judiciaire et aucune action n'a été intentée contre lui devant les tribunaux américains ou ailleurs. Pas d'enquête n'est en cours sur lui non plus.

— Alors, dans quel but voulait-il rencontrer Sara-Anne ? s'inquiéta Sylvain. N'importe qui peut copier sa vidéo et la transmettre sur des canaux non conventionnels.

— Peut-être qu'il jugeait que notre enregistrement n'était pas assez professionnel ?

— Il possède sûrement les moyens d'en faire une grosse production, mais il devrait savoir que c'est le message qui est important et non l'enveloppe. En tout cas, moi, je l'aime bien notre petite vidéo. Elle est simple, captivante et elle va directement au but.

— Je suis d'accord avec toi. Oublions ce saint homme et tournons-nous plutôt vers le travail de la loge, d'accord ?

— J'imagine que tu n'as pas encore eu le temps de faire un tour d'horizon de la situation mondiale ?

— Eh non. J'étais obsédé par ta requête. Si on s'y mettait ?

Christian fit disparaître le visage de Boyens sur son écran et accéda au premier site d'informations sur sa liste de surveillance.

Chapitre 3
Les billets

Le soleil venait à peine de se lever quand Alexei ouvrit un œil. Couché contre le dos de Danielle, il scruta la chambre, se demandant si c'était un couinement d'Anya dans son berceau qui l'avait réveillé. Étant donné que tout était calme dans la chambre, il fouilla le reste de la maison avec ses sens magiques, s'attendant à découvrir Sara-Anne en train de fouiller dans le garde-manger pour se préparer des céréales. Alexei se redressa d'un seul coup lorsqu'il capta une présence étrangère sous le porche. Il bondit du lit et n'enfila que son pantalon.

— Alex ? s'alarma Danielle que son geste avait fait sursauter.

— Reste ici avec Anya.

Il fonça dans le couloir, dévala l'escalier et ouvrit brusquement la porte de l'entrée. Une voiture sport décollait devant la maison. Même s'il lui avait donné la chasse en courant, Alexei n'aurait jamais pu la rattraper. Il baissa les yeux et aperçut une enveloppe dorée sur le paillasson. Les lettres CPB y étaient imprimées en relief. Il la prit et la sonda. Elle n'avait pas été envoûtée ou empoisonnée.

— Alexei ? l'appela alors Tatiana.

L'homme-loup pivota et aperçut sa sœur qui descendait les dernières marches en attachant le cordon de son peignoir.

— Quelqu'un est venu jusqu'ici pour nous livrer ceci.

Il tendit l'enveloppe à Tatiana. Tout comme lui, elle l'analysa avec ses sens de fée avant de se décider à l'ouvrir.

— Elle contient quatre billets d'avion, s'étonna-t-elle.

— Pour aller où ?

— Paradise Island dans les Bahamas. Il y a aussi une réservation pour l'hôtel Atlantis.

— Y a-t-il des noms sur les billets ?

— Non... ni sur l'autre document.

— Qui nous les envoie ?

— CPB... Charles Peter Boyens ?

— Les Bahamas, c'est chez lui ? s'étonna Alexei.

— C'est où, les Bahamas ? demanda Sara-Anne, appuyée contre le cadre de la porte donnant accès à la cuisine.

— Dans la mer des Caraïbes, lui expliqua Tatiana.

— C'est loin de Saint-Juillet ?

— Très loin, affirma Alexei. Même moi, je sais ça.

— Nous partons en vacances ?

— Non, firent ses aînés d'une seule voix.

Tatiana poussa la fillette dans la cuisine et déposa l'enveloppe dorée sur le dessus du réfrigérateur. Alexei remonta à sa chambre et raconta à Danielle ce qui venait de se passer.

— En d'autres mots, il essaie de nous forcer la main, soupira-t-elle.

— Il ne sait pas à qui il a affaire.

— Mais s'il est très puissant, ne sera-t-il pas tenté de kidnapper Sara-Anne si nous nous entêtons à lui dire non ?

— Personne ne s'en prendra aux membres de cette famille tant que je serai là pour la protéger.

— Nous devrions descendre prêter main-forte à Tatiana.

Danielle réveilla le bébé en douceur et suivit Alexei en bas. Elle s'installa dans le fauteuil berçant de la cuisine tandis que la guérisseuse préparait les céréales chaudes.

— Qu'avez-vous l'intention de faire ? demanda Danielle.

— Il est inutile de porter plainte à la police, car il n'est pas illégal d'offrir un séjour aux Bahamas à de purs étrangers, se découragea la guérisseuse.

— Mais le harcèlement est un crime, par contre.

Sara-Anne avalait son déjeuner en les écoutant, perplexe.

— Jusqu'à présent, il n'y a eu qu'une conversation téléphonique et ces billets.

— Voulons-nous vraiment attendre qu'il aille plus loin ?

— Certainement pas, mais il finira bien par comprendre que son offre ne nous intéresse pas.

— Moi, ça me dérange qu'il connaisse notre adresse, intervint Alexei.

— C'est un homme méchant ? demanda finalement la fillette.

— Nous n'en savons rien, ma soie, répondit Tatiana. Ce qui importe ici, c'est que nous avons refusé son offre, mais qu'il s'acharne à nous faire changer d'idée.

— Il n'a peut-être pas compris la première fois.

— C'est aussi ce que je pense. Alors, nous allons ignorer sa deuxième tentative.

— Je suis tout de même d'avis que nous devrions la mentionner à la loge, suggéra Alexei.

Il se tourna vers l'enfant.

— À partir de maintenant, tu ne sors plus de la maison sans être accompagnée d'un adulte, lui dit-il.

— Même pour jouer avec les chiens ?

— Peu importe la raison.

— Je suis en danger ?

— Nous voulons éviter que cet homme finisse par envoyer quelqu'un te chercher au bout du compte, ajouta Tatiana.

— Voulez-vous que je lui dise moi-même que je ne suis pas intéressée d'aller aux Bahamas ?

— Surtout pas ! s'exclama Alexei.

— Si tu fais ce qu'on te demande, tout ira bien, ma chérie, intervint Tatiana pour éviter que son frère la fasse paniquer.

La guérisseuse s'isola dans la bibliothèque et appela à la loge en espérant qu'un de ses membres soit déjà debout.

— Bien le bonjour, madame Kalinovsky, fit Lyette. Si vous m'appelez à cette heure matinale, j'imagine que c'est parce que le multimilliardaire vous donne du fil à retordre ?

— En effet. Je pense qu'il n'a pas l'habitude qu'on lui refuse ce qu'il demande. Il vient de nous faire parvenir quatre billets d'avion à destination des Bahamas.

— Il essaie de vous attirer sur son terrain ? Il n'est donc pas très subtil. Que diriez-vous de nous rencontrer tout à l'heure chez moi pour que nous prenions des mesures plus coercitives ?

— Entendu. J'emmène la petite avec moi.

Tatiana ne prit qu'une bouchée, obsédée par la menace que représentait Boyens pour son bonheur familial. En montant s'habiller, elle réveilla Alexanne. Celle-ci bondit de son lit et fut prête à partir en quelques minutes. Elle descendit à la cuisine et se contenta d'une pomme pour déjeuner. Sara-Anne était assise devant son bol vide, l'air absent.

— Es-tu en train de préparer un mauvais coup, toi ? la taquina Alexanne.

— Non… Je me demandais si un jour on pourra vivre en paix.

— C'est plutôt compliqué dans une famille comme la nôtre.

Valeri, qui ne voulait d'aucune façon être mêlé aux activités d'Adhara, décida de rester à la maison et Danielle exprima le même vœu, ce qui contraria Alexei.

— Si nous y allons tous, qui vous protégera ?

— C'est Sara-Anne qu'il veut, pas nous, tenta de le rassurer Danielle. Nous nous barricaderons dans la maison et nous regarderons des dessins animés.

— Oui, j'aime bien les dessins animés, renchérit le vieux Russe. Et puis, si nous voyons quoi que ce soit de suspect, nous vous appellerons tout de suite.

— Ça te va, Alex ? fit Danielle pour l'apaiser.

— Je n'aime pas ça, mais je n'ai pas le choix, c'est ça ?

— Ce que la loge fait et décide ne me regarde pas. Le moins j'en sais, le mieux pour elle. Ne vous en faites pas pour nous. Nous nous emmitouflerons devant le téléviseur.

C'est donc en ronchonnant qu'Alexei suivit sa sœur et ses nièces dans la voiture. Alexanne, qui n'avait toujours pas eu le temps de s'inscrire à des cours de conduite, les mena tout de même à bon port. Les Kalinovsky trouvèrent le reste de l'équipe autour de la grande table du grenier. Lyette, Sachiko, Christian, Sylvain, Chayton, Ophélia, David, Gowan et même Mélissa les saluèrent. Tatiana leur relata donc l'invitation et l'insistance de Charles Peter Boyens, qui tenait à tout prix à rencontrer Sara-Anne. Celle-ci écoutait, mais elle ne semblait pas comprendre qu'elle était en danger. David glissa sa main dans la sienne pour la rassurer, mais elle se contenta de lui sourire.

— Jusqu'à présent, Boyens est courtois, fit Lyette, une fois que la guérisseuse eut fini de parler. Mais s'il perd patience, il pourrait bien s'emparer de la petite.

— Je l'en empêcherais, affirma Alexei.

— C'est un homme puissant qui a beaucoup de ressources à sa disposition. Le mieux, c'est de ne pas le provoquer.

— Êtes-vous en train de dire que nous devrions accepter son invitation ? s'étonna Tatiana.

— Aller à la montagne avant que la montagne vienne à nous, quoi ? fit Chayton.

— Je pense que nous éviterions bien des souffrances à tout le monde en allant voir ce qu'il veut, ajouta Ophélia.

— Nos recherches semblent indiquer que c'est un homme bien, renchérit Sylvain.

— Courir ne servirait à rien, indiqua Sachiko. Il faut en finir une fois pour toutes.

— Vous avez reçu quatre billets d'avion. Il faudrait donc à Sara-Anne trois protecteurs, capables de la sortir de là si les choses devaient mal tourner.

— Je me porte volontaire, annonça Christian. J'ai vraiment envie de rencontrer cet homme qui construit des écoles et des hôpitaux pour les démunis.

— Moi aussi, lui fit écho Sachiko.

— Je ne suis pas d'accord qu'elle ne soit entourée que de guerriers, leur fit savoir Lyette. Je propose plutôt Alexanne, qui possède le don de faire flamber les sorciers, et un de nos médiums.

— Je veux David, exigea Sara-Anne.

— Mais Thibault est censé arriver d'un jour à l'autre, fit Ophélia.

— Il comprendra que j'ai une importante mission à accomplir, intervint David. De toute façon, il est préférable que je ne sois pas là pour le voir réorganiser toute ma maison à son goût.

Tatiana, qui n'avait pas prononcé un seul mot, se leva.

— Sara-Anne n'ira nulle part, trancha-t-elle.

Elle tendit la main à l'enfant, qui se sentit obligée de la suivre jusqu'à l'ascenseur. Alexanne s'empressa de leur emboîter le pas, puisque c'était elle qui conduisait l'auto. Toutefois, Alexei ne bougea pas.

— Les Bahamas, c'est très loin, laissa-t-il tomber.

Sylvain fit apparaître une carte géographique qui indiquait sa distance par rapport au Québec.

— S'il leur arrivait quelque chose, nous ne pourrions pas intervenir, poursuivit l'homme-loup.

— J'ai aussi mon permis pour piloter un jet privé, si vous en avez un, leur apprit Gowan. Mais ça représente quand même un trajet de plusieurs heures.

— Il n'en demeure pas moins que si la petite disait elle-même à monsieur Boyens qu'elle ne refera pas d'autres vidéos, il la laisserait peut-être tranquille, fit observer Mélissa.

— Et si jamais cet homme était un autre sorcier qui cache bien son jeu, eh bien, Alexanne lui règlerait son compte, enchaîna Chayton.

— Encore mieux, j'ai besoin de vacances, plaisanta David.

— Qui se sent de taille à convaincre Tatiana de laisser partir Sara-Anne ? demanda Lyette.

— Moi, décida Christian. Mais je vais d'abord la laisser se calmer un peu.

— Ça vaudra mieux, admit Alexei.

— Je me rendrai chez les Kalinovsky avant le dîner.

— Cette réunion d'urgence est levée, conclut Lyette pour éviter des discussions inutiles alors que les membres de l'équipe avaient fort à faire.

La Huronne quitta à son tour le grenier, mais elle ne prit pas l'ascenseur seule. Sachiko s'y glissa en même temps qu'elle.

— Pourquoi m'as-tu écartée de cette mission, *sobo* ?

— Parce que je veux garder un de mes soldats auprès de moi.

— Mais je suis cent fois plus qualifiée que Christian pour garder Sara-Anne en vie.

— Tu es une guerrière rusée qui n'est jamais prise de court, c'est vrai, mais à mon avis, cette mission requiert une approche bien différente.

— Je ne comprends pas…

La porte de l'ascenseur s'ouvrit dans le salon et les deux femmes en sortirent.

— Si j'étais monsieur Boyens et que je voyais arriver une *kunoichi* en compagnie de la petite qui prône la paix, je me méfierais tout de suite des intentions d'une telle délégation.

— Mais je sais être charmante.

— J'ai aussi une autre raison de préférer Christian pour cette entreprise. Il a besoin de s'éloigner de Mélissa pour commencer à l'oublier.

— Dans ce cas, je pourrais remplacer David et m'assurer qu'il arrête de penser à elle.

— C'est encore la combattante qui refait surface.

Sachiko baissa les yeux, honteuse.

— Tu auras tout le temps que tu veux pour le conquérir lorsqu'il sera de retour des Bahamas.

— Qui vous dit qu'il en reviendra ?

— C'est un survivant, Sachi. Laisse-le te le prouver à toi aussi.

Profondément contrariée, la jeune femme décida de descendre au dojo afin de massacrer ses sacs de boxe. Pendant ce temps, au grenier, le reste de l'équipe continuait à réfléchir à l'invitation de Boyens.

— Avez-vous eu des visions sur les Bahamas ? demanda Christian en se tournant vers les médiums.

— Rien encore, avoua Chayton, mais je vais me mettre là-dessus.

Le silence d'Ophélia inquiéta davantage l'ancien policier que tout ce qu'elle aurait pu dire.

— C'est là que je meurs ? s'inquiéta-t-il.

— J'ai bien reçu des images qui me montraient un climat tropical, mais je n'ai pas compris pourquoi jusqu'à ce que Tatiana nous parle des Bahamas. Toutefois, j'ai encore du mal à les organiser pour qu'elles aient un semblant de sens.

— De bonnes ou de mauvaises images ?

— J'ai vu des palmiers et des bateaux sur l'océan… et des dents de requins.

— Des requins morts, au moins ?

— Non, soupira la fée en secouant tristement la tête.

— Déjà là, j'aime moins ça.

— Qu'est-ce qu'un requin ? demanda innocemment Alexei.

Il avait appris des tas de choses sur les baleines, mais il n'avait jamais rien lu sur les squales. Sylvain en fit apparaître des images sur l'écran géant.

— Ils peuvent atteindre la taille de cette table de conférence, indiqua le journaliste.

— Et j'imagine qu'ils sont carnivores avec cette dentition.

— Ils s'attaquent à n'importe quoi.

L'homme-loup planta son regard dans celui de Christian.

— Est-ce que tu sais nager, au moins ?

— J'ai gagné des médailles quand j'étais jeune, mais je ne suis pas certain de pouvoir échapper à ce genre de prédateur si je tombe à l'eau.

— Tu t'attaques à des sorciers et tu as peur des requins ? le taquina alors Mélissa.

— Ce n'est pas pareil ! se défendit Christian.

— Revenons à notre plan A, fit alors Gowan, songeur.

— Parce que nous avons un plan B ? s'étonna Chayton.

— Ça viendra après. Admettons que Christian et David partent avec les filles. Si tout se passe bien, ils passent une petite semaine au soleil, nous reviennent tout bronzés et nous n'entendons plus jamais parler du gars riche. Mais si ça se passait mal ?

— Il faudrait prévoir une façon d'aller à leur secours, devina Ophélia.

— Qui ira ? À part Sachiko, qui serait capable d'affronter un homme pareil ?

— Moi, déclara bravement Alexei.

— J'imagine que je pourrais faire ma part, fit Sylvain, moins sûr que l'homme-loup.

— Je propose donc de commencer à regarder comment je pourrais vous y emmener en vitesse.

— C'est une excellente idée, monsieur Menzies, l'encouragea Chayton.

Christian jeta un regard de côté à Mélissa. Elle avait certainement une longue expérience de ce genre de travail de sauvetage dans des repaires de brigands, mais elle ne disait pas un mot. « Elle va bientôt partir », comprit-il. Elle ne serait sans doute plus là lorsqu'il reviendrait de sa mission chez les Kalinovsky, mais il décida de ne pas y penser.

— Tu montes avec moi, Alexei ? fit-il plutôt.

L'homme-loup se leva sur-le-champ.

— Je vous laisserai savoir tout à l'heure le résultat de mes efforts, promit l'ancien policier.

Il quitta le grenier en compagnie d'Alexei.

— Elle ne sera pas facile à convaincre, lui dit-il quand les portes se furent refermées.

— Je m'en doute, mon homme.

Ils marchèrent en silence jusqu'à la Jeep.

— Crois-tu vraiment que tout se passera bien ? s'enquit Alexei.

— Depuis que je vous connais, rien n'est jamais facile.

— Cet homme pourrait être un sorcier.

— Alors, nous ne serons pas partis longtemps, car ta nièce aura tôt fait de le réduire en cendres.

— Et si c'est un démon ?

— Ce sera le moment idéal de voir si tout ce que vous m'avez appris vaut quelque chose. Mais la vérification que j'ai effectuée sur cet homme me laisse plutôt croire qu'il essaie de sauver le monde à sa manière. Je pense qu'il est tout simplement tombé sous le charme de Sara-Anne et qu'il a envie de la rencontrer, tout comme les fanatiques aiment s'approcher de leur star favorite.

Une fois que Christian et Alexei furent partis, David décida de rentrer chez lui pour peser le pour et le contre de son engagement. C'était bien sûr pour s'assurer que rien n'arrive à la petite fille avec qui il avait partagé l'expérience des cercles céréaliers, mais il n'était pas du tout taillé dans le même bois que l'ancien policier. « J'ai fait un peu de sport, comme tout le monde en France, mais jamais d'arts martiaux comme Christian », songea-t-il en grimpant dans son Tucson.

Il gara le véhicule devant son chalet de deux étages et alla allumer un feu pour chasser l'humidité. Il s'assit dans son fauteuil à bascule et laissa errer ses pensées. C'est alors qu'un personnage familier traversa le mur comme s'il n'avait pas été là.

— Paix à toi, fils des étoiles, fit l'Uru-anna en s'arrêtant devant lui.

— À toi aussi, Assael.

— Ma race et la tienne sont si semblables que nous pouvons ressentir les émotions des Éridaniens.

— C'est mon incertitude qui t'a attiré chez moi ?

— Tu as de la difficulté à accepter qui tu es vraiment.

— Jusqu'à ce que la loge débarque chez moi, sur ma ferme de Saint-Hyacinthe, j'étais un homme normal… enfin presque… Je ne croyais pas aux objets volants non identifiés et à la vie sur les autres planètes. Il est vrai que je me sentais persécuté par toutes sortes de malheurs inexplicables, mais je trouvais des solutions pour m'en sortir. Puis ma vie a basculé.

— Il y a des milliards d'étoiles dans l'univers et autour d'un grand nombre d'entre elles tournent des planètes habitées.

— Je le sais maintenant.

— Et tes ancêtres sont partis de l'une d'entre elles pour explorer les mondes plus primitifs et leur offrir leur soutien.

— Est-ce là mon destin aussi ?

— Seulement si tu le veux. Tu es libre d'aider cette planète comme bon te semble, mais tu ne peux pas renier tes origines.

— C'est assez difficile à oublier, en tout cas.

— Ton séjour dans le système solaire de tes parents t'a profondément marqué.

— Marqué ? J'en rêve presque tous les soirs.

— Accepte qui tu es, David.

— Je finirai par y arriver.

Assael lui présenta sa main, paume relevée.

— Que suis-je censé faire ? s'étonna l'infirmier.

— Appuie tes doigts sur les miens.

Puisqu'il faisait aveuglément confiance à l'Uru-anna, David s'exécuta sans hésitation. Il ressentit un léger picotement dans tout son bras. Assael mit fin au contact.

— C'est un signe de reconnaissance entre nous. Ne l'oublie pas.

— Je m'en souviendrai. Avant de partir, connaissez-vous Charles Peter Boyens ?

— Nous ne savons pas qui c'est.

— Merci, quand même.

Le géant blond partit de la même façon qu'il était arrivé. « Je me demande combien de gens sur la Terre savent que ces hommes qui ressemblent à des Suédois sont d'origine extraterrestre ? » songea David en attisant le feu.

Chapitre 4

Persuasion

Christian arrêta la Jeep derrière la voiture de Danielle dans l'entrée des Kalinovsky. Il en descendit et respira profondément l'air frais. Alexei l'observa en se demandant ce qui lui prenait.

— L'automne est ma saison préférée, lui dit l'ancien enquêteur.

— Moi, je préfère le printemps, quand tout renaît enfin.

Ils marchèrent vers la galerie.

— Il serait important que tu n'oublies pas tes pouvoirs une fois aux Bahamas, conseilla l'homme-loup.

— Théoriquement, je les connais tous, mais quand je suis en situation d'urgence, mon cerveau redevient celui d'un policier plutôt que celui du sorcier.

Ils entrèrent dans la maison. Contrairement à son habitude, Tatiana ne vint pas à leur rencontre. Pourtant, ses facultés de fée l'avaient certainement prévenue de l'arrivée des deux hommes. Ils la trouvèrent à la cuisine, en train de préparer un potage aux courges. Sara-Anne jouait avec les chiens dans la cour sous l'œil vigilant d'Alexanne.

— Me donnerez-vous la chance de vous convaincre que je dois emmener la petite dans le Sud ? fit Christian en glissant les mains dans ses poches de veston comme un gamin mal à l'aise.

Alexei décida de les laisser en tête à tête et alla plutôt rejoindre sa petite famille dans le salon.

— C'est trop dangereux, répondit la guérisseuse.

— Avez-vous vu notre avenir ?

— Non. C'est uniquement un pressentiment. Malgré tout ce que vous pourriez me dire au sujet de cet homme, je n'arrive pas à lui faire confiance.

— Vous avez raison d'être méfiante, mais il y a un élément que vous ne prenez pas en compte, ici.

— Le fait que cet homme est habitué d'obtenir tout ce qu'il désire ?

— Il est certain qu'il enverra des hommes de main pour s'emparer de Sara-Anne si nous refusons continuellement ses invitations.

— Ils s'attaqueraient à une maison de fées.

— Au lieu de parler de guerre, pourquoi ne pas considérer une solution pacifique ? Habituellement, c'est vous qui parlez comme ça, non ?

— Cette petite a assez souffert, monsieur Pelletier.

— C'est justement pour cette raison que nous devons empêcher des hommes comme Boyens de s'emparer d'elle. Par expérience, je sais que les enfants kidnappés disparaissent à tout jamais. Au moins, en notre compagnie, elle courra moins de risques.

Son argument ébranla la guérisseuse.

— Nous devons cesser de penser à nous-mêmes et commencer à faire tout en notre pouvoir pour sauver la planète, continua Christian. En allant volontairement à la rencontre du multimilliardaire, nous avons une meilleure chance de tous rentrer à la maison, sains et saufs.

— Et que ferons-nous lorsque d'autres Boyens voudront aussi rencontrer Sara-Anne ?

— Heureusement, les gars aussi puissants ne sont pas nombreux et, mieux encore, dans leur petit cercle, les nouvelles circulent vite. À mon avis, ils se contenteront de ce que Boyens aura à dire à son sujet.

Tatiana baissa le feu sous le chaudron et s'assit à la table, visiblement troublée.

— Et si c'était un piège ?

— Alors, nous mettrons nos ressources en commun pour le faire échouer.

— L'avion décolle après-demain. Avez-vous un passeport ?

— J'en avais un... Je vais devoir fouiller dans mes affaires.

— Je n'en ai jamais vu dans celles des filles, mais je vais regarder dans leurs dossiers.

— Vous prenez la bonne décision, madame Kalinovsky. Je ne sais pas ce qui se passera une fois là-bas, mais je sens que notre initiative changera le monde.

La guérisseuse se leva et serra Christian contre elle avec un désespoir qui n'échappa pas à ce dernier.

— Je vous jure sur la tête de ma mère que je vous ramènerai les filles et vous savez ce qu'on dit : les voyages forment la jeunesse. Vous m'avez toujours fait confiance.

— Mais le monde n'est plus ce qu'il était. N'hésitez pas à communiquer avec nous si vous éprouvez le moindre ennui. Je sais que la loge a les moyens de vous sortir du pétrin.

— C'est exactement pour cette raison que j'ai accepté cette mission, plaisanta l'ancien policier. Pendant que vous localisez les papiers des filles, je vais aller en faire autant pour les miens. Il y a chez Lyette des valises que je n'ai pas encore eu le temps d'ouvrir.

Christian l'embrassa sur le front et sortit de la cuisine. Il s'arrêta à l'entrée du salon et échangea avec Alexei un regard qui disait tout. Bien décidé à prouver qu'il avait raison, il remonta dans la Jeep et quitta la propriété de Tatiana. Avant de retourner au manoir, par contre, il fit un saut chez David. Il frappa quelques coups sur la porte qui s'ouvrit presque aussitôt.

— Comme c'est étrange ! lança le Français. Je pensais justement à toi !

— Moi, plus rien ne m'étonne, mon homme.

— Allez, entre.

Christian s'approcha de la cheminée.

— Il fait vraiment bon chez toi.

— Arrête de me faire languir. Qu'a-t-elle décidé ?

— Elle accepte de nous laisser partir.

Aucune expression de joie n'illumina le visage de David.

— Es-tu bien certain de vouloir nous accompagner ? demanda Christian. Après tout, c'est la petite qui t'a choisi. Si tu ne te sens pas prêt à partir à l'aventure une fois de plus, nous le comprendrons.

— Je ne possède pas de pouvoirs magiques comme Alexanne et toi, ou si j'en ai, je ne les connais pas encore, mais ma présence aura l'avantage de rassurer Sara-Anne. Aussi, je tiens à faire ma part pour transformer cette planète en un lieu merveilleux et surtout plus sain.

— Et Thibault là-dedans ?

— Il faudra bien que je lui annonce la nouvelle...

— Nous partons après-demain.

— Dans ce cas, je l'appellerai tout à l'heure et advienne que pourra.

— Je te laisse te préparer et, David, j'admire ton courage.

— Merci.

Dès que son ami fut parti, le Français se mit à tourner en rond sur la carpette devant le foyer, cherchant une façon d'informer son copain qu'il ne serait pas là à son arrivée au Québec. Au bout d'une heure, il se laissa tomber dans un fauteuil.

— Peut-être demain… soupira-t-il. La nuit porte conseil.

Il prépara plutôt sa valise et plaça ses papiers d'identité dans son sac en cuir. « Comment vais-je avouer à Thibault qu'en plus, je suis un extraterrestre ? »

* * *

Chez les Kalinovsky, Sara-Anne était si excitée de partir aussi loin qu'elle sautait partout dans la maison en poussant des cris de joie. Chaque fois qu'elle la voyait passer devant la porte de sa chambre, la petite Anya, assise sur le lit, éclatait de rire.

— Moi, je n'aimerais pas m'enfermer dans un avion, grommela Alexei.

— Tu es pourtant monté dans l'hélicoptère de Louis Lahaie, lui rappela Danielle.

— Où personne ne pouvait marcher autour de moi et le faire basculer.

— C'est ça qui t'effraie ?

— J'ai vu des films à la télévision. Personne ne devrait avoir le droit de bouger dans un appareil qui se déplace aussi haut dans les airs.

— Alexei, les avions sont conçus de façon à ce qu'on ne s'y sente pas enfermés. Les gens ont besoin de se délier les jambes de temps en temps, surtout quand certains vols durent plus de dix heures.

— Dix heures ? Ils vont jusqu'à la lune ?

Danielle ne put s'empêcher de rire.

— Pas encore, et les trajets dans l'espace nécessitent beaucoup plus de temps que ça, finit-elle par articuler.

Voyant que sa petite sœur était incapable de s'immobiliser plus de cinq secondes à la fois, Alexanne avait commencé à fouiller dans ses tiroirs pour lui composer une valise de sept jours. Il ne s'agissait pas de vacances, mais elle y ajouta tout de même deux maillots de bain et des sandales de plage, au cas où, et son ourson de peluche préféré. Sara-Anne ne prenait aucun médicament, uniquement des vitamines pour enfants. Pas question de remplir leurs valises des potions que Tatiana leur faisait boire tous les jours pour les garder en santé. Alexanne avait vérifié les règlements des Bahamas: aucun liquide, aucune plante et aucune nourriture ne devaient entrer au pays. Lorsqu'elle eut bouclé la valise de Sara-Anne, elle alla préparer la sienne.

« Pourquoi est-il si facile de choisir ses vêtements en se levant l'été et si difficile quand il s'agit de les apporter en voyage ? » grommela-t-elle. Elle sortit toutes ses robes légères de sa penderie pour finalement n'en retenir que quatre. Les autres jours, elle porterait des shorts et des débardeurs. Pour le jour du départ, elle choisit son jean préféré, un t-shirt rose et une veste en denim, parce que s'il faisait chaud dans la mer des Caraïbes, le temps était plutôt frisquet au Québec en automne. Elle nicha son sac de produits d'hygiène entre ses vêtements roulés au fond de la valise, tout comme elle l'avait fait dans celle de Sara-Anne, puis se déclara satisfaite de ses efforts.

— Maintenant, la partie vraiment ardue, soupira-t-il.

Elle descendit au salon et se brancha sur Facebook. Matthieu était en ligne ! Elle lui signala qu'elle voulait lui parler et quelques secondes plus tard, son visage apparaissait à l'écran par le truchement de Skype.

— Tu m'appelles de plus en plus souvent, on dirait.

— J'aimerais te dire que c'est surtout parce que je t'aime, mais tu sais à quel point je déteste mentir.

— Laisse-moi deviner : une autre crise familiale, une nouvelle chasse aux sorciers ?

— Pas du tout : un petit séjour aux Bahamas.

— Des vacances ?

— Pas tout à fait. Quelqu'un veut rencontrer Sara-Anne, alors nous allons l'y accompagner.

— Pourquoi cette personne ne vient-elle pas lui parler à Saint-Juillet ?

— Parce qu'elle habite là-bas, j'imagine.

L'expression de Matthieu passa de la surprise à la suspicion.

— La connaissez-vous, au moins ?

— Pas personnellement, mais c'est un homme célèbre qui a beaucoup d'argent.

— S'il est réellement fortuné, je continue de dire que c'est lui qui devrait se déplacer.

— Il nous a offert les billets d'avion et les chambres d'hôtel.

— Qui y va avec Sara-Anne et toi ?

— Christian et David.

— J'ai beaucoup de difficulté à croire que vous faites confiance à un homme riche sans le connaître plus que ça. La loge est-elle d'accord ?

— Elle est divisée, mais Lyette nous a donné sa bénédiction. En fait, Matthieu, je ne t'ai pas appelé pour que nous nous querellions. Je voulais simplement que tu saches que je serai absente pendant une semaine et que j'ignore si j'aurai accès à Internet dans les Caraïbes.

— Pendant que je me rongerai les sangs à Québec.

— Tout ira très bien, Mou. Réjouis-toi plutôt pour moi. Toute ma vie, j'ai rêvé de voyager et de voir de nouveaux paysages.

— Je suis heureux que tu puisses enfin prendre des vacances, mais j'ai une petite crampe à l'estomac rien qu'à y penser.

— Tu seras vraiment un papa poule, toi.

— Dis-moi que tu auras ton téléphone cellulaire sur toi en tout temps.

— Est-ce que ça ne coûte pas une fortune de faire des appels quand on se trouve dans un autre pays ?

— C'est certain, mais c'est préférable que de rester coincé à l'autre bout du monde sans pouvoir le dire à qui que ce soit.

— Tu as raison... Si je le pouvais, je te serrerais dans mes bras pour te rassurer.

— Je t'avoue que ça me ferait le plus grand bien, soupira Matthieu.

— Mon chéri, il est temps que tu reviennes habiter dans le coin pour de bon.

Alexanne le questionna sur ses progrès à la ferme école jusqu'à ce qu'il soit obligé de la quitter pour se rendre à un cours. Le reste de la journée fut plutôt tranquille. Même Sara-Anne redevint calme et offrit son aide à tout le monde, comme elle avait l'habitude de le faire.

Après le souper, la petite se colla contre Alexanne sur le sofa du salon et regarda un film d'amour avec elle. Lorsque vint le temps d'aller au lit, elle n'émit pas la moindre protestation et grimpa à sa chambre. Alexanne se prépara elle aussi à aller dormir. Elle venait de sortir sa chemise de nuit de son tiroir lorsqu'elle sentit une présence étrangère autour de la maison. Son oncle, dont les sens étaient plus aiguisés que les siens, l'avait déjà captée. Alexanne l'entendit dévaler l'escalier pour se précipiter dehors.

N'aimant pas les gens sournois, Alexei ouvrit vivement la porte d'entrée et trouva devant lui un homme roux vêtu d'un pantalon et d'un blouson de cuir noir.

— C'est pour vous, fit-il en tendant une autre enveloppe dorée à l'homme-loup.

Avant qu'Alexei puisse répondre, l'étranger pivota et retourna à sa belle voiture sport.

— Qui est-ce ? demanda Alexanne en arrivant derrière son oncle.

— Le même homme qui nous a apporté les billets d'avion.

— De quoi peut-il s'agir, maintenant ?

Alexei lui tendit l'enveloppe. La jeune fée s'empressa de l'ouvrir. Elle y trouva quatre petits carnets bleu sombre qu'elle parcourut rapidement.

— Ce sont des documents diplomatiques, on dirait.

— À quoi servent-ils ?

— Je pense qu'ils peuvent servir de passeports temporaires. Regarde. C'est ma photo dans celui-ci.

— Où l'ont-ils eue ? s'inquiéta Alexei.

— Sans doute sur mon Facebook...

Elle ouvrit les trois autres documents et écarquilla les yeux.

— Ce n'est pas possible ! s'exclama-t-elle.

Alexanne montra à son oncle les photographies de Christian, de David et de Sara-Anne qui y étaient collées.

— Sur Facebook, aussi ?

— Il existe plusieurs façons de se les procurer dans des bases de données gouvernementales, mais tu ne trouves pas étrange que Boyens ait désigné les mêmes personnes que nous pour accompagner Sara-Anne ? Il faut montrer ça à tante Tatiana.

L'oncle et la nièce grimpèrent en vitesse à l'étage. La guérisseuse ouvrit la porte de sa chambre avant même qu'ils puissent y frapper.

— Une autre enveloppe ? devina-t-elle.

— Un autre mystère, plutôt, répliqua Alexanne.

Elle lui tendit les passeports inhabituels.

— Comment cet homme a-t-il su que nous choisirions ces trois personnes pour accompagner la petite ?

s'étonna Tatiana, une fois qu'elle eut pris connaissance des documents.

— Je me demandais la même chose.

— Nous étions à la loge quand nous avons pris cette décision, leur rappela Alexei.

— Auraient-ils réussi à pirater leurs ordinateurs ? s'alarma Tatiana.

— Ou sont-ils entrés dans le grenier pour y installer des micros ? avança Alexanne.

— Cet homme a toujours un pas d'avance sur nous et je n'aime pas ça.

— C'est sûrement un sorcier, conclut Alexei.

— Alors, tant mieux ! se réjouit Alexanne. Car je vais lui régler son compte en quelques secondes tout au plus.

— Tu vas partir quand même ?

— Oui, Alex. Il le faut.

— Allez vous coucher, leur recommanda Tatiana. Nous reparlerons de tout ça demain avec les autres.

Plus inquiets que rassurés, Alexei et Alexanne firent ce qu'elle demandait et filèrent dans leurs chambres.

Chapitre 5

Préparatifs

En rentrant à la loge, Christian n'avait pu s'empêcher de penser que le pouvoir que détenaient certains hommes était terrifiant. Il grimpa directement au grenier où Lyette, Sachiko, Sylvain, Chayton, Ophélia et Gowan étaient assis devant des ordinateurs différents à recueillir des informations d'un peu partout.

— Elle a accepté, annonça l'ancien policier.

— Tu es doué pour la diplomatie, dis donc, le taquina Ophélia.

Fier de lui, Christian s'assit à la longue table.

— Ça n'a pas été facile, car elle craint un piège, ajouta-t-il.

— Moi aussi, avoua Sachiko. En réfléchissant bien à cette affaire, j'ai conclu que si cet homme n'était ni un sorcier, ni un démon, il est peut-être un Annunaki. Rappelez-vous ce que les Uru-annas nous ont appris au sujet de ces extraterrestres.

— Ça m'a également effleuré l'esprit, avoua Sylvain.

— Nous n'avons plus le choix, leur rappela Christian. Nous avons déjà annoncé nos couleurs, alors nous ne reculerons pas.

— Es-tu en mesure de neutraliser un Annunaki? voulut savoir Sachiko.

— À moins qu'il soit en métal et qu'il possède les mêmes pouvoirs que Superman, je devrais me débrouiller.

— Allez vous préparer, monsieur Pelletier, lui recommanda Lyette.

Même s'il avait affiché un air confiant devant le groupe, Christian ne savait pas vraiment ce qu'il pourrait faire contre un extraterrestre. Il se rendit à sa chambre en se chuchotant des affirmations positives et trouva Mélissa assise sur son lit.

— Je me demandais justement où tu étais passée.

— Puisque je ne veux pas faire partie de votre loge, j'ai décidé de t'attendre ici au lieu de participer à votre discussion.

Christian prit place près d'elle.

— Pourquoi m'attendais-tu ? s'enquit-il, même s'il avait déjà deviné la réponse.

— Je voulais te dire que je m'en vais autrement qu'en t'écrivant un mot. N'essaie surtout pas de me faire changer d'idée. Ma place n'est pas à la campagne devant un ordinateur. Tu sais que je suis une femme de terrain.

— Où as-tu l'intention d'aller ?

— À Montréal, évidemment.

— As-tu une petite idée de ce qui t'attend là-bas ?

— Une pile de dossiers non résolus qu'on n'aura sans doute pas confiés à un autre enquêteur parce que nous sommes débordés.

— Fontaine est sans doute possédé par un démon.

— C'est moi qu'il a enlevée, pas toi, Christian. J'ai eu le loisir de bien l'observer. Il n'agissait pas de son propre gré, alors il est évident, du moins pour moi, qu'il n'était qu'une marionnette entre les mains du docteur Edelman. Maintenant que celui-ci est mort, je suis persuadée qu'il est redevenu lui-même.

— Tu ne l'as pas appelé à partir d'ici, au moins ? s'inquiéta l'ancien policier.

— Je suis plus intelligente que tu le crois, apparemment.

— Ce n'est pas ce que je voulais dire…

— Je vais aller le rencontrer et voir s'il se souvient de ce qui s'est passé à Blainville ou s'il a regardé la cassette que Sachiko lui a laissée. Je répondrai à ses questions et je tâcherai de lui faire comprendre que, tout comme lui, tu combats le Mal, mais à une autre échelle.

— Sans lui donner de détails, n'est-ce pas ?

— Ça va de soi. En reprenant du service, je serai en position de m'assurer que tu pourras monter dans un avion sans te faire arrêter.

— Es-tu bien certaine de vouloir procéder ainsi ?

— Ce sera ma façon de vous aider.

— Moi qui pensais avoir une chance de te reconquérir…

— Je suis désolée.

— Alors, c'est bien fini entre nous ?

— Ça ne pourra plus jamais être comme avant.

— Parce que je t'ai tuée ?

— Non, Christian. Parce que nous sommes tous les deux prêts à passer à autre chose. Toi, tu veux continuer de poursuivre les démons et les sorciers sur toute la planète, tandis que moi, je veux rester à Montréal et continuer à faire mon travail. Et rassure-toi, je ne vais pas me jeter dans les bras d'un autre homme pour t'oublier. Comme toi, je vais faire tout ce que je peux pour sauver cette planète, mais à ma façon.

— Tu es pas mal brave, Dalpé.

— J'essaie…

— Veux-tu que je te ramène à la station de police ?

— Non. J'ai déjà demandé à Sylvain de me conduire à Saint-Jérôme où je prendrai l'autobus. Il n'est pas question que je mette la vie de qui que ce soit en danger à partir de maintenant.

— Et la tienne ?

— C'est moi que ça regarde. Essaie de ne pas te faire tuer dans les Caraïbes, d'accord ?

Elle déposa un baiser furtif sur les lèvres de son ex-collègue et le quitta rapidement pour ne pas lui permettre de la retenir. Christian resta assis un long moment à regarder le plancher. « Je n'ai pourtant jamais eu peur du changement », songea-t-il. « Pourquoi est-ce que je crains tant de perdre Mélissa ? » Incapable de répondre à cette question, il décida de retirer ses valises de la penderie. Tout en tentant de localiser son passeport, il sortit les vêtements qu'il avait l'intention de porter aux Bahamas et découvrit qu'ils avaient besoin d'être lessivés.

Mélissa avait laissé la porte de la chambre ouverte, mais Christian ne s'en rendit compte que lorsqu'il y sentit une présence. Il fit volte-face et aperçut Sachiko.

— Tu es bien nerveux, remarqua-t-elle.

— Je suis juste un policier échaudé, pas un ninja.

— Mais tu te défends pourtant très bien. Mais je ne suis pas ici pour mettre tes réflexes à l'épreuve. Je veux simplement que tu saches que ce n'est pas une bonne idée que David vous accompagne. Il n'a aucune formation en arts martiaux. Il ne saurait pas quoi faire pour protéger la petite s'il t'arrivait quelque chose.

— Tu as raison, mais il est infirmier.

— Ne fais pas le malin. Tu comprends très bien ce que j'essaie de te dire.

— Sachi, il nous a prouvé sur Éridan qu'il était capable de garder son sang-froid et de faire preuve de prudence. Et puis, David est extraterrestre, lui aussi. Peut-être qu'il connaîtra une transformation étonnante en présence d'un Annunaki.

— Nous n'en savons rien. Ce qui m'inquiète, c'est de te laisser partir avec une enfant, une adolescente et un Français qui ne savent pas se battre.

— Ce n'est pas la seule façon de gagner une bataille, je te ferais remarquer.

— J'ai un mauvais pressentiment, Christian.

— Quand es-tu devenue médium, toi ? la taquina l'ancien policier.

— Je n'ai pas besoin de l'être pour deviner ce qui va se passer si cet homme est un vil imposteur.

— Moi non plus, mais j'ai confiance en moi et j'ai vu Alexanne à l'œuvre. Je sais que nous nous en tirerons.

— Moi, j'en doute.

La jeune *kunoichi* sortit de la pièce en étouffant un juron.

— Pourquoi ne me font-ils pas confiance ? se découragea Christian.

Il porta ses vêtements à la salle de lessive et les divisa par couleur.

— J'admire votre débrouillardise, monsieur Pelletier, fit Lyette en entrant dans la pièce.

— J'ai vécu seul presque toute ma vie, alors j'ai appris à faire quelques petits trucs par moi-même.

— Votre ancienne existence vous manque-t-elle ?

— Pour tout vous dire, c'est de ma maison sur le bord de la rivière des Mille-Îles dont je m'ennuie le plus.

— Celle qui a été rasée par le feu ?

— Ouais, celle-là... Depuis cette tragédie, je n'ai plus eu de chez-moi. J'ai vécu chez Mélissa, puis chez vous.

— Il y a plusieurs maisons à vendre dans la région, vous savez.

— J'en visiterai quelques-unes à mon retour en espérant y retrouver la même atmosphère.

— D'ici là, il y a quelques petites choses que vous devriez savoir au sujet des Annunakis. Venez prendre le thé avec moi en attendant que votre lessive soit terminée.

Christian la suivit à la cuisine et s'assit devant elle pendant qu'elle versait la boisson chaude dans les tasses.

— Surtout, ne m'épargnez pas, fit-il bravement.

— Les Annunakis ne sont pas des créatures aussi bienveillantes que les Uru-annas.

— Oui, je sais.

— Elles n'ont rien en commun avec les humains non plus et, pour s'implanter sur cette planète, elles ont dû prélever notre ADN.

— Notre ADN ?

— Ils en ont eu besoin puisque nous sommes des mammifères et qu'ils sont des reptiliens.

— Des serpents ?

— Je dirais plutôt que c'est leur apparence première qui s'apparente aux lézards.

Christian se demanda si Lyette était en train de se payer sa tête.

— Ils sont arrivés ici il y a des milliers d'années et ils ont trouvé la façon de nous ressembler afin de pouvoir vivre parmi nous sans que nous soupçonnions leur présence.

— Mais il doit tout de même y avoir des dissemblances.

— Pas physiquement, mais leurs mœurs et leur vision du monde diffèrent des nôtres. Au début des temps, nous leur avons servi d'esclaves et de garde-manger.

— Nous étions leur nourriture ?

— Les modifications génétiques qu'ils se sont imposées leur ont finalement permis de se sustenter comme nous, bien qu'ils affectionnent toujours l'or.

— Ils croquent de l'or ?

— Ce métal précieux leur permet de conserver leur apparence humaine.

— Vous me dites tout ça sérieusement ?

— Le plus sérieusement du monde.

— Donc, si je récapitule, Boyens est soit un sorcier, soit un démon ou soit un lézard ?

— C'est à vous de le découvrir.

— Et je ne peux pas transporter de pistolet à bord de l'avion, se découragea Christian. Par contre, il doit certainement y avoir des vendeurs d'armes sur l'île.

— N'en achetez que si c'est vraiment nécessaire, monsieur Pelletier.

— Y a-t-il autre chose que je devrais savoir sur ces monstres ? Mangent-ils les petites filles ?

— C'est possible, mais ce que vous devez vous rappeler, c'est que les Annunakis n'ont plus besoin des humains désormais et qu'ils aimeraient bien s'en débarrasser.

— Nous exterminer afin de peupler la Terre… Mais n'est-ce pas ce que désirent aussi les démons et les sorciers ?

— Les Annunakis ont plus de respect entre eux que ces derniers.

— Mais si Boyens voulait simplement se débarrasser de Sara-Anne, il aurait pu le faire ici même. Pourquoi se donne-t-il tout ce mal ?

— La seule façon de le découvrir, c'est d'aller à sa rencontre.

— J'espère que je ne finirai pas embroché sur un barbecue extraterrestre…

— C'est peu probable. Ils mangent leur viande crue.

Cette fois, un sourire s'esquissa sur les lèvres de Lyette.

— Êtes-vous en train d'essayer de me faire peur ? fit Christian, incertain.

— Je tente plutôt de vous inciter à la prudence.

— Alors, c'est réussi.

Pendant qu'ils terminaient leur thé, Alexei entra dans la salle à manger.

— Salut, mon homme! s'égaya Christian. Es-tu venu me souhaiter bonne route?

— Pas vraiment. Je m'inquiète pour toi. Tatiana m'a montré où se trouvent les Bahamas dans son atlas. Je savais que c'était très loin de Saint-Juillet, mais je viens de voir que ce pays est dans l'océan! Il n'y a aucune route qui te permettrait de fuir rapidement.

— C'est la raison pour laquelle l'homme a inventé le bateau et l'avion, Alex.

— Seras-tu capable, en cas d'urgence, d'y faire monter tout le monde pour revenir ici?

— Sans difficulté.

— Et si Boyens décidait de vous retenir de force?

— J'ai plus d'un tour dans mon sac. Et puis, qui sait si ce n'est pas mon destin à moi de finir ma vie en débarrassant la planète d'un des membres du gouvernement invisible dont Sylvain n'arrête pas de parler?

— Invisible?

— Ça veut dire qu'il n'est pas connu du public, qu'il dirige le monde à partir d'une cachette.

— Est-ce que c'est un bon gouvernement?

— Pas toujours, mais il n'y a rien que nous puissions faire pour le convaincre de bien agir. Arrête de t'inquiéter, Alex. Je veillerai sur ta nièce et sur la petite.

— Et qui veillera sur toi? David?

— Peut-être bien. Il pourrait bien nous surprendre.

— Comment te rendras-tu à Montréal, demain?

— Je vais prendre la Jeep et la laisser dans le stationnement de l'aéroport. Fais-moi confiance, Alex. Ce ne sera qu'un aller-retour.

* * *

Dans son coquet chalet de Saint-Juillet, David préparait sa valise de son mieux. Il n'avait jamais pris de vacances dans les Caraïbes et se demanda s'il devait apporter les mêmes vêtements que lorsqu'il avait passé quelques jours chez le père de Thibault sur le bord de la Méditerranée. Il ne possédait qu'une paire de bermudas et une dizaine de t-shirts sans manches. Il fouilla dans toutes ses boîtes pour trouver ses sandales et ses lunettes de soleil. C'est alors que trois petits coups furent frappés à la porte. David arrêta de chercher et se rendit à l'entrée, persuadé qu'il s'agissait d'un membre de la loge.

— Allô mon amour ! s'écria Thibault en lui sautant dans les bras.

— Mais qu'est-ce que tu fais ici ?

— Tu parles d'une façon d'accueillir l'homme de ta vie ! Je voulais te faire une surprise !

— Eh bien, c'en est toute une.

Thibault le serra à lui rompre le cou et parsema son visage de baisers.

— Si tu savais à quel point tu m'as manqué. Dis-moi que tu as ressenti la même chose.

— Oui, c'est certain, mais il s'est produit certains événements qui m'ont quelque peu absorbé ailleurs.

— Nous devrions rentrer mes malles avant qu'il se mette à pleuvoir.

— Mais on n'annonce pas de pluie avant quelques jours.

— Sur Internet, on dit qu'il pleut beaucoup au Québec.

— C'est vrai, mais pas tous les jours.

David s'étonna de voir la dizaine de gros coffres et les valises alignées devant la porte.

— Tu as trouvé un taxi qui a accepté de charger tout ça ? s'étonna-t-il.

— En fait, non. J'ai retenu les services d'un gentil monsieur qui possède un camion. Il attendait à l'aéroport une livraison qui n'est jamais arrivée. Alors, il a accepté de me conduire jusqu'ici. Nous avons pris un traversier ! C'était absolument génial ! Le reste de nos affaires arrivera plus tard cette semaine et sera livré par une entreprise de transport.

— Le reste ? Je pensais que tu devais vendre tout ce que nous possédions en France.

— J'ai fait ce que j'ai pu, Davidou.

L'air de découragement de son ami chagrina Thibault.

— Je sais bien, se reprit David. Pardonne-moi.

— Tu sembles épuisé. Heureusement que je suis enfin arrivé. Je vais prendre la maison en main et tu pourras te reposer en rentrant du travail.

— Thibault, il y a autre chose dont je n'ai pas eu le temps de te parler.

— Pas encore des cercles céréaliers ?

— Il n'y a aucune culture sur la montagne, que des arbres.

— Alors, de quoi s'agit-il ?

— Viens t'asseoir.

David lui prit les mains et s'installa devant la cheminée. Thibault était plus grand que lui et plus large d'épaules aussi. Il avait les cheveux noirs et de grands yeux sombres chargés d'innocence.

— Te souviens-tu de mon aventure au centre du pictogramme sur la ferme ?

— Le voyage sur une autre planète que tu as inventé pour me faire rire ?

— Je n'ai rien inventé. Pourquoi ne m'as-tu pas dit que tu ne me croyais pas ?

— Parce que j'étais certain que c'était une blague. Je t'en prie, continue.

— Ce qui m'arrive en ce moment est en quelque sorte relié à ce qui s'est produit ce jour-là.

— Tu dois retourner dans l'espace ? se moqua Thibault.

— Non, aux Bahamas. Je dois accompagner Sara-Anne à une rencontre au sujet de son message aux habitants de la Terre.

— Et quand dois-tu partir ?

— Après-demain.

— En sachant que j'arrivais dans deux jours ?

— Je t'aurais appelé avant de prendre l'avion, bien sûr.

— Tu n'aurais pas été là à mon arrivée ?

— Je n'avais pas l'intention d'être absent très longtemps.

— Tu n'aurais pas été là à mon arrivée ? répéta Thibault sur un ton plus aigu.

Il bondit de son siège et courut jusqu'à la salle de bain dont il fit claquer la porte. David soupira avec découragement et s'y rendit. Il voulut tourner la poignée, mais son ami l'avait verrouillée.

— Thibault, ouvre-moi.

— Tu es parti pour le Québec l'an passé et tu m'as abandonné en France, puis là tu me quittes encore ! sanglota le jeune homme à travers la porte.

— Il s'agit de mon devoir envers toute la race humaine. Tu comprends au moins ça ?

— Laisse-moi tranquille !

Puisqu'il savait à quel point Thibault était intraitable lorsqu'il avait du chagrin, David vaqua à ses occupations quotidiennes jusqu'à ce qu'il décide de sortir de la salle de bain. Ce fut sans doute l'odeur appétissante du repas que son ami venait de déposer sur la table qui mit fin à sa bouderie.

— Je ne veux pas rester seul ici, gémit Thibault en s'assoyant devant David.

— Je vais te présenter les Kalinovsky qui habitent non loin d'ici, ainsi que madame Bastien. Tu pourras te servir de ma voiture quand tu voudras.

— Je préférerais que tu restes.

— Oui, je l'avais compris, mais j'ai donné ma parole et tu sais qu'il est important pour moi de la respecter. D'ailleurs, je ne serai parti qu'une semaine. Tu auras le temps d'installer tout ce que tu as rapporté de France pendant que je serai à l'étranger.

Même s'il n'était pas content, Thibault mangea et accepta même de rencontrer les nouveaux amis de David en soirée. Étant donné qu'il était plutôt sociable lorsqu'il n'était pas contrarié, le jeune Français fut tout de suite adopté par le reste de la bande.

Chapitre 6
Palinodies

Mélissa garda la tête basse pendant tout le trajet entre Saint-Juillet et Saint-Jérôme. Il n'avait pas été aussi facile qu'elle l'avait cru de mettre fin une deuxième fois à sa relation avec Christian. Au fond de son cœur, elle l'aimait encore, mais la partie logique de son cerveau avait fort bien compris qu'il était mieux pour tous les deux qu'ils partent chacun de son côté. La planète entamait une importante transformation et rien ne serait jamais plus pareil. La loge avait son propre travail et la police également. Mélissa étant fermement convaincue que la société ne devait pas mettre tous ses œufs dans le même panier, il était préférable que ces deux grands défenseurs de la paix ne collaborent pas… du moins pour l'instant.

Derrière le volant de sa voiture, Sylvain avait respecté son silence, mais en approchant de la gare d'autobus, il n'y tint plus.

— Nous reverrons-nous ? demanda-t-il.

— C'est peu probable, mais le destin a le don de nous jouer des tours.

— Ça ne t'effraie pas de retourner dans un monde qui grouille de démons ?

— C'est mon travail, Sylvain.

Elle risqua un œil de son côté.

— Je me doute que Christian aura plus de difficulté que moi à se remettre de cette séparation, avoua-t-elle.

— Ne t'en fais pas, nous lui changerons les idées.

— Surtout ne le perdez pas de vue tandis qu'il sera

aux Bahamas avec David et les filles. Mon instinct de policier me dit qu'il y a anguille sous roche.

— C'est ce que nous avons l'intention de faire. Et nous n'hésiterons pas non plus à faire appel à la police locale en cas d'ennuis.

— Très franchement, je suis étonnée que vous les laissiez partir.

— Nous n'avons pas le choix, Mélissa. C'est la seule façon d'éviter que la petite disparaisse à tout jamais.

— Je ne fais pas partie de l'équipe, alors je n'ai pas un mot à dire, sauf de vous recommander la prudence.

— C'est noté.

Sylvain la déposa au terminus et attendit qu'elle soit montée dans l'autobus avant de revenir sur ses pas. La jeune femme le regarda partir, assise dans la troisième rangée du côté opposé au chauffeur. Ophélia lui avait préparé un sandwich au cas où elle aurait un petit creux en cours de route, mais Mélissa n'avait pas faim. Tous les membres de la loge étaient des gens exceptionnels, même leur pilote d'hélicoptère au sens de l'humour un peu noir, parfois. Ils allaient tous lui manquer.

Une fois à Montréal, Mélissa marcha jusque chez elle. En raison du prix élevé de l'essence, les taxis coûtaient bien trop cher et elle voulait éviter de prendre le métro, qui n'était plus aussi sûr qu'avant. L'exercice lui fit le plus grand bien. Heureusement qu'elle n'avait pas perdu ses clés quand Fontaine l'avait enlevée, car elle s'était débattue férocement. Elle put donc entrer chez elle sans problème. Son instinct lui dictant la prudence, elle inspecta chaque centimètre carré de l'appartement avant de se détendre : pas de caméras ou de microphones dissimulés où que ce soit.

Elle resta un long moment sous la douche, enfila des vêtements propres, puis déverrouilla le tiroir où elle gardait son pistolet et son badge. Ils étaient encore là. Puisque la plupart des provisions dans son réfrigérateur n'avaient pas survécu à son absence, elle avala finalement le sandwich d'Ophélia. Elle ne toucha ni à son ordinateur, ni à sa tablette, même si elle aurait aimé consulter ses messages électroniques, de peur qu'ils soient sous surveillance à partir d'un serveur extérieur. Elle aurait sans doute le loisir de le faire à la station de police. « Si j'y ai encore ma place », songea-t-elle.

Lorsqu'elle fut prête, elle quitta l'appartement. Sa voiture était garée dans son espace de stationnement habituel et, à son grand étonnement, personne n'en avait prélevé de pièces, ce qui arrivait un peu trop souvent à Montréal depuis la grande tragédie. Elle décida cependant de marcher. Si jamais ses supérieurs l'envoyaient enquêter quelque part, elle utiliserait un de leurs véhicules.

En grimpant les quelques marches qui menaient à l'entrée de la station de police, Mélissa inspira profondément. « Le docteur Edelman est mort », se dit-elle. « Je n'ai rien à craindre. » Elle traversa la grande salle sans que personne ne remarque sa présence. Tous les effectifs étaient occupés au téléphone à prendre des dépositions ou des plaintes de citoyens. Le train-train quotidien, somme toute.

Mélissa jeta un œil dans son bureau. Il ne semblait pas avoir été alloué à un autre enquêteur. Elle se tourna vers celui de Fontaine et l'aperçut à travers le mur vitré. Il était plongé dans la lecture d'un rapport. « Du courage, Dalpé », se dit-elle en marchant vers son chef. Elle frappa quelques coups sur le verre, attirant aussitôt l'attention de Fontaine. Il sursauta et lui fit aussitôt signe d'entrer.

— Referme la porte derrière toi, ordonna-t-il.

Elle s'exécuta en silence et s'installa dans un fauteuil devant le bureau.

— Je ne pensais plus jamais te revoir, avoua le chef de police.

— Je ne pensais pas revenir... jusqu'à ce matin.

— Pour quelle raison as-tu changé d'idée ?

— Mon travail ici est trop important.

— Tu ne crains pas les démons ?

— Vous y croyez, maintenant ?

— J'ai dû visionner une centaine de fois la vidéo qui a été glissée dans ma poche et si je n'en avais pas été un des acteurs principaux, j'aurais plutôt pensé qu'il s'agissait de la bande annonce d'un film d'horreur.

— Vous n'avez aucun souvenir de m'avoir kidnappée sur le trottoir à Montréal, de m'avoir ligotée et projetée dans votre voiture avant de m'emmener à Blainville ?

— Aucun. Mon dernier souvenir, avant de me réveiller sur le sol dans le parc, c'est d'avoir été importuné par le docteur Edelman pendant que je mangeais au restaurant.

— C'est sans doute là qu'il vous a envoûté.

— Mais il n'a prononcé aucune incantation ou lancé de la poudre magique.

— Les sorciers sont plus perfides que les démons.

— Il n'arrêtait pas de me parler de Christian Pelletier. Il voulait que je lance tous mes policiers à ses trousses. Lorsque j'ai refusé, en lui expliquant que nous avions des problèmes plus urgents à régler, son visage est devenu haineux. Mais pourquoi tenait-il tant à neutraliser Pelletier ?

— Parce que Christian est devenu trop puissant.

— Je ne comprends pas...

Mélissa hésita avant de lui dire ce qu'elle savait.

— Tu peux parler librement, l'encouragea Fontaine. Il n'y a pas de micros ici. De toute façon, personne ne nous croirait.

— Lors de notre intervention à la secte de la montagne afin de reprendre le fugitif Desjardins, nous avons constaté de nos propres yeux qu'il utilisait la sorcellerie pour arriver à ses fins et pour se débarrasser de nous. Ses pouvoirs étaient étonnants. Ce soir-là, il a tué Christian avec une lame magique.

— Tué ?

— Il doit la vie aux Kalinovsky qui l'ont ranimé. Mais il s'est aussi produit quelque chose d'inattendu. Desjardins lui a transmis ses pouvoirs en lui enfonçant son arme dans le cœur.

— Pelletier est devenu un sorcier ?

— Oui, monsieur, mais il ne sert pas le Mal. D'ailleurs, c'est probablement parce qu'il a choisi le camp de la lumière que le docteur Edelman voulait se débarrasser de lui.

Fontaine demeura silencieux pendant un instant.

— Alors, je comprends mieux la situation, murmura-t-il. Où est-il, en ce moment ?

— Je ne le révélerai à personne, même sous la torture. Sa mission est trop importante.

— Il pourrait reprendre son poste, s'il en a envie.

— Christian appartient désormais à une classe à part. Il fait partie des gens qui ont la meilleure chance de tous nous sauver.

— C'est bien ce qu'il désire ?

— Il n'a pas le choix.

— Qui sont les adversaires des sorciers : les anges ?

— Vous n'êtes pas encore prêt à entendre la réponse à cette question. Je vais d'abord vous laisser digérer ces premières informations.

Mélissa se leva.

— Attends. Je veux savoir qui m'a frappé à Blainville.

— Une femme ninja qui tient beaucoup à Christian.

— Une femme ? Je suis revenu à moi avec des ecchymoses, des courbatures et un horrible mal de tête !

— Elle est très douée.

— Quand tu auras pris connaissance de tout ce qui s'est accumulé sur ton bureau, j'aimerais que tu regardes la vidéo avec moi.

— Oui, bien sûr.

— Et je tiens à m'excuser de vous avoir pris pour des fous, Pelletier et toi.

— Merci.

La jeune femme eut à peine le temps d'ouvrir la porte qu'une grande agitation l'accueillit à l'extérieur. Plusieurs policiers tentaient d'empêcher un homme en colère de se rendre aux bureaux des enquêteurs.

— Je m'en occupe, fit Mélissa à Fontaine, car elle avait aperçu le visage écarlate de Priame Pelletier.

Elle se rendit jusqu'à l'altercation qui risquait de mal tourner.

— Laissez-le passer, ordonna-t-elle. C'est à moi qu'il veut parler.

Incertains, les policiers ne réagirent pas tout de suite. Ayant reconnu Mélissa, Priame avait cessé de tempêter. La jeune femme se faufila entre ses confrères et saisit le père de Christian par le bras pour le tirer jusqu'à son bureau, où elle s'enferma.

— Je veux savoir où est mon fils, fit le vieil homme en se calmant.

— Il est en lieu sûr et en parfaite santé, monsieur Pelletier. Je vous en prie, assoyez-vous.

— Je n'ai pas cessé d'appeler votre chef à la noix depuis que Christian a été interné contre son gré, continua de maugréer Priame en se laissant tomber dans un fauteuil. Personne ne veut me dire ce qui se passe, malgré mes menaces d'avoir recours à mon avocat et aux journaux.

— En fait, mes camarades de travail ne sont pas au courant de ce qui se passe.

— Mais vous, vous le savez n'est-ce pas ?

— Seulement en partie, mais je crois pouvoir satisfaire votre curiosité. Les amis de Christian ont réussi à le faire sortir de l'hôpital psychiatrique où le docteur Edelman l'avait fait admettre.

— Comment ? Aucun des médecins n'a retourné mes appels !

— Tout le personnel avait l'ordre de garder votre fils enfermé à tout prix. Alors, le groupe dont il fait partie a monté une opération de sauvetage digne de celles qu'on voit dans les films.

— Donc, il se terre quelque part ?

Puisque les démons pouvaient emprunter le visage qu'il leur plaisait, Mélissa décida d'user de prudence.

— Christian préfère ne pas révéler sa nouvelle adresse à qui que ce soit, par crainte de représailles.

— Mais je suis son père, nom de Dieu !

— Vous pourriez être suivi ou sous écoute, monsieur Pelletier.

— Tout ce que je veux, c'est entendre sa voix, m'assurer qu'il va bien. Je sais qu'il est vivant parce que je l'ai eu deux secondes au téléphone avant qu'il me raccroche au nez. Mais il m'a semblé tellement désemparé qu'il m'a inquiété davantage.

— Il s'est malheureusement retrouvé mêlé à des événements plutôt dérangeants.

— L'affaire de la pierre noire ?

— Après cette histoire, il a enquêté sur les cercles

céréaliers qui sont apparus à Saint-Hyacinthe et il fait maintenant partie d'une organisation qui veille sur toute la planète.

— Vraiment ? s'étonna Priame.

— Votre fils est un héros, mais pour le moment, il ne peut pas encore agir au grand jour.

Mélissa ne pouvait pas lui remettre le nouveau numéro de Christian ou celui de la loge, mais elle eut une idée. La seule façon de le mettre en contact avec son garçon, c'était de le laisser lui parler à partir de la ligne sécurisée d'Adhara en passant par le téléphone sans abonnement que lui avait remis Lyette. De cette façon, toute trace de cette communication serait introuvable. Elle composa donc le numéro que Matthieu avait programmé pour qu'il passe par une dizaine de satellites avant d'aboutir sur la ligne du grenier. Ce fut Sylvain qui répondit.

— C'est Mélissa. Puis-je parler à Christian ?

Elle n'eut pas à attendre bien longtemps.

— Tu t'ennuies déjà de moi ? fit la voix enjouée de son ancien amant.

— Non, mais je suis assise devant quelqu'un qui meurt d'envie de bavarder avec toi.

Elle tendit le téléphone à Priame.

— Christian, dis-moi que tu vas bien.

— Papa ?

— Ne raccroche pas, cette fois.

— Je suis désolé de l'avoir fait quand tu m'as appelé, mais je craignais que notre conversation soit captée.

— Je sais. Mélissa m'a tout expliqué. Elle dit aussi que tu es devenu un héros.

— Mais je l'ai toujours été ! plaisanta Christian.

— As-tu été blessé ? Souffres-tu de séquelles de ton internement ?

— Physiquement, je vais très bien. Moralement, je me remets petit à petit et mentalement, c'est difficile à dire.

— Es-tu heureux dans ta nouvelle vie ?

— Je me sens de nouveau utile, mais plus je vieillis, plus je commence à croire que le bonheur est un objectif inatteignable.

— Ne dis pas ça, fiston. Tu finiras bien par trouver une héroïne qui te plaira.

— Pourrions-nous parler d'autre chose ?

— Oui, bien sûr. Quand pourrai-je te revoir ?

— Je n'en sais rien, papa. Je dois accomplir une mission plutôt dangereuse dans les prochains jours.

— Tu ne vas pas me dire que c'est peut-être la dernière fois qu'on se parle, au moins ?

— Non, mais j'y ai pensé.

— Moi je suis sûr que tu réussiras haut la main. Nous pourrions nous rencontrer dans un restaurant à Noël, si je fais bien attention de ne pas être suivi.

— C'est une excellente idée. Je te donnerai un coup de fil à mon retour.

— J'y compte bien. Ça m'a fait vraiment plaisir de te parler, Christian.

— Je te promets de le faire plus souvent. À bientôt.

Priame raccrocha sans cacher sa tristesse.

— Merci, Mélissa.

Il se leva et quitta le bureau, le dos voûté, persuadé qu'il n'entendrait plus jamais la voix de son fils.

Chapitre 7

Paradis sur terre

Le matin du départ, Christian alla porter sa valise dans le coffre de sa Jeep. Il était très tôt et tout le monde dormait encore dans le grand manoir. Il avait avalé un café et un toast debout devant le comptoir de la cuisine en faisant le moins de bruit possible en réfléchissant à sa décision d'accompagner la petite Amérindienne dans les Caraïbes. L'aventure était risquée, mais il lui avait donné sa parole. « Je dois demeurer positif si je veux en réchapper », s'était-il dit en quittant la maison. Il referma le coffre et trouva Ophélia devant lui, enveloppée dans un grand châle de laine, les yeux chargés de sommeil.

— De grâce, dis-moi que tu n'as pas eu de visions funestes, l'implora Christian.

— C'est difficile à déterminer, avoua la médium. J'ai vu des ruines au fond de la mer, des bateaux, des palmiers et un grand nombre de mammifères marins.

— Ça ressemble davantage à des vacances. Tu n'as flairé aucun danger ?

— Pas jusqu'à présent, mais l'avenir peut changer si rapidement.

— Donc, tu es venue me dire au revoir ?

— Oui et te demander si c'est vraiment prudent d'emmener David.

— J'ai besoin d'un extraterrestre dans mon équipe.

— Essaie d'être sérieux un instant, Christian.

— Moi, j'ai confiance en lui et Sara-Anne a insisté pour qu'il soit du voyage.

Il embrassa Ophélia sur le front.

— Dis au revoir aux autres pour moi, d'accord ? Je n'avais pas le cœur de les réveiller.

Il grimpa dans le véhicule. La fée le regarda quitter la propriété avec inquiétude, mais elle le connaissait bien, maintenant. Rien ne le ferait changer d'idée.

Christian fila tout droit chez David. Comme il s'y attendait, sa valise était sous le porche, mais il était incapable de se dégager de l'étreinte de Thibault qui pleurait toutes les larmes de son corps.

— Nous avons déjà discuté de ce départ, hier soir, lui rappela David.

— C'est plus réel ce matin...

— Allez, laisse-moi partir. Je serai tout bronzé quand je reviendrai et tu pourras me préparer les petits plats que j'aime. Sois raisonnable.

Thibault obtempéra. David lui donna un dernier baiser, empoigna sa valise et marcha résolument vers la Jeep. Il la déposa près de celle de Christian et grimpa sur le siège du passager.

— Pas faciles, les adieux, n'est-ce pas ? fit l'ancien policier.

— Ça fait deux jours que ça dure.

Christian reprit le chemin de la montagne en direction de la maison des Kalinovsky quelques kilomètres plus loin.

— Et quand je rentrerai, il aura refait la décoration et peut-être même préparé un jardin derrière le chalet où il plantera des légumes le printemps prochain.

— Il ne compte pas travailler au Québec ?

— Si. Je le présenterai à mon chef de service à Saint-Jérôme et nous verrons s'il accepte ses équivalences avec la France.

— J'ai demandé à Ophélia et à Chayton de jeter un œil sur lui de temps à autre.

— Merci, Christian.

Lorsqu'ils descendirent chez Tatiana, Sara-Anne avait déjà commencé à faire ses adieux à sa famille.

— C'est sa troisième ronde, commenta la guérisseuse en laissant entrer les deux hommes.

Christian souleva la valise de la petite sur laquelle apparaissait une illustration de Hello Kitty.

— J'espère que tu n'as pas mis le contenu entier de ta chambre dans cette valise, la taquina-t-il.

— C'est Alexanne qui l'a préparée, répondit l'enfant. Je ne sais même pas ce qu'il y a dedans.

— Je n'ai rien oublié, affirma la jeune fée.

— Avez-vous trouvé les passeports de nos grandes voyageuses ? demanda Christian à Tatiana.

— Non, mais elles n'en auront pas vraiment besoin.

Tatiana lui remit les documents diplomatiques.

— Boyens nous a aussi envoyé ces papiers qui leur permettront de prendre l'avion sans encombre. Il y en a aussi pour vous et David.

— Je regarderai ça à l'aéroport. Prêtes à partir, les filles ?

— Est-ce qu'on pourra aller à la mer en arrivant ? s'enquit Sara-Anne en gambadant dehors.

— Vous allez enfin pouvoir vous reposer, fit moqueusement Christian aux adultes.

— Elle n'a pas arrêté de sauter partout comme un lapin depuis qu'on lui a annoncé qu'elle part en voyage, soupira Alexei.

— L'enthousiasme de la jeunesse, laissa tomber Valeri, debout derrière Tatiana, Danielle et l'homme-loup. Prenez bien soin d'elles.

— C'est dans nos plans, assura David.

— Soyez très prudents, recommanda Tatiana, la seule qui ne souriait pas.

Christian fit monter les filles sur la banquette arrière tandis qu'il déposait leurs bagages dans le coffre, puis se mit en route pour l'aéroport. Sara-Anne était si excitée qu'elle n'arrêtait pas de parler. David répondait patiemment à toutes ses questions sur la température dans les îles, les animaux marins dangereux, les fruits exotiques et les diverses activités offertes par le complexe touristique.

— Heureusement que tu t'es renseigné avant de partir, lui dit Christian, amusé.

— Et je lui ai pourtant montré tout ça sur Internet, fit remarquer Alexanne.

— J'ai tellement hâte d'arriver ! s'exclama Sara-Anne.

Une fois à l'aéroport Pierre-Elliott-Trudeau, le quatuor se rendit au comptoir du transporteur aérien, où, curieusement, il n'y avait aucune file d'attente. Après avoir vérifié leurs papiers, l'hôtesse leur adressa un large sourire. Un porteur déposa leurs valises sur un chariot et aida les voyageurs à traverser les douanes dans la section des personnalités de marque. Il les accompagna ensuite jusqu'à l'autre bout de l'immeuble et les fit descendre à l'étage inférieur par un ascenseur isolé.

— Je ne suis jamais passé par ici, s'étonna Christian.

— C'est un espace réservé aux avions privés, monsieur, répondit le porteur.

En franchissant une dernière porte, ils se retrouvèrent dehors, nez à nez avec un petit jet.

— Waouh ! lâcha Alexanne, impressionnée.

L'agent de bord vint à leur rencontre pendant que les bagages étaient chargés dans la soute. C'était un homme de race noire, aux cheveux rasés et aux yeux d'un bleu éclatant. Il portait un uniforme tout blanc qui le faisait ressembler à un personnage sorti tout droit du passé.

— Bienvenue à bord du vol 321 d'Atrahasis Aviation, fit-il avec un accent bahamien.

— Vous traitez tous vos clients de cette façon ? s'émerveilla Christian.

— Seulement ceux qui sont très spéciaux. Je vous en prie, suivez-moi.

Christian fit grimper David le premier dans le petit escalier en aluminium, puis laissa passer les filles devant lui. Il ferma la marche, tous ses sens en alerte. Ses amis s'agglutinèrent à l'entrée de l'appareil et Christian ne comprit pourquoi que lorsqu'il les eut rejoints. L'intérieur du jet coupait le souffle ! Tout y était noir et blanc. Le fond était occupé par un long sofa en « U » en cuir immaculé au centre duquel reposait une table basse en ébène. À l'opposé, devant la cabine du pilote, il y avait un foyer en marbre sombre où brûlaient des flammes holographiques. Au-dessus, un grand écran de télévision. Entre le sofa et l'âtre ultramoderne s'étendait un grand tapis blanc et, de chaque côté, appuyés contre les hublots, une table et deux moelleux fauteuils du même cuir que le sofa.

— Est-ce qu'il faut enlever nos chaussures ? demanda Sara-Anne.

— Je pense que ce serait mieux, oui, lui fit savoir David.

— Je viendrai vous prévenir lorsque viendra le moment de vous attacher.

— Comment vous appelez-vous ? s'enquit la petite Amérindienne.

— Enkimdou.

— C'est un drôle de nom…

— Moi, je l'aime bien.

Sara-Anne déposa ses Nike près de la porte, incitant ses compagnons à en faire autant. Puis elle courut se jeter sur le sofa.

— Je ne savais pas que c'était aussi beau dans les avions, avoua-t-elle, enchantée.

— Je te ferai remarquer que ce n'est pas du tout la même chose dans les appareils commerciaux, lui dit David en prenant place un peu plus loin.

— En fait, un pour cent seulement des jets ressemble à ça, ajouta Christian.

— Est-ce que ça veut dire que nous sommes chanceux de monter dans celui-ci ?

— J'espère que oui… murmura Alexanne.

Les adultes échangèrent un regard inquiet.

— Mettez-vous à votre aise, recommanda Enkimdou. Nous serons à Nassau dans un peu plus de trois heures.

— Oui, monsieur ! s'écria joyeusement Sara-Anne.

Lorsque l'avion fut finalement dans les airs, l'agent de bord servit un excellent déjeuner à ses passagers, assis de chaque côté du salon.

— Puisque c'est mon premier voyage en avion, je vais trouver les autres pas mal ordinaires, plaisanta alors Alexanne.

— Coincée dans un banc étroit entre plein d'autres passagers, fit David pour lui brosser un meilleur portrait de la réalité. À moins, bien sûr, que tu voyages en première classe. Mais même là, celle-ci ne pourrait jamais rivaliser avec tout ce luxe.

— J'aime bien le luxe, déclara Sara-Anne.

Enkimdou fit ensuite jouer un film sur le grand écran à l'intention de l'enfant. Christian et David, qui n'avaient jamais vu *Rebelle*, se laissèrent captiver par les aventures de Mérida, fille du roi d'Écosse. Lorsqu'il se termina, l'agent de bord annonça qu'ils allaient bientôt atterrir à Nassau. Les passagers bouclèrent leurs ceintures. Le nez collé dans le hublot, Sara-Anne vit se dessiner l'île dans la mer.

— C'est vraiment petit, on dirait, se découragea-t-elle. L'avion sera-t-il capable de s'y arrêter ?

— J'espère bien, parce que je ne sais pas nager, lui confia David.

Une fois au sol, Enkimdou ouvrit la porte et déplia l'escalier, puis laissa descendre ses protégés. Avant de suivre David, Sara-Anne se jeta dans les bras du Bahamien et le serra avec affection.

— J'espère que vous serez là à notre retour, lui dit-elle.

— Ce sera un plaisir pour moi de m'occuper de vous encore une fois, jeune demoiselle.

Le quatuor n'eut même pas à entrer dans l'aéroport. Une grosse limousine noire les attendait. Le chauffeur déposa leurs valises dans le coffre tandis qu'ils s'installaient dans la voiture.

— Il doit être vraiment riche, cet homme, murmura David.

Christian se demanda si ce n'était pas une façon luxueuse de les conduire à l'abattoir, mais il n'en souffla pas un mot.

— On est bien, ici, constata Sara-Anne. Il fait beau et chaud.

— Je tiens cependant à vous rappeler que nous ne sommes malheureusement pas ici pour nous amuser, fit l'ancien policier.

— Juste un peu ?

— Lorsque nous aurons complété le travail que nous sommes venus faire.

— Promis ?

— Oui, promis.

Lorsqu'ils arrivèrent à Paradise Island, le gardien de sécurité de la guérite les laissa passer sans même vérifier qui se trouvait dans la limousine. Ils ne s'arrêtèrent même pas à la réception principale de l'immense complexe et furent directement conduits à la tour royale.

Des préposés les y attendaient. Ils se chargèrent de leurs valises et les conduisirent à leur suite au dernier étage. Ils mirent le pied dans un salon deux fois plus grand que celui du manoir de Lyette. Trois des murs étaient peints en beige et les boiseries en bleu ciel. En fait, le dernier mur, droit devant eux, était vitré et donnait sur un grand balcon délimité par une balustrade en ciment. Sur le grand tapis azur aux motifs de coquillages s'alignaient des fauteuils et des sofas bleu poudre ainsi que des tables blanches. À leur gauche s'ouvrait une salle à dîner dont la longue table pouvait accueillir huit convives. Le miroir géant accroché dans cette pièce en exagérait les proportions.

— Je n'ai jamais rien vu d'aussi beau… s'étrangla Sara-Anne.

— Où sont les chambres ? demanda Alexanne en conservant une attitude plus réservée.

— Par ici, s'il vous plaît, fit l'homme qui les avait précédés dans la suite.

Il leur montra les deux pièces meublées d'un lit où pouvaient facilement coucher quatre personnes, une grande armoire en bois, deux fauteuils et une table basse. Elles étaient éclairées par deux larges fenêtres dont une donnait accès au balcon qui se poursuivait jusque devant le salon.

— Les filles ensemble, décida Christian. Je partagerai l'autre chambre avec David.

Le porteur déposa les valises aux bons endroits. Christian plongea la main dans sa poche pour retirer son porte-monnaie, mais l'homme lui fit savoir que son pourboire avait déjà été payé.

— C'est un vrai conte de fées ! s'exclama Sara-Anne en sautant sur le lit.

En reconduisant les préposés à la porte, Christian

aperçut alors sur la table basse du salon une enveloppe dorée adressée à son nom. Il s'empressa de l'ouvrir et y trouva un mot et une carte des diverses installations du complexe.

PROFITEZ UN PEU DU SOLEIL. NOUS NOUS RENCONTRERONS DANS DEUX JOURS.
CHARLES PETER BOYENS

— J'en connais une qui va être contente, murmura-t-il en retournant vers la chambre des filles.

Sara-Anne sauta de joie lorsqu'il demanda à tout le monde de se mettre en maillot de bain et en sandales.

— C'est un hôtel chic, alors n'oubliez pas de porter une robe légère par-dessus, ajouta-t-il.

— Même moi ? plaisanta David.

— Une chemise fera l'affaire.

Ils furent prêts en quelques minutes seulement. Christian remit au Français une des deux cartes qui donnaient accès à la suite, puis le groupe entreprit de visiter les lieux. Ils suivirent des sentiers bordés de pelouses, d'arbres et de fleurs exotiques, puis d'innombrables bassins dans lesquels se jetaient de petites chutes. Les filles ne savaient plus où regarder.

— Cette carte dit que le complexe Atlantis a tenté de recréer l'atmosphère qui régnait dans le monde perdu de l'Atlantide, les informa Christian.

— Comment savent-ils à quoi il ressemblait, puisqu'il s'est abîmé dans les flots ? répliqua Alexanne.

— Ils ont dû se fier à des écrits anciens, avança David.

— Écrits dans quelle langue ? demanda Sara-Anne.

— Jadis, on utilisait surtout le grec.

— Les gens qui vivaient en Atlantide étaient-ils Grecs ?

— Je n'en sais franchement rien.

— J'ai faim ! fit l'enfant.

Ils se rendirent donc au Lagoon Bar, une grande coupole rose décorée de coquillages géants, élevée au-dessus d'un immense aquarium.

— Est-ce qu'on peut s'assoir près de la balustrade ? supplia Sara-Anne.

— Puis-je voir votre carte de l'hôtel, monsieur ? demanda la serveuse.

En l'apercevant, elle se redressa et écarquilla les yeux.

— Par ici, les convia-t-elle prestement.

Elle exauça le vœu de la petite Amérindienne en la faisant asseoir près de la rambarde en métal. David l'agrippa par sa robe lorsqu'elle s'y pencha pour regarder dans l'eau.

— C'est tout plein de poissons ! s'enchanta-t-elle.

Christian y jeta aussi un œil.

— Et de requins, ajouta-t-il. Assieds-toi et observe-les à travers la balustrade, d'accord ?

Elle redescendit sagement sur sa chaise, mais un large sourire illumina son visage. Elle demanda de la pizza, tandis que Christian et Alexanne commandèrent plutôt des fruits de mer grillés et que David portait son choix sur une salade aux conques. Ils mangèrent en écoutant les exclamations de joie de l'enfant lorsque les poissons s'approchaient de la surface. Au bout d'un moment, Christian s'isola mentalement et examina les alentours. Les employés leur jetaient de fréquents coups d'œil, comme s'ils les craignaient. « Est-ce à cause de notre relation avec Boyens, même si elle est tout à fait involontaire ? » se demanda-t-il.

Après ce bon repas, le quatuor continua d'explorer le site. Ils arrivèrent devant un sentier au-dessus duquel apparaissait l'affiche Dolphin Cay.

— *Dolphin*, ça veut dire dauphin ? se réjouit Sara-Anne.

— Tout à fait, assura Alexanne.

— On peut y aller ?

Ils aboutirent devant un petit bâtiment rose dont l'entrée était flanquée de deux grands dattiers. L'enfant courut jusqu'au large balcon qui surplombait le bassin naturel où évoluaient les dauphins. Il n'y avait pas d'initiation à ces magnifiques mammifères à cette heure-là, alors les entraîneurs en profitaient pour leur montrer de nouveaux tours. Puisqu'elle n'était pas assez grande pour voir par-dessus le parapet de ciment, Sara-Anne grimpa sur une des chaises et aperçut enfin les dauphins.

— Ils sont encore plus beaux que je l'avais imaginé ! s'émut-elle.

Elle avait prononcé cette phrase à voix basse, mais elle sembla tout de même porter jusqu'à l'autre extrémité du bassin. Tous les dauphins plongèrent sous l'eau en même temps, quittant abruptement leurs soigneurs. Aucun coup de sifflet ne les ramena auprès d'eux. Les mammifères convergèrent vers le balcon et sortirent la tête de l'eau pour examiner Sara-Anne. La plupart se mirent à lui faire des joies en tournant sur eux-mêmes ou en effectuant de petits sauts, tandis que les autres émettaient des cris stridents avec leurs évents.

— Est-ce que ça fait partie du spectacle ? s'étonna Alexanne.

— Je ne crois pas, non, répondit Christian en voyant les entraîneurs paniqués arriver en toute hâte sur l'étroite plateforme qui séparait les bassins.

Encore une fois, les soigneurs tentèrent de ramener les mammifères à l'endroit où ils procédaient à leur entraînement, mais aucune récompense ne les persuada d'obéir. Une des femmes comprit alors qu'ils étaient fascinés par l'enfant debout sur une chaise qui tapait des mains, frappée d'admiration. Elle grimpa sur le balcon et s'approcha de la petite.

— Comment tu t'appelles ?

— Sara-Anne.

— Est-ce que tu murmures aux dauphins ?

— Quoi ?

— Ils sont tous là pour t'obéir, alors tu dois faire quelque chose de spécial.

— Mais non. C'est la première fois que j'en vois des vrais de toute ma vie !

— Je m'appelle Cullen. Ça te plairait de venir les caresser dans l'eau avec moi ? Ça ne coûtera rien à tes parents.

— Christian, est-ce que je peux ?

— Seulement si Alexanne ou David y va avec toi.

— Pas moi, s'en défendit le Français. Je vais rester sur le bord de l'eau.

— Je vais vous faire enfiler une tenue de plongée comme la mienne et nous allons faire plaisir à nos adorables amis.

Cullen prit la main de la petite et l'entraîna dans le bâtiment, Alexanne sur les talons, ce qui eut pour effet de provoquer une véritable frénésie parmi les dauphins, qui venaient de voir disparaître Sara-Anne.

— C'est son sang extraterrestre qui les met dans un état pareil ? voulut savoir David.

— Je n'en sais rien, avoua Christian. Tu en as aussi et ils ne s'intéressent pas à toi, lui fit remarquer Christian.

Lorsque les filles eurent enfilé leur combinaison de plongée, Cullen les fit approcher du bassin. Avec un peu d'appréhension, Sara-Anne entra dans l'eau avec sa grande sœur et la soigneuse et fut aussitôt entourée de dauphins, qui semblaient tous vouloir lui dire quelque chose.

— Ils sont vraiment mignons, déclara-t-elle en caressant les rostres à sa portée.

David s'était installé à quelques pas des Kalinovsky, mais garda ses pieds bien au sec. Il savait que ces mammifères n'étaient pas carnivores comme les requins, mais ils possédaient tout de même deux rangées de dents bien pointues. Pire encore, il ne savait pas nager, alors si ces bêtes excitées par la présence de Sara-Anne décidaient d'entraîner les humains plus loin dans le bassin, il aurait risqué la noyade.

En continuant de surveiller le groupe, Christian appela Lyette sur son cellulaire non enregistré. Grâce à Matthieu, les membres de la loge pouvaient communiquer entre eux de façon sécuritaire. Il demeurait toujours possible qu'un petit génie de l'informatique finisse par décrypter le programme, mais pour l'instant, ils n'avaient rien à craindre.

— Tout va bien, monsieur Pelletier ?

— En fait, c'est trop beau pour être vrai. Après le jet privé et la limousine, nous avons été installés dans une suite présidentielle à l'hôtel.

— Votre hôte a certainement les moyens de vous offrir tout ce luxe. L'avez-vous rencontré ?

— Pas encore. Il nous a toutefois laissé une note repoussant notre rendez-vous à après-demain.

— Vous aurez donc un peu de temps pour vous détendre.

— C'est ce que je me disais jusqu'à ce que les filles foutent le bordel dans le bassin des dauphins.

— Je vous demande pardon ?

— Sara-Anne semble attirer les dauphins. Ils agissent avec elle comme s'ils la reconnaissaient. Pourtant, c'est la première fois qu'elle en voit.

— Il y a beaucoup de choses que nous ignorons au sujet de la petite, monsieur Pelletier.

— Est-ce la raison pour laquelle Boyens veut la rencontrer ?

— Peut-être bien.

— En tout cas, j'espère qu'il ne se mettra pas à faire des pirouettes lui aussi lorsqu'il la verra.

— Monsieur Paré croit que le magnétisme naturel de Sara-Anne est relié à sa nature extraterrestre. Il a aussi effectué une recherche au sujet de vos billets d'avion. Atrahasis est le nom d'un personnage de l'épopée de Gilgamesh.

— De qui ?

— C'est un récit très ancien, le premier à mentionner la présence des Annunakis sur notre planète.

— À votre avis, est-ce que ça pourrait n'être qu'une coïncidence ?

— Ça fait longtemps que j'ai arrêté de croire aux coïncidences, monsieur Pelletier. Dois-je vous recommander de redoubler de prudence ?

— Ce ne sera pas nécessaire. Une alarme vient déjà de retentir dans ma tête.

— N'hésitez pas à faire appel à la police locale si jamais les choses s'enveniment.

Christian se doutait bien que le multimilliardaire pouvait acheter n'importe qui, mais il n'en parla pas à Lyette et lui promit plutôt de n'appeler les forces de l'ordre qu'en dernier recours.

— Où est Sara-Anne en ce moment ? demanda Lyette.

— Elle est toujours en train de diriger une chorale de dauphins dans le bassin du complexe.

— Ne la laissez pas dormir sur la plage à proximité de leur enclos.

— Comptez sur moi.

— N'oubliez pas de nous redonner régulièrement des nouvelles. Je les retransmettrai aux Kalinovsky.

— Promis. Je vous rappellerai après notre rencontre avec Boyens pour vous faire savoir ce qu'il veut.

Christian raccrocha et, au lieu d'observer tout ce que Sara-Anne arrivait à faire faire aux dauphins, il étudia plutôt l'émerveillement des entraîneurs.

Chapitre 8

La créature

Christian eut de la difficulté à décrocher Sara-Anne de ses nouveaux amis de Dolphin Cay. Ce fut finalement l'estomac de l'enfant qui la ramena vers lui. Il en profita donc pour pousser le groupe vers l'hôtel, malgré les cris aigus de protestation qui s'élevaient du bassin. Au lieu de profiter de cette vie de château, l'ancien policier demeurait sur ses gardes. Tout le monde lui paraissait suspect. En réalité, si les membres du personnel les regardaient d'une étrange façon, c'était que Boyens avait accordé à ses invités du Québec un accès royal à l'hôtel. Ils se demandaient sans doute qui ils étaient.

Il ne fut pas difficile de mettre Sara-Anne au lit après le copieux repas sur la terrasse d'un des excellents restaurants du complexe. Elle prit sa douche, enfila sa robe de nuit et s'endormit en posant la tête sur l'oreiller. Les adultes regardèrent la télévision avant de l'imiter. Les seules nouvelles qu'ils pouvaient capter étaient celles de CNN.

— On se croirait à la loge, plaisanta Alexanne.

— C'est vrai que ça ressemble à nos écrans de surveillance, admit David.

— Des commentaires sur cette première journée? demanda Christian.

— Une chance qu'on a tous mis de la lotion solaire avant de quitter l'hôtel ce matin, répondit Alexanne, sinon nous serions cruellement brûlés de la tête aux pieds, ce soir.

— Je faisais allusion à notre mission.

— Oh... Alors, disons que si ça se passe aussi bien qu'aujourd'hui, ce sera un jeu d'enfant.

— Moi, j'ai plutôt l'impression qu'on nous jette de la poudre aux yeux, soupira David, plus méfiant. Et pour tout vous avouer, j'ai hâte que ce soit fini et que nous retournions chez nous, même s'il fait particulièrement beau, ici.

— Nous serons fixés après-demain, conclut Christian, qui, lui aussi, trouvait cette attente angoissante.

Épuisée, Alexanne embrassa les deux hommes sur la joue et alla rejoindre sa petite sœur dans leur immense lit. David en fit autant, quelques minutes plus tard, laissant Christian seul au salon. Puisque les nouvelles jouaient en boucle depuis plusieurs minutes, il éteignit le téléviseur et sortit sur le balcon. Des flambeaux éclairaient les sentiers, mais il était impossible de voir la mer dans l'obscurité. Il s'appuya contre la balustrade et repensa à ce qui lui était arrivé ces derniers mois. « Si on m'avait prédit tout ça, je n'y aurais jamais cru », se dit-il. Il avait perdu l'amour de sa vie, était devenu sorcier et militait désormais pour la sauvegarde de la planète.

— Ça aurait pu être pire, soupira-t-il en retournant à l'intérieur.

Il ferma toutes les lampes et alla se coucher de l'autre côté du lit géant qu'il partageait avec David. Celui-ci ronflait déjà.

* * *

Au matin, lorsqu'elle ouvrit les yeux, Alexanne vit que Sara-Anne dormait à poings fermés. Pour qu'elle puisse continuer de récupérer, car elle s'était particulièrement dépensée la veille, la fée glissa sur le sol sans la réveiller. Elle prit sa douche, lava ses longs cheveux châtains et enfila un maillot de bain, puis une robe fleurie par-dessus. Elle mit ensuite le nez au salon et y trouva David en train de texter sur son téléphone cellulaire.

— Tu n'arrivais pas à dormir ? s'inquiéta-t-elle.

— Après le troisième cauchemar, j'ai décidé de venir m'asseoir ici sans faire de bruit.

— Cette mission t'inquiète à ce point ?

— C'est ce que confirme mon subconscient.

— Où est Christian ?

— Il dort comme un loir.

— C'est avec Thibault que tu échanges des messages ?

— Oui, et je suis content de constater qu'il est moins paniqué que je le craignais. Ce soir, il est invité à souper chez Lyette et demain, chez les Kalinovsky. Ça me rassure.

— Il est très gentil. Il n'aura aucune difficulté à se faire des amis.

— Ce sont ses émotions à fleur de peau qui me rendent parfois impatient.

— Comment vous êtes-vous rencontrés ?

— J'étais de garde à l'urgence lorsqu'il est arrivé en ambulance pour une crise d'appendicite. Je me suis occupé de lui jusqu'à ce que le chirurgien soit prêt à intervenir et il a redemandé à me voir après l'opération. Nous avons échangé nos adresses courriel et nous avons correspondu plusieurs mois avant de nous revoir. Son père possède une villa au bord de la Méditerranée, alors il m'y a convié pour mes vacances. Le reste s'est fait tout seul.

— Comme dans les films…

— Toi et Matthieu, comment êtes-vous devenus amoureux ?

— Il était le seul garçon de mon âge à Saint-Juillet, plaisanta Alexanne.

— C'est vrai que la région n'est pas très peuplée…

— Son père est un bon ami de ma tante, alors tous les deux, ils ont pensé que ce serait une bonne idée de nous organiser une rencontre. Puisque nous avons du karma ensemble, avant longtemps, nous n'avons plus été capables de nous passer l'un de l'autre.

— Du karma ? répéta David, intrigué.

— Nous nous sommes connus dans d'autres vies, alors nos âmes cherchent constamment à se revoir d'une incarnation à l'autre.

— La même chose pourrait-elle m'être arrivée avec Thibault ?

— Mes facultés ne sont pas encore suffisamment développées pour que je puisse te le dire, mais si tu veux, nous le demanderons à ma tante, qui est bien plus puissante que moi. En parlant de pouvoirs…

— Je savais que quelqu'un finirait par m'en reparler, se découragea David.

— Montre-moi ce que tu sais faire.

— À part m'exprimer dans une langue qui m'est totalement inconnue, lorsque j'étais devant les anciens d'Éridan, j'arrivais à matérialiser mes pensées.

— Pourrais-tu le faire maintenant ?

— Ils m'ont peut-être donné un petit coup de pouce, tu sais…

— Essaie par toi-même.

David inspira profondément plusieurs fois.

— Si ça fonctionne, je crois que ça devrait te faire rire.

Ils furent soudain entourés de dauphins holographiques qui faisaient des vrilles devant les murs. L'apparition ne dura que quelques secondes à peine.

— C'est fantastique ! le félicita Alexanne.

— Je ne vois pas très bien à quoi ça peut servir, mais oui, c'est assez génial.

— Je suis certaine que tu possèdes d'autres dons que tu ne soupçonnes même pas.

— À mon avis, ce n'est peut-être pas le moment de les explorer. Toute démonstration de pouvoir risquerait d'indisposer Boyens s'il est un démon ou je ne sais quoi encore.

— Tu as raison. Nous reprendrons cette enquête lorsque nous serons de retour à Saint-Juillet. En attendant que les autres se lèvent, je vais aller marcher sur le site.

— Est-ce prudent ?

— C'est Sara-Anne qui les intéresse, pas moi. Et puis, je possède des facultés de fée qui me permettent de sonder mon environnement et de détecter le danger. Si je flaire quoi que ce soit d'anormal, je me hâterai de revenir. Surtout ne t'inquiète pas, David. Il n'y a pratiquement personne dehors à une heure aussi matinale.

— As-tu ton téléphone cellulaire sur toi ?

— Dans mon sac à bandoulière et j'ai pris le temps de préserver ma peau.

— Où comptes-tu te diriger ?

— À partir de la sortie de l'hôtel, tout droit vers la mer. J'ai besoin de marcher dans l'océan et de respirer l'air salin.

— Tu ne veux pas que je t'accompagne ?

— Je ne voudrais pas t'empêcher de converser avec ton amoureux.

David pianota sur son cellulaire et le referma.

— Je lui ai dit que je devais partir.

— D'accord, mais je ne t'emmène que si tu protèges ta peau.

Le Français la laissa vaporiser toutes les parties de lui qui seraient exposées au soleil, puis attrapa ses lunettes noires sur la table basse avant de la suivre vers la porte.

— Ne devrions-nous pas leur laisser au moins un mot ?

— Si ça continue ainsi, ils se réveilleront avant qu'on parte, soupira Alexanne.

Elle arracha une feuille du bloc-notes près du téléphone et écrivit : « partis marcher – de retour bientôt ».

— Satisfait ?

Ils prirent l'ascenseur et sortirent de l'hôtel du côté nord. Sans se presser, ils longèrent des piscines que les employés étaient en train de nettoyer, croisèrent quelques joggers, puis arrivèrent devant une trouée dans le grand mur qui protégeait les sentiers du sable de la plage. Il n'y avait personne en vue, que des oiseaux marins qui cherchaient leur nourriture du matin. Puisque l'île était fermée au public en dehors de ses heures d'affaires, seuls les invités de l'hôtel avaient accès aux nombreux sentiers d'Atlantis.

David avait déjà passé ses vacances dans la maison méditerranéenne du père de Thibault, mais pour Alexanne, c'était une toute nouvelle expérience. Elle enleva ses sandales et trempa les orteils dans l'eau chaude de la mer des Caraïbes.

— C'est la première fois que tu entres dans l'océan, n'est-ce pas ? lui demanda David.

— Oui, et j'avoue que ça me plaît beaucoup.

— Allons jusqu'à cette formation rocheuse là-bas.

Il ôta aussi ses chaussures et marcha près de la fée.

— C'est merveilleux, ici, mais je ne sais pas si je serais capable d'y passer le reste de ma vie, avoua Alexanne.

— Moi, facilement, à condition que Thibault y soit avec moi, répliqua David en riant. Je préfère la chaleur au froid.

Les rochers auxquels le Français avait fait référence étaient en fait un grand banc d'anciens coraux qui avaient été exposés aux intempéries lorsque le niveau de l'eau avait baissé, des milliers d'années auparavant.

— Ce sont des choses qu'on ne voit que dans les atlas, laissa tomber Alexanne, transportée de joie.

Elle aperçut alors un amoncellement d'algues, qui avaient dû être rejetées sur le sable par les puissantes vagues.

— Ma tante ne cesse de vanter les propriétés curatives du varech, dit-elle à David en s'approchant des plantes aquatiques.

— Elles ne sentent pas très bon, par contre, remarqua David.

— C'est parce qu'elles ne sont plus dans l'eau.

— On dirait qu'il y a quelque chose sous le goémon.

Alexanne s'approcha et constata que son compagnon disait vrai.

— Oh non... On dirait un dauphin !

Sans prendre aucune précaution, elle plongea les mains dans les algues et commença à les arracher.

— Ce n'est pas très prudent, Alexanne. C'est peut-être un cadavre couvert de pourriture qui se trouve là-dessous.

Il n'avait pas fini de prononcer le dernier mot que le mammifère frétilla, comme s'il sentait qu'on allait lui rendre sa liberté.

— Il est vivant !

Elle accéléra son travail de délivrance jusqu'à ce qu'elle découvre le corps de ce qui ressemblait effectivement à un dauphin, du moins de la moitié du corps jusqu'à la queue.

— Il est étrange qu'il n'ait pas d'aileron dorsal, fit remarquer David en sortant son téléphone cellulaire de sa poche de chemise.

— Parce qu'il est renversé sur le dos, sans doute.

Le jeune homme se mit à filmer l'opération de

sauvetage pour le bénéfice de leurs compagnons qui dormaient encore à l'hôtel.

— Sara-Anne sera furieuse de ne pas m'avoir aidée à le remettre à l'eau.

— Je ne pense pas que tu y arriveras seule, alors quand tu auras retiré tout le varech, je te donnerai un coup de main.

— Il faut que je me dépêche sinon le soleil va finir par lui brûler la peau.

Au moment où elle retirait la dernière accumulation d'algues de l'endroit qui aurait dû être le melon et le bec de l'animal, celui-ci redressa la tête d'un seul coup en s'appuyant sur ce qui aurait dû être des nageoires. Alexanne poussa un cri de surprise et bascula vers l'arrière en tombant sur ses fesses.

— Mais qu'est-ce que c'est que ça ? murmura David, en état de choc.

Incapable de prononcer un seul mot, la fée fixait avec incrédulité le visage humain de la créature. Sa peau argentée parsemée de taches rondes un peu plus foncées faisait penser à celle des grenouilles. Elle n'avait pas de cheveux et apparemment pas d'oreilles. Ses yeux occupaient entièrement ses orbites. Ils étaient de la couleur des aigues-marines et leur pupille était énorme.

— Alexanne, je t'en prie, éloigne-toi de cette chose, la supplia David, qui continuait de filmer avec son téléphone, malgré sa terreur.

La bête projeta alors ses bras devant elle afin de se redresser.

— Regarde ses mains, murmura la fée, troublée.

Ses cinq doigts armés de griffes étaient palmés comme les pattes des canards.

— Alexanne, je t'en conjure…

— Je ne crois pas qu'elle soit dangereuse.

La créature émit quelques sifflements semblables à ceux des dauphins, mais infiniment plus tristes.

— Elle s'est échouée pendant la nuit et elle est trop faible pour retourner à l'eau, devina Alexanne.

— Et comment le sais-tu ?

— On dirait que je comprends ce qu'elle me dit…

Rassemblant son courage, la fée se releva et offrit les mains à la femme-dauphin. Celle-ci pencha doucement la tête de côté et sembla esquisser un sourire. Elle tendit ses bras tremblants à la jeune humaine, qui tenta de la saisir par les poignets.

— Mince… sa peau est glissante.

Alexanne enleva alors sa robe et l'étendit sur le sable, à côté de la créature. Avec douceur, elle la fit rouler sur le côté, jusqu'à ce qu'elle soit sur le vêtement. Comprenant ce qu'elle essayait de faire, David déposa le téléphone, qui filmait toujours.

— Elle est étonnamment lourde, constata Alexanne en traînant la robe en direction de la mer.

Le Français lui donna un coup de main. Par la force de leurs muscles combinés, ils réussirent à faire glisser la créature jusqu'aux vagues qui léchaient la plage. Le contact de l'eau sembla lui redonner des forces. Alexanne lui entoura alors la taille et la maintint jusqu'à ce que tout son corps se mette à flotter.

— Tu crois qu'elle s'en tirera ? demanda David.

— J'en suis persuadée.

La femme-dauphin regarda tour à tour ses sauveteurs, puis se mit à battre doucement de la queue pour se propulser loin de la plage. Elle nagea pendant quelques minutes, puis se retourna. Seule sa tête sortait de l'eau. Elle poussa un cri perçant, l'équivalent de « merci » dans sa langue, et plongea dans les profondeurs.

— David, est-ce que c'est une sirène qu'on vient de sauver ? fit naïvement Alexanne.

— Moi, ma question, c'est plutôt : est-ce que tout ceci vient réellement de se produire ?

Il sortit de l'eau et alla chercher son téléphone qui heureusement était resté en équilibre sur le roc. Ayant récupéré sa robe, la fée s'avança vers son compagnon. Elle remarqua alors un jeune homme à une cinquantaine de mètres d'eux, qui regardait de leur côté.

— Tu penses qu'il a tout vu ? s'inquiéta Alexanne.

— Il n'y a qu'une façon de le savoir.

Ils marchèrent à sa rencontre.

— Essaie d'avoir l'air le plus naturel possible, recommanda David.

— Facile à dire après ce qui vient de se passer…

— Bonjour, fit le Français lorsqu'ils ne furent plus qu'à quelques pas de l'étranger.

Il était certainement dans la vingtaine. Ses cheveux de jais étaient attachés sur sa nuque et ses yeux étaient si noirs qu'on ne pouvait même pas y distinguer la pupille. Sa peau était dorée, sans doute en raison du soleil, et il portait au cou un curieux pendentif blanc en forme d'hameçon.

— Bonjour, répondit-il. C'est une sirène que vous venez de remettre à l'eau ?

David et Alexanne étaient si surpris par son assurance qu'ils ne surent pas quoi répondre.

— Ce n'est pas la première à s'échouer par ici, ajouta-t-il.

— Vraiment ? réussit à articuler la fée.

— Les océans sont peuplés de créatures qui ne veulent pas entretenir de contacts avec l'homme. Je m'appelle James Rancourt.

— Alexanne Kalinovsky et voici David Gentil. Êtes-vous en vacances, vous aussi ?

— Non… se contenta-t-il de répondre avec un sourire. Faites attention à qui vous parlez et ne vendez pas votre vidéo aux médias. La vie du peuple de la mer en dépend.

Il tourna les talons et poursuivit son chemin sur la petite route qui faisait le tour du complexe, en dehors de ses murs.

— Euh… fit Alexanne, étonnée.

— Comment sait-il que j'ai filmé le sauvetage ? lui fit écho David.

— Tu ne le trouves pas un peu louche ?

— Et si c'était un des hommes de main de Boyens ?

— Il aurait été très maladroit de le lui demander, tu ne trouves pas ?

— Retournons à la chambre, maintenant, et assurons-nous de ne pas être suivis.

Ils s'empressèrent de partir en direction opposée de Rancourt.

Chapitre 9

Le Redemption

Pour être bien certains que James Rancourt n'essaierait pas de les suivre jusque chez eux, Alexanne et David pénétrèrent dans le complexe hôtelier par le casino et traversèrent les différents immeubles qui menaient au Royal Tower. Ils ne se détendirent que lorsque les portes de l'ascenseur se refermèrent sur eux. Ayant régulièrement regardé par-dessus leur épaule pendant tout le trajet, ils n'avaient pas échangé un seul mot.

— Tu penses que c'est un espion à la solde de Boyens ? demanda finalement David.

— J'en doute, parce que je n'ai rien senti de maléfique dans ce garçon.

Ils se hâtèrent vers leur suite, où leurs amis étaient en train de jouer à un jeu vidéo sur le téléviseur du salon en les attendant.

— Enfin ! s'écria Sara-Anne. Je meurs de faim !

— Vous avez une drôle de mine pour des touristes qui sont allés prendre une marche de santé, remarqua Christian.

— Il nous est arrivé quelque chose d'extraordinaire, expliqua Alexanne.

— Quoi ? s'enthousiasma la petite.

— David, est-ce qu'on peut brancher ton téléphone sur le téléviseur ? lui demanda la fée.

— Vous avez filmé cet événement exceptionnel ? s'inquiéta Christian.

Il avait déjà travaillé sur des dossiers où des gens

avaient été tués parce qu'ils avaient capté des images qu'ils n'auraient pas dû voir.

— Pendant plusieurs minutes, en fait, répondit David, ce qui m'empêchera de les transmettre à la loge, car le fichier sera beaucoup trop lourd.

Il examina l'appareil, trouva des entrées sur le côté et alla chercher ses fils de branchement dans sa valise. Lorsque tous furent enfin assis devant l'écran, le Français fit jouer la séquence du sauvetage sur la plage. Christian et Sara-Anne écarquillèrent les yeux, ébahis.

— C'est une sirène ? s'enquit finalement l'enfant.

— Ou une femme habilement déguisée en poisson qui s'amuse à distraire les invités, avança plutôt Christian.

— Je vous jure que ce n'est pas un costume, soutint Alexanne. J'ai touché à sa peau et je l'ai observée suffisamment longtemps pour affirmer qu'il n'y avait aucune couture où que ce soit.

— Et son poids ! ajouta David. Une femme normale de sa taille aurait été beaucoup plus légère.

— Moi, je suis certaine que c'en est une vraie, trancha Sara-Anne. Est-ce que je pourrais aller lui parler ?

— Comme tu vas le voir dans un instant, nous l'avons aidée à rejoindre sa famille dans l'océan, lui apprit Alexanne.

Christian remarqua les efforts qu'avaient dû fournir ses amis pour remettre la créature à l'eau, mais il n'arrivait pas à se convaincre que les sirènes existaient vraiment.

— Nous pourrions aller sur cette plage, s'entêta Sara-Anne. Peut-être qu'elle viendra vers moi comme les dauphins.

Alexanne se tourna vers l'ancien policier pour voir ce qu'il en pensait.

— Je continue de croire que vous vous êtes fait avoir, mais pourquoi pas ? soupira-t-il.

— Après, est-ce qu'on pourrait retourner voir les dauphins ? le supplia l'enfant.

— Non, répondirent en chœur les adultes.

— J'ai d'autres plans, précisa Christian avant qu'elle se mette à pleurer. Que diriez-vous d'une petite croisière près de la côte ?

— Oh oui, se réjouit Sara-Anne, mais est-ce qu'on pourrait aller manger avant ?

— Toi, tu ne penses qu'à manger, la taquina David.

— Je suis en pleine croissance !

Ils se rendirent donc au restaurant en traversant leur hôtel. Le large couloir les mena d'abord à un grand hall circulaire sur leur droite. Huit colonnes massives soutenaient une coupole dorée agrémentée de coquillages. Tout autour étaient peints divers tableaux représentant des créatures mythiques.

— Regardez ! se réjouit Sara-Anne. Il y a des sirènes.

— Elles ressemblent à celles des livres d'enfants, lui fit remarquer Alexanne.

Ils poursuivirent leur route jusqu'à l'entrée du Marketplace, qui n'était pas du tout un marché, mais plutôt un excellent buffet où les invités des différentes tours d'Atlantis pouvaient venir se régaler. Alexanne suivit sa petite sœur pour s'assurer qu'elle choisisse surtout des aliments nourrissants, puis la ramena à la table où Christian s'était assis, près du mur vitré. Au grand bonheur de Sara-Anne, il donnait sur un autre bassin grouillant de poissons.

— Dommage que nous ne puissions pas enquêter sur cette sirène, murmura David pour que les autres convives ne l'entendent pas.

— Peut-être qu'il nous restera un peu de temps

après l'entrevue avec monsieur Boyens, espéra Alexanne.

— Si c'est bien demain, alors il nous restera quatre jours pour la retrouver, calcula Sara-Anne.

— J'aimerais que vous arrêtiez de parler de cette créature, d'accord ? recommanda Christian.

— Pourquoi ? s'étonna la petite fille.

— Pour qu'on ne nous prenne pas pour des fous et parce que nous ne sommes pas ici pour attirer l'attention sur nous-mêmes.

— D'accord, mais juste après qu'Alexanne m'aura montré où elle l'a vue.

— En fait, un jeune homme semble avoir assisté au sauvetage, avoua Alexanne, penaude.

— Vous avez un témoin, en plus ? s'alarma Christian.

— Il nous a recommandé de ne pas vendre notre vidéo aux médias et il est parti, ajouta David.

— Avait-il l'air d'un tueur ?

— Pas du tout, répondirent d'une seule voix les sauveteurs de sirènes.

— Alors, espérons que ça s'arrêtera là.

Dès qu'ils eurent fini de déjeuner, encore une fois leur hôtesse refusa de leur apporter l'addition et leur souhaita une bonne journée.

— Je me demande si ce serait la même chose si nous arrêtions dans l'une des boutiques que nous avons vues dans le couloir ? plaisanta Alexanne.

— On pourrait acheter au moins un souvenir, proposa Sara-Anne.

— C'est justement à ça que je pensais…

— Nous verrons ça plus tard, les filles, décida Christian. Il est temps d'aller prendre l'air.

— Pas avant de s'être protégés contre le soleil.

Alexanne vaporisa sa sœur de lotion solaire, puis tendit la bouteille à Christian qui n'eut pas d'autre choix que de les imiter. Ils se rendirent ensuite jusqu'à la plage, près des rochers. Les algues y étaient encore.

— C'était bien ici, n'est-ce pas ? s'égaya Sara-Anne.

— Oui, affirma David. Elle était tout emmêlée là-dedans.

— La pauvre chérie…

— Avait-elle subi des blessures ? demanda Christian.

— Aucune en apparence, affirma Alexanne.

La petite Amérindienne entra dans l'eau jusqu'aux genoux.

— Ohé ! Madame la sirène !

Rien ne se produisit.

— Je ne les attire pas, on dirait, se désola Sara-Anne.

— Elles sont peut-être à l'autre bout de l'île ou bien en haute mer, à cette heure-ci, tenta de la consoler David.

Christian sortit de sa poche le dépliant de l'hôtel qui indiquait les points d'intérêt.

— Cette route mène jusqu'à la marina, indiqua-t-il.

— Allons-y, fit David en prenant la main de Sara-Anne.

Ils marchèrent pendant de longues minutes, puis arrivèrent sur un petit pont qui menait à une autre plage.

— C'est vraiment immense, ici, remarqua Alexanne.

— Une autre bonne raison de ne jamais se séparer, ajouta Christian.

Ils longèrent la plus grande des lagunes, passèrent à côté du restaurant circulaire où ils avaient mangé la veille, et durent passer au travers de la réception du Coral Tower afin de sortir du complexe. Ils aboutirent alors dans un coquet petit village, qui était en fait un regroupement de restaurants et de boutiques. Le long du quai étaient amarrés des yachts somptueux qui devaient valoir de petites fortunes. Une femme était en train de filmer une star vêtue d'une belle robe turquoise vaporeuse, qui s'avançait vers elle en chantant une chanson des années 80.

Lorsqu'ils arrivèrent au bout du village, ils traversèrent la rue et aperçurent enfin la marina Hurricane Hole. Des embarcations de toutes sortes y étaient amarrées. Il y avait de grandes affiches d'excursions touristiques à l'entrée du port. Ils s'y arrêtèrent pour voir ce qui était disponible. Christian les parcourut toutes, puis consulta sa montre.

— Aujourd'hui, pour une raison que j'ignore, ils n'offrent des croisières qu'au coucher du soleil, leur apprit-il.

— Peut-être qu'un particulier accepterait de nous faire faire le tour de l'île sur son bateau privé ? suggéra David.

— Il n'y a qu'une façon de le savoir.

Ils parcoururent le port de plaisance où les propriétaires des bateaux semblaient s'être volatilisés.

— Regardez là-bas, fit Sara-Anne en pointant vers un quai en forme de croix double qui s'avançait dans la mer.

Les navires qui s'y trouvaient ne ressemblaient pas aux beaux yachts de plaisance qu'ils venaient d'admirer. Ils semblaient plutôt conçus pour d'autres fins.

— On dirait des bateaux d'exploration, fit remarquer Christian. Allons les voir de plus près.

Ils s'approchèrent d'un bateau de soixante-dix mètres tout blanc qui semblait équipé pour la plongée, car une jeune fille était en train de charger des bombonnes d'oxygène à bord.

— Il est gros ! lança Sara-Anne, impressionnée.

— Vous parlez français ? se réjouit l'inconnue aux longs cheveux blond roux.

— Bien sûr ! Nous sommes du Québec.

Christian aurait aimé que la petite ne parle pas aussi spontanément aux étrangers, mais il était trop tard.

— Nous aussi ! Je m'appelle Vicky Perry.

— Que faites-vous aussi loin de chez vous ? s'en mêla Alexanne.

— De l'archéologie sous-marine.

— Qu'est-ce que c'est ? demanda Sara-Anne.

— Nous cherchons de vieux objets au fond de la mer et nous les remontons à la surface lorsqu'ils ne sont pas trop lourds pour le treuil.

— Mais qui les a mis dans un endroit pareil ?

— Les gens qui vivaient dans la région il y a des milliers d'années.

— Si vous continuez à répondre à ses incessantes questions, vous serez encore ici demain, l'avertit Christian.

— C'est normal d'être curieux quand on est jeune.

Elle tendit la main à l'ancien policier qui la serra avec une petite hésitation.

— Christian Pelletier, fit-il.

— Je suis Sara-Anne Wakanda Kalinovsky.

— C'est un bien grand nom pour une petite fille, s'amusa Vicky.

David et Alexanne se présentèrent à leur tour.

— Où habitez-vous au Québec ? s'enquit l'archéologue.

— Dans la région de Saint-Jérôme, dans les Laurentides, répondit Alexanne.

— Moi, je suis de la ville de Québec !

— Puis-je transporter ces boîtes pour vous ? offrit David.

— J'aime bien votre accent, mais ne vous inquiétez pas pour moi. Je suis habituée à transporter de grosses charges. Ça fait partie du métier.

— Qui sont tes nouveaux amis, Vicky ? demanda avec un léger accent anglais un homme blond d'une quarantaine d'années qui venait d'apparaître au bout de la passerelle.

— Des compatriotes ! Christian, David, Alexanne et Sara-Anne, je vous présente le professeur Roger Rochon. Il enseigne à Ottawa. C'est lui qui dirige ce projet commun entre son université, celle de Québec et celle de Trois-Rivières. En d'autres mots, c'est notre patron.

— J'imagine que vous êtes en vacances aux Bahamas ?

— Non, par affaires, répondit Christian, qui se sentait étrangement en confiance avec ces Canadiens. Toutefois, nous disposons de quelques jours de détente avant de nous mettre au travail.

— Nous voulions faire un petit tour sur la mer, mais nous n'avons pas trouvé de bateau, soupira Sara-Anne.

— Ils ne sortent pas tous les jours, expliqua Roger, et, de toute façon, les touristes préfèrent maintenant les croisières en catamaran au coucher du soleil.

— Mais on ne voit plus rien quand il fait sombre…

— C'est plus romantique, lui souffla Vicky.

— Qu'est-ce que ça veut dire ?

— Tu le sauras quand tu seras grande, intervint Alexanne.

— Pourrait-on les emmener avec nous ? demanda Vicky au professeur.

— Nous ne voulons surtout pas vous empêcher de procéder à vos fouilles, ce matin, réagit aussitôt Christian.

— Pourtant, je pense que ce serait une belle occasion d'initier quatre néophytes à l'archéologie, répliqua Roger avec un sourire.

— Christian, dis oui, l'implora Sara-Anne.

— Commençons par une petite visite à bord, décida-t-il pour s'assurer de l'absence de tout danger. Après, nous verrons.

Ils suivirent donc Roger sur la passerelle tandis que Vicky soulevait une autre caisse. Ne pouvant s'en empêcher, David en prit une autre et lui emboîta le pas.

— Bienvenue sur le *Redemption*, fit Roger.

— C'est votre bateau ?

— J'aimerais bien, oui, mais je ne pourrais pas me payer un tel vaisseau. Il appartient à monsieur Timothy Hamilton, qui sera bientôt là.

L'habitacle du navire comptait deux étages, plus une terrasse sur le toit. Les cabines n'occupaient que la moitié du *Redemption*. Sur le gaillard d'avant se trouvaient deux zodiacs ainsi qu'un espace de manœuvre pour l'ancre. Au premier étage du gaillard d'arrière se trouvaient de petites chambres, une salle commune et une cuisine alors que l'étage supérieur était un véritable laboratoire rempli de machines et d'écrans. Juste derrière, ce qui aurait dû être une autre terrasse avait plutôt été transformé en entrepôt où l'équipe entassait tous les artefacts recueillis jusqu'à présent. C'est à cet endroit qu'ils rencontrèrent le deuxième étudiant sous les ordres du professeur. Il était en train de clouer le couvercle d'une caisse en bois.

— Étienne Bergeron, se présenta-t-il en se tournant vers les visiteurs.

Alexanne fit les présentations.

— Êtes-vous ici pour financer nos recherches ? fit moqueusement Étienne.

— Avez-vous besoin de beaucoup d'argent ? rétorqua Sara-Anne en toute innocence.

— C'était une plaisanterie... mais il est vrai que nous n'en avons jamais assez.

— Nous sommes plutôt des touristes, expliqua Alexanne.

— Mais nous nous intéressons aussi à l'archéologie, s'empressa d'ajouter David.

— Pour mieux nous connaître, il est très important d'étudier notre passé, déclara Étienne.

Pendant qu'il montrait à Sara-Anne et à David le contenu d'une des caisses qu'il n'avait pas encore scellées, Alexanne s'approcha de Christian.

— Je ne ressens aucune émotion malfaisante sur ce bateau, chuchota-t-elle.

— Et je ne vois aucune arme nulle part, rétorqua-t-il sur le même ton.

— Ce sont des gens bien, qui ne sont certainement pas à la solde d'un démon ou d'un sorcier.

Rassuré, Christian poursuivit sa route jusqu'à la cabine de pilotage. Roger le suivit.

— Vous serez sûrement en mer toute la journée, fit l'ancien policier.

— Nous partons le matin et nous ne revenons qu'au coucher du soleil. Je sais que c'est un peu long, mais ça me ferait tellement de bien de parler avec d'autres Québécois. Je pense aussi que cette expédition sera instructive pour la petite.

— Nous n'avons pas apporté de nourriture...

— Ce n'est pas un problème. Étienne en prévoit toujours trop pour nous quatre, de toute façon. Allez, faites-moi plaisir.

— Bon d'accord, je cède.

— Et puis, vous avez de bons bras, alors vous allez

pouvoir nous aider à manipuler les artéfacts que les jeunes trouveront aujourd'hui.

— Ils en découvrent tous les jours ?

— Presque.

— Prêts à partir, matelots ? fit une voix avec un fort accent britannique.

Christian regarda sur le quai et vit un homme qui devait certainement être le capitaine du *Redemption.* Il était grand, mince et portait un pantalon blanc et une veste marine. Ses cheveux bruns étaient coiffés de façon impeccable. En fait, il ressemblait davantage à un acteur qu'à un véritable marin.

— Ne vous fiez pas à son allure, commenta Roger. C'est l'un des meilleurs loups de mer avec qui j'ai travaillé durant ma carrière. Il connaît ces eaux comme le fond de sa poche.

Timothy Hamilton remonta la passerelle et grimpa à l'étage supérieur, se dirigeant vers le poste de navigation.

— Mais qui avons-nous là ? s'étonna-t-il en apercevant les trois jeunes qui aidaient Étienne et Vicky à équilibrer le poids des caisses sur la terrasse arrière. De nouveaux étudiants ?

— Ce sont nos assistants pour la journée, répondit Vicky. Capitaine Hamilton, voici David, Alexanne et Sara-Anne.

— Ils sont de plus en plus jeunes, on dirait. Étienne, tu veux bien détacher les amarres ?

— Oui, monsieur.

— Je peux y aller ? s'enquit la petite.

— Non, ma belle, répondit Vicky. Tu restes ici, avec moi, jusqu'à ce que nous ayons quitté le port, d'accord ?

Hamilton poursuivit sa route et trouva Christian et Roger dans la cabine de pilotage.

— Combien en avez-vous recruté ? plaisanta le capitaine.

— Quatre, répondit le professeur. Je vous présente Christian Pelletier.

— Bienvenue à bord, monsieur Pelletier. Avez-vous de l'expérience sur un bateau ?

— Je regrette de dire que non, mais j'ai déjà suivi une formation de plongeur, il y a bien longtemps.

De loin, en raison de son physique svelte, Christian lui aurait donné une trentaine d'années, tout au plus, mais face à face, les rides dans le coin des yeux et autour de la bouche de Hamilton trahissaient son âge. Il était très certainement dans la soixantaine. Il réchauffa tout de suite les moteurs et décrocha sa casquette blanche suspendue au mur.

— Et c'est parti, annonça-t-il. Étienne ?

— C'est fait ! s'écria le jeune homme en sautant sur le gaillard d'avant, où Hamilton pouvait le voir.

D'une main de maître, le capitaine fit reculer le *Redemption* jusqu'à ce qu'il se soit éloigné du quai, puis le fit glisser avec grâce en direction de la trouée dans la rade qui permettait d'accéder à la haute mer.

— Connaissez-vous un peu la géographie de la région, monsieur Pelletier ?

— Je commence à peine à m'y retrouver dans celle du complexe hôtelier, blagua Christian.

— New Providence n'est qu'une des sept cents îles des Bahamas. La plupart sont toutes petites, mais plusieurs sont habitées. L'équipe du professeur plonge sur la côte ouest d'Andros. Cet archipel possède l'une des plus longues barrières de corail au monde, ainsi que de nombreux trous bleus.

— Des quoi ?

— Ce sont de grands trous dans l'océan

généralement circulaires, aux parois abruptes. Ils doivent leur nom au contraste entre leur bleu foncé et le bleu turquoise des récifs environnants.

— Alors, là, vous m'apprenez quelque chose.

— Lorsque nous serons en mer, je vous laisserai même la barre, si vous le voulez.

— Ça me plairait d'essayer ça.

Christian se tourna ensuite vers Roger :

— Plongez-vous dans ces trous bleus ?

— Non. Il n'y a rien qui nous intéresse là-dedans.

— Mais, à notre retour, intervint Hamilton, si vous voulez voir à quoi ça ressemble, je vous en montrerai un.

« Finalement, cette journée sera bien amusante », se dit Christian. « À moins que Sara-Anne se mette à attirer tous les dauphins du coin… »

Laissant l'ex-policier en compagnie du capitaine, Roger retourna au pont arrière pour s'assurer que ses étudiants avaient bien fait leur travail.

— Que fait-on, maintenant ? demanda Sara-Anne.

— Nous n'atteindrons pas le site avant quelques heures. Allez vous asseoir là-haut sur la terrasse, leur conseilla le professeur. La vue est superbe.

La petite ne se fit pas prier. Elle grimpa agilement l'échelle, aussitôt suivie de David, qui veillait sur elle comme un ange gardien. Alexanne leur emboîta le pas, puis Vicky. Étienne, quant à lui, s'était plutôt rendu à la cabine de pilotage pour s'assurer que le capitaine n'avait plus besoin de lui.

Sur la terrasse, il y avait quelques tables avec des parasols soudés au plancher, mais Sara-Anne préféra s'appuyer contre la rambarde pour regarder au loin. Roger vint se poster près d'elle.

— C'est la première fois que tu vois la mer, n'est-ce pas ?

— Oui, et c'est immense !

— Tu sais nager ?

— Un peu, mais j'aurais peur, ici. C'est trop profond.

— Là où nous allons, il n'y aura que quelques mètres d'eau.

— Comment est-ce possible ?

— Tu vois, toutes ces îles autour de nous ?

Sara-Anne hocha vivement la tête.

— Ce sont les sommets des montagnes d'un immense continent qui s'étendait ici il y a des milliers d'années. Il a sombré dans l'océan et des sédiments se sont accumulés par-dessus ses cités.

— Et vous creusez pour les retrouver ?

— Nous ne possédons pas l'équipement requis, mais au fil du temps, des tremblements de terre marins ont fait remonter plusieurs objets à la surface. Ce sont eux que nous cherchons.

— Vous le faites depuis longtemps ?

— C'est notre deuxième expédition.

— Pendant tout ce temps, est-ce que vous avez vu des sirènes ?

Roger perdit aussitôt son sourire.

— Je sais qu'elles ne sont pas aussi belles qu'Ariel, continua Sara-Anne, mais je ne pense pas qu'elles soient méchantes.

— Tu crois aux sirènes ?

— Évidemment. Ma sœur en a vu une sur la plage, ce matin. Et vous ?

— Je vais te faire une confidence, Sara-Anne, mais ça devra rester entre nous, d'accord ?

— D'accord.

— Il nous est arrivé de voir nager de curieuses créatures lors de quelques plongées, mais elles étaient trop loin pour que nous puissions les identifier. Fais attention de ne pas tomber à l'eau. Je dois aller préparer le journal de bord.

— Je serai prudente.

Décontenancé, Roger alla s'enfermer dans le laboratoire.

Chapitre 10

Le temple

Assis devant sa table de travail, le professeur Rochon tenait sa plume à la main, mais n'arrivait pas à se concentrer. Son équipe avait en effet aperçu des créatures mi-poissons, mi-humaines durant ses recherches au large de Bimini, mais elle n'avait jamais été capable de les photographier. Dès que les plongeurs se tournaient vers elles, elles disparaissaient à une vitesse vertigineuse. Au début, il avait pensé qu'il s'agissait d'une nouvelle espèce de dauphins, mais sur certains clichés réalisés par Étienne, on pouvait apercevoir ce qui ressemblait davantage à des bras qu'à des nageoires…

— Professeur, je pense que vous devriez voir ceci, fit alors Vicky en entrant dans la large cabine en compagnie de David.

Son air sérieux inquiéta Roger, car la jeune femme était toujours souriante.

— Je sais que vous nous avez demandé de ne jamais en parler, mais je pense que nous détenons la preuve que nous n'avons pas halluciné.

Elle lui fit voir la vidéo captée par David quelques heures plus tôt.

— Ce n'est pas un trucage ? demanda-t-il en plantant ses yeux pâles dans ceux de David.

— Non, monsieur. C'est exactement ainsi que ça s'est passé.

— Puis-je regarder une autre fois ces images ?

David le contenta.

— Nous ne sommes pas zoologistes, mais

archéologues, balbutia-t-il, encore sous le choc. Toutefois, mon cœur me dit que nous ne devrions pas ébruiter cette affaire, pour éviter une nouvelle chasse aux sorcières.

— Je suis d'accord, approuva le Français. Nous devons protéger ces créatures.

— Quand je pense que nous n'avons jamais cru les marins qui racontaient avoir vu des sirènes…

— Que fait-on maintenant des gens qui prétendent avoir rencontré des extraterrestres ? plaisanta Vicky.

« Si elle savait qu'elle se tient à côté d'un descendant des mages d'Éridan », songea David en cachant son amusement.

— Notre travail est d'interpréter le passé à partir des objets que nous repêchons de l'océan, jeune dame, lui rappela le professeur. Laissons les ufologues faire le leur.

— Tout comme vous, nous avions convenu de n'en parler à personne, mais puisque Vicky nous a raconté qu'elle avait vu ces créatures, elle aussi, j'ai pensé que cette vidéo vous intéresserait.

— Je suis soulagé d'apprendre que nous ne sommes pas fous.

— Il y a autre chose que vous devez savoir, intervint David. Sara-Anne exerce une grande fascination sur les dauphins. Il est donc possible qu'ils se présentent en bancs pendant la plongée.

— Ils sont curieux, mais pas dangereux, les rassura Roger.

Vicky invita le Français à la suivre sur la terrasse du toit. Roger s'adossa dans sa chaise en réfléchissant à ce qu'il venait de voir. Il avait toujours soupçonné que le monde était beaucoup plus vaste que ce qu'on enseignait dans les livres. Toutefois, sa vocation n'était pas de partir à la recherche des sirènes ou des autres créatures que les hommes ne connaissaient pas encore. Il était archéologue et son plus grand désir, c'était de prouver que l'Atlantide avait bel et bien existé.

— On dirait que vous avez vu un fantôme, remarqua Étienne en entrant dans le laboratoire.

— Qu'as-tu appris sur nos passagers ?

— Ils disent être aux Bahamas par affaires, mais je n'arrive pas à deviner ce que ce pourrait bien être. Un placement immobilier ? L'achat d'un bateau ? Le mieux serait de le leur demander.

— C'est un judicieux conseil, jeune homme.

— En tout cas, je les aime bien.

Étienne laissa le professeur préparer ses documents et grimpa lui aussi sur la terrasse. David et les filles étaient assis à une table, sous un parasol, et écoutaient Vicky leur raconter comment elle s'était retrouvée sur un bateau de recherche dans les Caraïbes.

— Nous n'étions pas nombreux en archéologie à mon université, mais le professeur d'Ottawa ne pouvait pas tous nous emmener sur le terrain. Alors, il nous a demandé de lui écrire une lettre lui expliquant pourquoi nous voulions l'accompagner.

— Que lui as-tu dit ? demanda Alexanne, curieuse.

— J'ai commencé par lui mentionner que je détenais un diplôme de plongée sous-marine, que je n'avais peur de rien et que j'étais persuadée avoir déjà vécu en Atlantide.

— Tu crois à la réincarnation ?

— Je sais que ça peut paraître ridicule, surtout de la part d'une fille qui étudie en sciences, mais ces dernières années, je me suis persuadée moi-même que ce n'est pas la première fois que je viens sur Terre. J'ai fait des rêves pleins de détails que j'ai ensuite vérifiés. J'ai même retrouvé certains de mes actes de naissance dans d'autres pays grâce à une amie avocate et je me suis aussi rendue dans les villes où j'ai déjà vécu. Vous pensez que je suis folle, n'est-ce pas ?

— Pas du tout, la rassura la fée. Moi aussi, j'ai fait des recherches sur mes incarnations précédentes.

David se tourna vers Étienne pour que les filles ne passent pas toute la journée à en parler.

— Et toi, Étienne ? Comment es-tu arrivé ici ?

— Ça n'a rien à voir avec la réincarnation, mais je n'exclus pas que ce soit possible. Rappelons-nous que nous avons longtemps cru que la Terre était plate. Je pense que ce sont surtout mes notes qui ont impressionné le professeur Rochon. Dans ma lettre, je lui ai dit que j'avais l'intention de marcher dans ses pas et de prouver que tous les grands mythes avaient des fondements dans la réalité. J'ai ajouté que ce serait un très grand honneur d'être à ses côtés lorsqu'il découvrirait enfin l'Atlantide.

— Je n'ai jamais pensé que des gens aussi jeunes que vous pouvaient faire carrière en archéologie, avoua Alexanne. J'ai toujours eu l'impression qu'il fallait être un vieux monsieur aux cheveux gris pour aller faire des fouilles dans les anciens pays.

— Beaucoup de gens commettent la même méprise.

— Je serai archéologue moi aussi quand je serai grande ! s'exclama Sara-Anne. Mais moi, j'irai en faire sur d'autres planètes.

— Alors, selon toi, on pourrait y trouver des vestiges de notre passé ? la taquina Vicky.

— C'est sûr !

Encore une fois, David dirigea la conversation sur des sujets plus banals. Il se mit à raconter comment il avait quitté la France pour venir s'installer au Québec.

Une heure avant d'atteindre les coordonnées du site,

Étienne sortit les sandwichs des glacières et distribua également des croustilles et des bouteilles d'eau. Christian et Roger se joignirent aux jeunes, tandis que Hamilton préféra se sustenter à son poste, les yeux rivés sur le radar qui l'informait de la profondeur des eaux où il naviguait.

— Est-ce que je pourrai plonger avec vous ? demanda Sara-Anne, après avoir avalé sa première bouchée.

— Nous n'avons pas d'équipement pour les enfants, s'excusa le professeur.

— Mais je suis assez vieille pour utiliser celui des adultes.

— Tu ne serais même pas capable de soulever la bombonne d'oxygène, la taquina Étienne.

— Mais nous avons plusieurs masques de différentes tailles, s'empressa de l'informer Vicky pour l'égayer. Si la mer n'est pas trop agitée, aujourd'hui, je te montrerai à faire de l'apnée.

— Tu viendras avec nous, David ? s'enquit l'enfant.

— L'offre est intéressante, mais pour me persuader d'entrer dans la mer, il faudrait que mes pieds touchent le fond pendant que ma tête est hors de l'eau. Je suis plutôt attiré par les piscines, si vous voyez ce que je veux dire. Toutefois, je veux bien vous observer à partir du bateau.

— Et toi, Christian ?

— Je prendrai une décision quand nous y serons, répondit-il.

— Est-ce dangereux ? voulut savoir Alexanne avant que sa sœur la supplie à son tour.

— Habituellement, seuls les poissons des coraux nagent autour de nous, ainsi que de petites raies, expliqua Étienne. Mais il arrive que nous rencontrions des requins-marteaux.

— Marteaux ? s'étonna Sara-Anne.

— On les appelle ainsi en raison de la forme de leur tête.

— Sont-ils dangereux ?

— Il leur arrive d'attaquer les plongeurs, déplora Vicky, mais nous sommes armés de harpons, au cas où.

— Je ne suis plus certaine de vouloir y aller, en fin de compte.

— Il suffit de ne pas paniquer quand ils approchent.

— Je suis déjà paniquée.

Lorsque le capitaine coupa finalement les moteurs et qu'il jeta l'ancre, les deux étudiants descendirent sur le premier pont pour enfiler leur tenue de plongée et attacher les bombonnes sur leur dos. Une fois dans l'eau, armés de leur harpon, ils attendirent que Roger fasse descendre un gros panier à l'aide d'une poulie, puis s'enfoncèrent dans les profondeurs.

— Vous ne plongez pas avec eux ? demanda Christian au professeur.

— Une fois sur quatre, un privilège que m'accordent mon âge et mon grade, répondit-il moqueusement.

Penchée au-dessus des vagues, Sara-Anne suivait la progression des petites bulles à la surface de l'eau. Elle était si claire que la petite pouvait apercevoir les plongeurs qui avaient presque atteint le fond.

— Je suis certaine qu'ils vont trouver quelque chose, affirma-t-elle.

Quelques minutes plus tard, des coups furent donnés sur la corde et Roger remonta le panier. Sara-Anne ne cacha pas sa déception d'y découvrir ce qui ressemblait à des roches plates recouvertes de petits coquillages.

— Pour le commun des mortels, on dirait de vulgaires pierres, fit le professeur, mais une fois nettoyées, elles se transforment en fragments de poterie ou de vaisselle ancienne.

— Mais comment Vicky et Étienne savent-ils faire la différence ? s'étonna l'enfant.

— Ils sont entraînés à reconnaître les artéfacts marins, mais il arrive qu'ils se trompent. Nous ne nous en apercevons qu'après le nettoyage.

Les étudiants passèrent un peu moins de deux heures sous l'eau, puis remontèrent à bord.

— Avez-vous vu des requins ? les questionna Sara-Anne sans leur laisser le temps d'enlever leur équipement.

— Pas cette fois-ci, affirma Étienne en enlevant son masque.

— Des sirènes ?

— Non plus.

— Pourquoi ne ramenez-vous pas des assiettes complètes au lieu de petits morceaux ?

— Parce que nous n'en avons pas encore trouvé, expliqua Vicky en se débarrassant de sa bombonne. Si la légende dit vrai, l'Atlantide s'est abîmée dans l'océan à la suite de l'explosion d'un volcan. Il est donc juste normal que la plupart des objets que possédaient les Atlantes aient été fracassés.

Observant la déception sur le visage de l'enfant, le capitaine eut une idée.

— Pourquoi ne lui montrez-vous pas les photos que vous avez prises de la route de Bimini ? suggéra-t-il.

— Qu'est-ce que c'est ?

— Presque un kilomètre de blocs alignés au fond de l'océan qui pourraient tout aussi bien être le dessus d'un mur qu'une route, en fait.

— Vous ne pouvez pas nous y emmener ?

— C'est en eau peu profonde. Je ne pourrais pas m'en approcher suffisamment avec le *Redemption*.

— Mais nos photos sont exceptionnelles ! fit Vicky pour tenter l'enfant.

Une fois son équipement rangé, Étienne alla les chercher et les déposa sur la table ronde de la terrasse. Sara-Anne les observa une à une avec la plus grande attention.

— Il est étrange que vous ne tombiez que sur des routes et pas sur des maisons, soupira-t-elle.

— Si nous pouvions creuser, je suis certain que nous finirions par en trouver, affirma Étienne.

La petite Amérindienne marcha jusqu'à la rambarde et regarda au loin.

— Maisons, où êtes-vous ? lança-t-elle.

Le bateau fut alors violemment secoué et Sara-Anne s'agrippa à la balustrade en poussant un cri de surprise. David s'était déjà précipité pour s'emparer d'elle et la ramener au milieu de la terrasse.

— Qu'est-ce que c'était ? s'inquiéta Alexanne, qui avait recueilli les photos avant qu'elles ne s'envolent.

— Ça peut être bien des choses, répondit Étienne en descendant au laboratoire.

Roger était déjà devant les appareils de détection.

— Un séisme, dit-il à son assistant, et nous ne sommes pas loin de l'épicentre, on dirait.

Le jeune homme fonça vers le poste de pilotage pour en informer le capitaine.

— Nous allons rentrer en espérant qu'il ne se formera pas de tsunami, décida Hamilton.

Sur le toit, accrochée à David comme un petit chat effrayé, Sara-Anne releva lentement la tête pour regarder par-dessus son épaule.

— Il y a quelque chose là-bas ! fit-elle.

Le navire étant redevenu stable, Christian, Alexanne et Vicky s'approchèrent de la rambarde.

— C'est triangulaire, on dirait, fit l'ancien policier.

L'étudiante alla chercher ses jumelles.

— Ça ne se peut pas… souffla-t-elle en observant le phénomène.

— Qu'est-ce que c'est ? demanda Christian.

Elle lui remit les lunettes d'approche et s'empressa d'aller chercher Étienne et le professeur.

— Je pense qu'on a trouvé tes maisons, Sara-Anne, fit Christian.

Il la laissa regarder par elle-même.

— On dirait un pignon, commenta-t-elle.

Roger et ses élèves arrivèrent sur la terrasse au pas de course. Grâce à sa caméra munie d'un zoom super performant, Étienne se mit à prendre des photos.

— Edgar Cayce avait prédit qu'un jour l'Atlantide ressurgirait des flots, murmura le professeur, ému.

— Maintenant, tout le monde va y croire, laissa tomber David.

— Capitaine, pouvons-nous nous en approcher ? cria Roger pour que Hamilton l'entende.

— Je vais voir ce que je peux faire ! répondit-il sur le même ton.

En se fiant uniquement au radar afin de ne pas heurter toute structure environnante qui aurait pu également être soulevée du fond marin en même temps que le fronton, Hamilton fit effectuer des cercles prudents à son bateau autour du monument englouti qui semblait continuer d'émerger.

— Laissez-nous plonger pour voir ce qui essaie de sortir de l'eau, supplia Vicky en se tournant vers le professeur.

— Ce ne serait pas très prudent… Le fond marin est instable.

— Dix minutes, pas plus, insista Étienne.

— D'accord, mais une seconde de plus et nous partons sans vous.

Les étudiants se précipitèrent dans l'escalier.

— Capitaine, les jeunes vont aller prendre quelques photos ! l'avertit Roger.

Hamilton coupa aussitôt les moteurs. Étienne et Vicky n'enfilèrent même pas leur combinaison. Ils s'emparèrent des caméras sous-marines et sautèrent à l'eau, ne portant que leur masque et leur tuba.

— Il pourrait y avoir d'autres secousses ! les avertit le navigateur.

Suivi de Christian, Roger descendit au laboratoire pour voir ce qui apparaissait sur le sismographe. Hamilton avait raison : le tremblement de terre qui avait soulevé la structure en pierre n'avait pas encore dit son dernier mot. Plusieurs répliques s'étaient déjà produites.

— Il est encore temps de les arrêter, fit l'ancien policier en parlant des étudiants.

— Je sais, mais je suis aussi curieux qu'eux de savoir ce qui se passe sous les flots.

Puisque le temps leur était compté, Vicky activa sa caméra vidéo en plongeant vers l'édifice. Étienne avait déjà commencé à le photographier en nageant tout autour. Le séisme avait chassé tous les prédateurs de la région, alors ils ne furent en aucune façon importunés tandis qu'ils documentaient leur découverte. Puis la jeune fille fit signe à son compagnon qu'ils devaient retourner au *Redemption*. Ils grimpèrent à bord en poussant des cris de joie.

— Qu'avez-vous vu ? les pressa Roger.

— Il n'y a pas de mots pour le décrire ! s'exclama Étienne, fou de joie. Venez.

L'étudiant alla brancher sa caméra dans l'un des ordinateurs, tandis que le reste de l'équipe se massait derrière lui. Même David, Alexanne et Sara-Anne étaient descendus de la terrasse pour se joindre à eux. La petite se faufila entre les adultes afin de voir quelque chose. Un murmure d'admiration accompagna les premières images d'un immense temple à peine recouvert de sédiments. La partie que l'on pouvait déjà voir à partir du bateau, c'était bel et bien son fronton. Il ne représentait que la pointe de l'iceberg. La vidéo révélait un édifice qui ressemblait beaucoup à un temple grec, sauf qu'il n'était pas blanc. Les nombreuses colonnes qui soutenaient l'entablement étaient pour la plupart intactes. Certaines s'étaient écroulées, mais elles n'avaient pas provoqué l'effondrement de tout l'édifice.

— C'est incroyable… s'étrangla Roger, les yeux chargés de larmes d'émotion.

— La porte en métal est rouillée mais elle semble solide, fit remarquer Étienne. Donnez-nous la permission d'y entrer.

— Pas tant que la terre tremblera, jeune homme. Je tiens à vous deux.

La caméra montra le côté du temple tandis qu'Étienne tentait d'en faire le tour.

— Il est immense, laissa tomber David.

— On dirait un croisement entre les styles romains et grecs, fit remarquer Vicky.

— Mais il est évident que c'est éridanais, répliqua Sara-Anne en se donnant un air de grande personne.

— Éridanais ? répéta Étienne en se tournant vers elle.

Christian, David et Alexanne échangèrent un regard, comme s'ils se demandaient lequel des trois allait bâillonner la petite le premier.

— J'ai pourtant étudié l'architecture et je n'en ai jamais entendu parler, révéla l'étudiant.

— C'est parce que vous ne trouverez pas de temple semblable sur la Terre.

— Allons voir si les dauphins ont enfin senti ta présence, fit Alexanne pour l'arracher à cette discussion qui risquait de les faire vraiment passer pour des fous.

— Les dauphins sont plus intelligents que nous, déclara le capitaine sur le seuil du laboratoire. Ils sont partis dès les premières secousses. Je suis venu vous dire que nous rentrons au port.

— Mais il faudra revenir demain, insista Vicky.

— Nous prendrons cette décision quand nous aurons une meilleure idée de l'étendue du séisme et des dommages qu'il pourrait infliger. Ne replongez pas.

Alexanne tira sa petite sœur avec elle et la poussa dans l'escalier qui menait sur le toit pour lui rappeler sa promesse de ne pas parler de son aventure sur une autre planète. Fascinés par les images du temple atlante, Christian et David étaient restés cloués devant l'écran.

— Si nous voulons être les premiers archéologues à explorer ce site, nous ne devons révéler cette trouvaille à personne, suggéra Étienne.

— Mais si les sismologues étudient l'étendue du séisme au moyen des satellites, ils finiront bien par le voir, soupira Roger.

— Alors, restons ici, cette nuit, supplia Vicky. C'est le rêve de toute votre vie qui se trouve là.

— Nous avons promis à nos invités de les ramener à temps pour leur rendez-vous, répondit-il.

Il sortit sur le pont pour jeter un dernier coup d'œil au fronton qui reluisait sous les rayons du soleil.

Chapitre 11
État de crise

Tandis que le *Redemption* voguait vers l'est, afin de regagner New Providence, Sara-Anne observait les vagues en écoutant les reproches de sa grande sœur. Son court séjour sur Éridan avait été la plus belle aventure de toute sa jeune vie et elle ne comprenait pas pourquoi elle devait la garder secrète.

— Le professeur, lui, est persuadé qu'une ancienne civilisation a déjà existé par ici, alors que tout le monde dit que c'est une fable ! se défendit-elle. Personne ne le croit, mais il ne s'en cache pas. On ne le traite pas de menteur ou de fou.

— Nous n'en savons rien et ne te compare pas à lui. Ta situation est différente. Tu as enregistré un message qui est en train de faire tout le tour de la Terre, alors il est assez important que tu conserves ta crédibilité.

— Même si, en réalité, c'était une personne d'une autre planète qui parlait à travers moi ?

— Tu es encore trop jeune pour comprendre que les personnages publics doivent faire très attention à leur réputation.

— Ils sont obligés de mentir ?

— Non, Sara-Anne. Ils doivent surveiller leurs paroles. Toute vérité n'est pas bonne à dire.

— C'est vraiment compliqué d'être une adulte…

— Tout ce qu'on te demande, c'est de parler de n'importe quoi sauf d'Éridan.

— Pourquoi ? demanda Roger en arrivant sur la terrasse.

— Parce que je dois protéger ma réputation, répondit Sara-Anne en imitant sa grande sœur.

— Il est vrai que nous avons tous un jardin secret.

Le professeur prit place à la table.

— Pourquoi doit-il demeurer secret ? demanda l'enfant.

— As-tu écouté un seul mot de ce que je viens de te dire ? se fâcha Alexanne.

— Oui, mais je n'ai pas tout compris…

— Explique-moi pourquoi tu as dit que l'architecture du temple était éridanaise, insista le professeur.

— Est-ce que je peux, Alexanne ?

— J'ai l'esprit ouvert, assura le professeur.

— Me croiriez-vous si je vous disais que j'ai rencontré des gens vivant sur une autre planète ?

— Je suis au courant que certains prétendent avoir été enlevés par des extraterrestres. Habituellement, ce ne sont pas des expériences agréables.

— Ah oui ?

— Ils racontent que des créatures venues d'ailleurs les ont soumis à des traitements médicaux plutôt douloureux.

— Alors ils n'ont certainement pas rencontré les mêmes extraterrestres que moi. Les mages étaient gentils et ils se soucient beaucoup de notre survie.

— Pourquoi as-tu dit que le temple de l'Atlantide ressemblait aux leurs ?

Alexanne comprit alors que l'intérêt de Roger était purement archéologique.

— Il est de la même couleur et il a tout plein de colonnes, lui aussi.

— Ces mages auraient-ils pu construire celui qui se trouve par ici ?

— Ceux à qui j'ai parlé font partie d'un groupe

galactique qui a déjà envoyé des explorateurs sur la Terre. Certains se sont même écrasés ici et n'ont pas pu repartir.

— Vraiment ?

— Si vous ne me croyez pas, demandez-le à David. Il est un de leurs descendants, lui aussi.

Découragée par le manque de discrétion de sa sœur, Alexanne se cacha le visage dans une main.

— Je me doutais bien que vous étiez spéciaux, murmura Roger sans s'étonner outre mesure de cette révélation.

— Bien plus que vous le pensez, affirma la petite en souriant.

Alexanne allait intervenir lorsque le capitaine appela le professeur.

— Nous poursuivrons cette conversation plus tard, fit Roger à l'intention de Sara-Anne.

Il se rendit au poste de pilotage, car il avait capté de l'angoisse dans la voix de Hamilton.

— Une autre mauvaise nouvelle ?

— Le séisme a engendré un tsunami mineur qui n'a pas fait trop de dommages, mais qui a causé suffisamment de panique sur l'île pour que l'administration du port demande aux bateaux toujours en mer d'attendre que les embarcations renversées dans la rade aient été remorquées avant de rentrer.

— Ça représente combien de temps ?

— Lorsque je leur ai posé la même question, ils ont répondu qu'ils n'en avaient pas la moindre idée. Je vais essayer de trouver un poste de ravitaillement quelque part pour que nous ne mourions pas de faim et de soif pendant les opérations de nettoyage.

— Et la population ?

— Plusieurs hôtels se sont vidés et les touristes

convergent sur l'aéroport qui a ajouté de nombreux vols pour les aider à rentrer chez eux.

— L'eau ne s'est pas rendue jusque-là ?

— Pas pour l'instant, mais vous avez consulté le sismographe, vous aussi. Il pourrait se produire des répliques importantes qui entraîneront d'autres lames de fond. Le mieux, c'est de ne pas nous approcher des côtes tant que la situation ne se sera pas stabilisée.

— Je vais l'annoncer à nos passagers. Faites pour le mieux, capitaine.

Roger rassembla tout le monde sur la terrasse.

— Je crains que nous ne puissions rentrer à Paradise Island, aujourd'hui, laissa-t-il tomber.

— Mais notre rendez-vous ? s'inquiéta David.

— Nous utiliserons la radio pour informer les gens que vous devez rencontrer que vous ne pourrez pas mettre pied à terre avant que les autorités portuaires nous en accordent la permission.

— Malheureusement, depuis le début de nos contacts avec cet homme, c'est lui qui entre en communication avec nous, soupira Christian. Il ne nous a jamais laissé ses coordonnées.

— S'il est sur Paradise Island, je pense qu'il aura déjà compris que votre réunion devra être reportée. Plusieurs hôtels ont subi des dommages.

— Qu'allons-nous faire ? demanda Sara-Anne.

— Il y a suffisamment de lits pour tout le monde à bord du *Redemption*.

— Moi, ça me plairait de dormir sur le bateau.

— Avez-vous suffisamment de nourriture ? demanda Alexanne.

— Il me reste encore des sandwichs, répondit Étienne, et, au pire, on pourra toujours pêcher.

— Le capitaine connaît des points de ravitaillement,

ajouta Roger. S'ils n'ont pas été touchés, nous pourrons y trouver tout ce qu'il nous faut.

— Pourriez-vous lui dire que j'aime manger des céréales, le matin ?

— Je lui passerai le mot, la rassura Roger, amusé.

— Que fait-on en attendant l'appel du port ? s'enquit Alexanne.

— On pourrait retourner sur le site, suggéra Vicky.

— Je peux en parler au capitaine, mais il sera difficile à convaincre en raison des bouleversements sous-marins que subit cette région, en ce moment.

— Mais c'est exactement ce que nous avons besoin de documenter avant tout le monde, renchérit Étienne.

— Je vous laisserai lui en faire la demande vous-mêmes quand il aura arrêté le bateau quelque part pour la nuit.

— Nous aurons alors perdu un temps précieux.

L'étudiant décida donc de tenter le tout pour le tout et se dirigea vers la cabine de pilotage.

— Je reconnais cette expression, fit Hamilton en apercevant le visage d'Étienne sur le seuil.

— Avant de me dire non, laissez-moi exposer mes arguments.

— J'écoute.

— Si j'ai bien interprété les données que nous avons reçues, nous étions tout près de l'épicentre lorsque le tremblement de terre s'est produit.

— C'est exact.

— Nous y serions plus en sécurité que si nous nous rapprochions de Nassau, non ?

— Dans les instances de tsunamis, tous les bateaux doivent se diriger dans des eaux plus profondes, c'est-à-dire de plus de cent quatre-vingts mètres. Votre site se trouve à environ vingt-cinq mètres de profondeur.

Ce n'est pas suffisant pour échapper aux courants que génère un tel séisme. En ce moment, je nous ramène vers le nord, puisque en tant que capitaine de ce vaisseau, c'est mon devoir d'assurer votre sécurité.

— Mais le temple se situe aussi au nord…

— Nous n'en serons pas très loin, lorsque je couperai les moteurs.

— Merci.

— Pour le repas, vous pouvez fouiller dans mon garde-manger, offrit Hamilton. J'y accumule beaucoup de conserves en prévision de situations comme celle-ci.

— Je nous préparerai un souper décent, promit Étienne.

L'étudiant retourna auprès des autres.

— Tu as réussi ? chuchota Vicky à son oreille.

— À cinquante pour cent.

— Que fait-on sur un bateau en pleine mer toute la nuit ? demanda Sara-Anne.

— On bavarde jusqu'à ce que nos paupières deviennent trop lourdes pour rester ouvertes, répondit Vicky, ou on joue aux cartes.

Debout plus loin, Christian essayait d'appeler la loge sur son téléphone cellulaire, mais il ne trouvait aucun réseau. Il n'était toutefois pas question qu'il utilise l'équipement du bateau, car sa communication risquait d'être captée par des oreilles qui n'avaient pas besoin d'entendre ce qu'il avait à dire.

— Où allons-nous ? voulut savoir Roger.

— Vers le détroit du nord, l'informa Étienne.

— À quelques kilomètres du temple, si je ne m'abuse ?

— Oui, mais le capitaine devra faire un détour en restant en eaux profondes pour éviter les effets des tsunamis.

— C'est en effet plus prudent.

Pendant que le *Redemption* se dirigeait franc nord vers les îles Abacos, le soleil commença sa descente à bâbord, illuminant les nuages en rouge et en orange. Étienne avait suivi le conseil du capitaine et fouillé dans sa réserve personnelle. Il y trouva du spaghetti en boîte qu'il fit chauffer sur les ronds de la cuisinière au gaz propane avant de le servir dans des assiettes avec une moitié de sandwich.

Les convives s'installèrent autour de deux des trois tables à parasols et se délectèrent d'abord en silence.

— Quand est-ce qu'on devra pêcher ? demanda alors Sara-Anne.

— Lorsqu'il ne restera plus rien à manger dans le bateau, répondit Étienne.

— J'ai toujours rêvé d'aller à la pêche.

— Espérons que nous n'en arriverons pas là… se désespéra Alexanne.

— Étienne est un excellent cuisinier, affirma Vicky. Je suis certaine qu'il serait capable de nous préparer un festin avec n'importe quoi.

Lorsqu'il eut terminé son assiette, Roger se tourna vers ses invités.

— Comme nous allons passer beaucoup de temps ensemble, j'aimerais que vous nous disiez qui vous êtes vraiment et pourquoi vous visitez les Bahamas, les pria-t-il.

Christian et David échangèrent un regard inquiet.

— Je sais déjà que deux d'entre vous sont d'origine extraterrestre.

Les deux hommes et les étudiants ne cachèrent pas leur surprise.

— Sara-Anne n'a pas su tenir sa langue, les informa Alexanne.

— Ce n'est pas de ma faute ! s'exclama la petite. Je ne suis pas capable de mentir !

— Justement, c'est la vérité qui m'intéresse, précisa le professeur.

— Par où commencer ? se découragea Christian.

— Est-ce que vous venez tous de l'espace ?

— Mais non, fit Sara-Anne, amusée. Ma sœur est une fée et Christian est un sorcier.

— Quoi ? s'exclama Vicky, incrédule.

— Dans ma famille, ce sont les guérisseuses qu'on appelle des fées, s'empressa d'expliquer Alexanne.

— Et dans la tienne, il y a des sorciers ? se moqua Étienne en se tournant vers l'ancien policier.

— Pas du tout, mais c'est une longue histoire...

— Nous en avons pour au moins vingt-quatre heures ensemble, l'encouragea Roger, alors nous t'écoutons.

— Vous n'allez pas me croire.

— Tout au plus, ce sera amusant.

Christian leur raconta donc qu'il était un ancien enquêteur de la police. Tout avait commencé lorsqu'il avait traqué le chef de la secte de la montagne, puis le Faucheur, son assassin personnel. Dès qu'il arriva à la partie où il avait tenté de l'appréhender dans l'ancien repaire du gourou, il vit les yeux de ses auditeurs s'écarquiller.

— On nous a attaché les poignets dans des menottes sorties de nulle part. À genoux sur le sol, ma partenaire et moi ne pouvions plus nous défendre. C'est alors que le sorcier a fait apparaître une dague qu'il m'a plantée dans le cœur.

— Mais vous êtes pourtant encore vivant, murmura Étienne, troublé.

— À moins qu'il soit un zombie, avança Vicky, le plus sérieusement du monde.

— J'ai bien peur que ce soit pire encore, continua Christian. Sans le vouloir, le sorcier m'a transmis ses sombres pouvoirs par cette lame. J'en ai hérité malgré moi.

— Comment avez-vous survécu ? s'enquit Roger.

— Grâce aux pouvoirs de guérison d'Alexanne et de son oncle. Ils ont retiré la lame, m'ont ranimé et ont refermé ma blessure.

— Vous possédez vraiment des pouvoirs surnaturels ? voulut s'assurer Étienne.

— Je vous ai dit que vous ne me croiriez pas.

Christian tendit la main vers la tasse du jeune homme et la fit voler jusqu'à sa main.

— Waouh ! s'écria Vicky en reculant.

— C'est donc vrai… souffla le professeur, fasciné.

Il se tourna vers David.

— Non, je ne peux pas en faire autant, s'empressa de déclarer le Français.

— Mais il sait faire autre chose, intervint Sara-Anne. Montre-leur, David.

— Malheureusement, je n'y arrive pas sur commande. Je suis désolé.

— Peux-tu au moins nous le décrire ? le pria Vicky.

— Parfois, je peux exprimer mes pensées à l'extérieur de ma tête. Ça ressemble à un carrousel d'images holographiques autour de moi.

— Vraiment ?

Roger fronça les sourcils, inquiet.

— Mais qu'est-ce qu'un sorcier, une fée et deux extraterrestres sont venus chercher dans les Caraïbes ? Votre présence ici serait-elle reliée à la résurgence de l'Atlantide, par hasard ?

— Je vous jure que non, répondit Christian. Au retour de son court séjour dans un autre monde avec

David, Sara-Anne a enregistré sur vidéo un message d'avertissement à l'intention des habitants de la Terre.

— C'était elle ? s'exclama Vicky.

— Eh oui.

— Mais elle semblait plus âgée et sa voix était différente…

— Une entité extraterrestre lui a donné un coup de pouce, précisa David.

— Je ne vois toujours pas le lien avec les Bahamas, s'entêta Roger.

— Un homme très influent veut rencontrer Sara-Anne afin de faire entendre ses paroles aux gens qui n'ont pas accès à Internet, expliqua Christian.

— En lui offrant une tournée mondiale ?

— Si c'est là son intention, alors nous devrons la décliner. Sara-Anne est une petite fille normale qui a servi d'intermédiaire à un peuple qui nous veut du bien. C'est tout ce qu'il attendait d'elle et il n'est pas question que Boyens la force à répéter son message pour le reste de ses jours.

— Surtout qu'il pourrait se servir de sa vidéo et la faire jouer par d'autres moyens parmi les populations moins technologiques, fit remarquer Vicky.

— C'est exactement ce que je pense.

— Vous devriez l'informer tout de suite que cette rencontre est inutile, suggéra Roger.

Christian leur raconta qu'ils avaient été forcés d'accepter son invitation par crainte qu'il ne s'empare de la petite, car il avait certainement les moyens d'organiser un tel enlèvement.

— Nous n'aurions plus été capables de la retrouver, conclut-il.

— Laissez-moi réfléchir à tout ça, soupira le professeur.

Il fit descendre ses invités dans la cabine et les laissa choisir un coin pour la nuit. Une heure plus tard, tout le monde dormait. Hamilton, quant à lui, avait déplié un petit lit de camp dans son poste de pilotage afin d'intervenir rapidement en cas de lames isolées.

Ce fut le bruit d'un moteur qui le réveilla un peu après le lever du soleil. Il jeta un œil dehors et aperçut une moto marine. Il descendit aussitôt sur le gaillard d'avant. L'ayant vu, l'étranger s'en approcha.

— Remettez ceci à Pelletier, cria-t-il en lui lançant un cylindre métallique.

Avant que le capitaine puisse lui demander de s'identifier, l'homme s'éloigna à grande vitesse. Une aussi petite embarcation ne pouvait pas se trouver aussi loin en mer. Elle appartenait sûrement à un bateau plus grand. Hamilton descendit dans la cabine, où ses passagers commençaient à se réveiller.

— Lequel d'entre vous est Pelletier ?

— Moi, répondit Christian.

— Vous venez de recevoir ceci.

Il lui tendit le cylindre. L'ancien policier en dévissa le bouchon et fit glisser dans sa main le morceau de papier qu'il contenait.

— Ce sont d'autres instructions de la part de Boyens. Notre rendez-vous a été déplacé à cet après-midi sur un yacht dont il nous donne les coordonnées.

— Je n'aime pas ça, grommela Roger. Comment a-t-il su que vous étiez à bord du *Redemption* ?

— J'aimerais pouvoir vous l'expliquer, mais depuis le début de cette histoire, il semble entendre tout ce que nous disons et voir tout ce que nous faisons.

— Aurait-il caché un microphone sur l'un de vous ? se troubla Vicky.

— Nous ne portons jamais la même chose, sauf depuis hier, répliqua David.

— N'allez pas à ce rendez-vous, les avertit le professeur.

— Ce n'est plus une question de choix, avoua Christian. La dernière chose que nous voulons, c'est que cet homme s'attaque à ce bateau pour s'emparer de la petite.

— Dans ce cas, nous vous conduirons jusqu'à lui comme il le désire. Puisque ses coordonnées ne sont pas trop éloignées du site de plongée, nous serons dans les parages pour vous secourir si les choses devaient s'envenimer.

— Il pourrait aussi nous emmener très loin d'ici.

— Notre système de géolocalisation nous l'indiquera, proposa Hamilton. Ce sont de petites attaches dont nous nous servons pour suivre les migrations des poissons ou des mammifères marins en les fixant à leurs nageoires. Avant de me mettre au service des archéologues, je travaillais avec des océanographes. Je possède encore l'équipement que nous utilisions ainsi que quelques marqueurs.

— Mais nous n'avons pas de nageoires, lui dit Sara-Anne.

— Nous devons les placer sur vous de façon à ce que votre hôte ne les voie pas.

— Sur leurs caleçons! s'exclama Vicky. En général, c'est tout ce qu'on laisse aux prisonniers.

— Très encourageant… murmura David qui commençait à redouter le pire.

— Faites-le, ordonna le professeur.

Étienne se précipita pour aller chercher le coffre où Hamilton conservait cet équipement.

Chapitre 12

Inquiétudes

À Saint-Juillet, ce fut Valeri Sonolovitch qui eut vent le premier du tsunami qui avait balayé les Bahamas. Puisque son vieil âge ne lui permettait pas de suivre la famille dans toutes ses activités, il passait beaucoup de temps à lire dans la bibliothèque ou dans le salon à écouter la télévision entre ses siestes. Il venait de syntoniser la chaîne météo lorsqu'il vit des images des dommages causés par la lame de fond qui avait frappé plusieurs des îles.

— Tatiana ! appela-t-il, effrayé.

La guérisseuse travaillait dehors avec Alexei, Danielle et la petite Anya. Ils étaient en train de couvrir les tiges des fleurs coupées les plus fragiles en prévision de l'hiver. Croyant que son vieil ami était en proie à un malaise, Tatiana s'élança vers la maison. Elle le trouva au salon, le visage crispé. Incapable de prononcer un seul mot, il lui pointa l'écran géant. Elle prit place près de lui et observa elle aussi les images.

— C'est là qu'ils sont, arriva enfin à articuler Valeri.

Tatiana s'empara du téléphone et composa le numéro de Christian. Un message enregistré lui fit savoir que l'abonné qu'elle tentait de joindre n'était pas disponible. Elle appela donc Alexanne, puis David, sans plus de succès.

— Les tours de communication ont dû être endommagées, dit-elle à Valeri. Je n'arrive pas à les joindre. Je vais demander à madame Bastien d'essayer, puisque son équipement est cent fois plus puissant que ce simple téléphone.

— Dépêche-toi...

Tatiana appela Lyette sans perdre de temps.

— J'imagine que vous êtes en train d'écouter les reportages sur le tremblement de terre qui vient de se produire au beau milieu des Bahamas, fit la Huronne.

— Oui et ils ne nous apprennent pas grand-chose. Avez-vous des nouvelles de nos aventuriers ?

— Sachi a réussi à parler à quelqu'un à leur hôtel. Christian, David, Alexanne et Sara-Anne ont quitté leur suite ce matin sans doute pour aller en excursion et ils ne font pas partie des clients qui ont décidé de quitter les lieux.

— Alors, où sont-ils ?

— Quelque part où il est impossible de retracer le signal de leurs téléphones, probablement en mer. Ils ont dû décider d'aller faire une petite croisière sur une embarcation qui ne possède pas de connexion sans fil à Internet.

— J'imagine que ça devrait me rassurer.

— N'imaginons pas le pire, madame Kalinovsky. Christian est un homme ingénieux. Peu importe ce qui arrivera, il réussira à s'en tirer. Je vous appellerai dès que j'en saurai plus.

— J'en ferai autant. Merci.

Tatiana raccrocha en soupirant.

— Que se passe-t-il ? demanda Alexei en entrant au salon.

— Un tsunami a frappé les côtes de plusieurs des îles où se trouvent Alexanne et Sara-Anne et je n'arrive pas à les contacter.

— Alors, laisse-moi essayer.

L'homme-loup s'assit en tailleur sur la moquette et ferma les yeux. Il commença par chercher sa nièce avec ses sens de fée, mais elle était trop loin pour qu'il puisse la retrouver par écholocalisation. Il utilisa donc son don de télépathie.

— *Alexanne, où es-tu ?*

La réponse ne tarda pas.

— *Sur un bateau. Tu ne sais pas à quel point je suis contente de te parler !*

— *Vous êtes partis de l'hôtel à cause du tsunami ?*

— *Non. Nous étions déjà sur l'eau quand il s'est produit, mais nous ne pouvons pas rentrer au port avant que les autorités nous le permettent. Alors, en attendant, nous profitons du soleil.*

— *Vos téléphones ne fonctionnent plus ?*

— *Nous sommes trop loin des côtes.*

— *Avez-vous rencontré Boyens ?*

— *Pas encore. Étant donné qu'il est impossible de retourner à terre, il a fixé le rendez-vous sur son yacht, cet après-midi. Nous allons bientôt être libres de rentrer, car Christian va lui expliquer très franchement que la petite n'est plus habitée par l'entité qui a livré le message. Ça devrait le persuader de ne plus l'importuner.*

— *Ce serait plus prudent que vous rentriez à la maison tout de suite après.*

— *Même si on voulait, on ne pourrait pas. Les aéroports sont bondés de touristes qui essaient de fuir, malgré que la lame de fond n'était pas très importante. Je pense qu'ils sont hantés par ce qui s'est produit en Indonésie et au Japon.*

— *Je ne suis pas au courant de ces choses.*

— *C'est mieux ainsi, Alex. Tu t'inquièterais pour rien, parce que ce qui se passe ici n'a rien à voir avec ce qui est arrivé dans ces pays-là. Je t'en prie, rassure tout le monde. Dès que l'entrevue avec Boyens sera terminée, je communiquerai avec toi pour vous faire connaître nos plans.*

— *Ne l'oublie pas.*

— *Promis.*

Alexei ouvrit les yeux. Son visage crispé ne rassura pas Tatiana et Valeri.

— Ils sont sur un bateau et ils n'ont rien. Leur rencontre avec Boyens aura lieu sur un yacht aujourd'hui.

Sans leur donner plus de détails, l'homme-loup se leva et quitta le salon.

— Il a hérité de la concision légendaire des ressortissants de notre pays, laissa tomber le vieux Russe.

— Mais il y a quelques années, il ne parlait même pas, lui rappela la guérisseuse.

Alexei sortit dans la cour où sa femme berçait leur fille dans la balançoire en lui montrant les oiseaux qui sautaient d'une branche à l'autre et les feuilles qui continuaient de tomber des arbres.

— Je vais aller à la loge, annonça-t-il.

— Des ennuis ?

— J'espère que non, mais je veux m'en assurer. Je ne rentrerai pas tard.

Il embrassa Danielle sur les lèvres et sa petite sur le front.

— Profitez du beau temps, ajouta-t-il. Il va bientôt pleuvoir.

Sans faire de bruit, il disparut entre les troncs d'arbres. Danielle se rappela alors que c'était justement son petit côté sauvage qui lui avait plu, la première fois qu'elle l'avait rencontré. Depuis, elle avait appris à lui faire aveuglément confiance. Alexei ne lui disait pas tout, mais il ne lui mentait jamais.

Parfaitement à l'aise dans les bois, l'homme-loup se rendit jusqu'au manoir de Lyette en se grisant de l'air pur de Saint-Juillet et des vibrations de la mère Terre. Sa sœur lui avait appris à frapper avant d'entrer chez les gens, mais à la loge, il se sentait chez lui. Il poussa la porte, sachant que la caméra juste au-dessus avait déjà capté son arrivée, puis se dirigea tout droit vers l'ascenseur dissimulé derrière l'une des boiseries du salon.

Lorsqu'il en émergea, l'équipe venait déjà à sa rencontre.

— Ils vont bien, annonça Alexei pour les rassurer.

— Allons nous asseoir, l'invita Lyette.

Il suivit Sachiko, Sylvain, Chayton, Ophélia, Gowan et la Huronne jusqu'à la grande table où ils avaient l'habitude de se réunir pour discuter.

— Ils étaient sur la mer au moment du tsunami, laissa tomber Alexei.

— Et Boyens ? demanda Sylvain.

— Ils doivent le voir plus tard, aujourd'hui.

— Comment as-tu réussi à apprendre tout ça ? s'étonna Gowan. Ça fait des heures qu'on essaie de les contacter par tous les moyens !

— Je possède un lien télépathique très fort avec Alexanne. Nous arrivons souvent à nous parler, même si elle se trouve très loin apparemment.

— Est-ce que ça s'apprend ?

— Je suis sûr que oui, répondit Sylvain, mais pour y arriver, il nous faudrait développer davantage notre cerveau.

Alexei remarqua alors qu'Ophélia avait les yeux tout rouges, comme si elle avait beaucoup pleuré. Leurs regards se rencontrèrent.

— Il va leur arriver malheur, n'est-ce pas ? se troubla-t-il.

— J'ai eu d'horribles visions... avoua la médium.

Gowan allait mentionner qu'elle ne voyait que des catastrophes dans ses méditations, mais d'un geste de la main, Lyette lui recommanda le silence.

— Chayton aussi ? s'enquit Alexei.

— Il a vu plus loin qu'elle, l'informa Sachiko.

— Jusqu'où, exactement ?

— Une grande guerre se prépare entre le Bien et le

Mal, répondit lui-même Chayton, et je ne vois pas encore ce que nous pourrons faire pour l'empêcher.

— Y survivrons-nous ?

— Les deux tiers des habitants de la planète périront.

— N'est-ce pas ce que vous mentionniez avant le 21 décembre 2012 ?

— Cette date a été mal calculée, mais la destruction qu'elle annonçait aura bel et bien lieu, intervint Lyette, sauf que ce ne sera pas la fin de la vie sur Terre. Elle annonçait surtout un grand ménage qui permettra aux survivants de bâtir un monde nouveau.

— Mais Alexanne, Sara-Anne, Christian et David, là-dedans ?

— Ils feront face à un grand péril, sanglota Ophélia.

— Comment pourrais-je me rendre jusqu'à eux ? s'alarma Alexei.

— Je pourrais sans doute nous emmener aux Bahamas dans mon hélicoptère, mais nous n'y serions pas avant des jours, fit Gowan.

— Et je serais étonnée qu'on puisse trouver un vol qui s'y rende en ce moment, ajouta Lyette.

— Il faudrait que tu rajoutes la téléportation à tes pouvoirs, le taquina Sachiko.

— Qu'est-ce que c'est ? demanda Alexei.

— Le don de se transporter instantanément d'un endroit à un autre.

— Ce serait bien utile, en effet. Je vais voir si je peux arriver à faire ça.

Les membres de l'équipe lui jetèrent un regard incrédule, mais jugèrent préférable de ne pas le décourager.

— Alex a tout de même raison, indiqua Gowan. Nous avons besoin d'un plan B.

— Il y a trop de variables inconnues, soupira Lyette.

Nous ignorons ce que Boyens a l'intention de faire.

— Christian va lui dire que Sara-Anne n'est plus habitée par l'entité qui a livré le message de la vidéo, les informa Alexei.

— Dans ce cas, il pourrait avoir deux réactions différentes, intervint Chayton. Soit il les laissera partir parce que l'enfant ne représente plus aucun intérêt pour lui, soit…

— Pensez-vous vraiment qu'un homme aussi important risquera de mettre sa réputation en jeu en assassinant une enfant, une adolescente et deux hommes qui ne lui ont rien fait ? avança Sachiko.

— Peu importe ce qu'il décidera, nous arriverions trop tard, soupira Lyette.

— Le mieux, si nous n'avons plus de nouvelles à partir de ce soir, ce sera d'avertir les autorités locales, suggéra Gowan.

— Moi je continue de penser que nous devrions aller là-bas, s'impatienta Alexei. Je vous appellerai dès qu'Alexanne m'aura donné d'autres nouvelles.

Trop nerveux pour rester assis plus longtemps, il se leva et quitta ses amis. Tatiana lui répétait sans cesse qu'il n'y avait aucune limite à ses pouvoirs. « C'est maintenant qu'on le saura », songea-t-il. Il devait maintenant accomplir deux choses : entrer en communication avec Christian aussi facilement qu'il y arrivait avec sa nièce et réussir à se téléporter.

Il traversa la forêt en courant, amusé à l'idée que sa hâte inquiéterait les elfes qui passaient leur temps à le surveiller, et fonça dans la maison de sa sœur. Elle était en train de laver des feuilles de laitue dans l'évier.

— Tatiana, les fées peuvent-elles se téléporter ? laissa-t-il tomber.

La guérisseuse se retourna sans cacher son étonnement.

— Est-ce que tu sais ce que ça veut dire ? poursuivit Alexei, trépignant sur place.

— Bien sûr que je le sais, Alex, mais je n'ai jamais entendu dire qu'un membre de notre famille y avait même pensé.

— Mais est-ce possible ?

— Au premier abord, je ne rejette aucune possibilité. Il existe dans ce monde bien des choses que nous ne comprenons pas.

— Donc, je pourrais y arriver ?

— Peut-être que oui, mais je serais bien embêtée de te montrer comment le faire.

— Je dois développer ce pouvoir tout de suite.

— Pour en faire quoi ?

— Me porter au secours d'Alexanne dans les Bahamas.

— En admettant que ce soit possible de se déplacer d'un endroit à un autre sans utiliser les moyens de transport conventionnels, tu ne dois pas oublier que les Caraïbes se situent à plus de deux mille kilomètres d'ici. Avant que tu y parviennes, il te faudrait sans doute des mois de pratique.

— Je n'ai que quelques heures pour y arriver.

— Ce n'est pas moi qui t'empêcherai de faire de telles expériences, mais pense aussi à Danielle et Anya. Que leur arrivera-t-il si tu te perds quelque part dans le monde ou, pire encore, dans le vide ?

— Tu prétends que je suis le plus puissant de tous les sorciers que tu as connus.

— Oui, c'est vrai, mais tout le monde a des limites, petit frère. Même toi.

— Alexanne dit que ceux qui s'imposent des limites ne vont nulle part.

— Je suis pas mal certaine qu'elle ne parlait pas de téléportation.

Alexei tourna les talons et retourna dans la cour. Pendant un moment, il marcha entre les troncs qui avaient été fauchés durant l'été par une force inconnue qui avait gravé un *Julia Set* dans la forêt. « Christian a hérité des pouvoirs de Desjardins », raisonna-t-il. « Donc, il devrait posséder celui de communiquer par télépathie. » Le Faucheur avait réussi à de multiples reprises à s'infiltrer dans la tête de ses victimes.

— *Christian, est-ce que tu m'entends ?*

Il attendit patiemment sa réponse, mais elle ne vint pas. Il répéta donc la question à plusieurs reprises. S'il avait été capable de parler avec Alexanne et que celle-ci se trouvait avec l'ancien policier, il n'y avait aucune raison que celui-ci ne capte pas ses messages. « Peut-être qu'il m'entend mais qu'il ne sait pas comment me répondre... » se désespéra Alexei.

Au lieu de continuer à perdre son temps, l'homme-loup essaya d'imaginer la façon dont il pourrait se déplacer d'un lieu à un autre sans utiliser ses jambes. « Je le fais déjà par la pensée, donc je devrais y arriver avec mon corps », conclut-il. Il n'était pas question non plus qu'il se projette aux Bahamas sans avoir fait quelques essais plus courts. Pour ne pas être importuné pendant qu'il réfléchissait à cette nouvelle faculté qu'il désirait maîtriser, il s'enfonça dans les bois jusqu'à la rivière où il avait passé beaucoup de temps jadis. Il s'installa sur une grosse pierre et choisit un endroit de l'autre côté du cours d'eau.

Il se concentra profondément et combina ses pouvoirs d'écholocalisation et de télépathie afin de se projeter là où il voulait se rendre. Tout son corps se mit à trembler de cet effort colossal, puis le sol bougea sous ses pieds.

— Je le veux ! hurla-t-il.

Alexei fut pris d'un violent vertige et tomba sur les genoux. Son estomac se compressa et il vomit tout ce qu'il avait mangé depuis le matin. Lorsqu'il s'étira pour plonger les mains dans l'eau, il constata que la rivière se trouvait derrière lui.

— Ai-je réussi ? murmura-t-il, étonné.

Il s'orienta et vit qu'il n'était plus sur la même berge. Il s'aspergea le visage et entreprit de revenir à son point de départ. Encore une fois, il fut déséquilibré par la puissante décharge d'énergie. Il tomba à plat ventre et crut qu'il allait perdre conscience.

— Il faut que je maîtrise la téléportation, grommela-t-il, mécontent.

— *Pourquoi ?* demanda une voix inconnue.

Alexei se redressa d'un seul coup. Il ne reconnut pas le jeune homme aux cheveux noirs à l'épaule et aux yeux bleus perçants qui l'observait. Il portait un habit gris ardoise qui ressemblait à un kimono japonais.

— Tu n'es pas un elfe.

— *Non.*

— Mais tu n'es pas de ce monde, non plus.

— *C'est exact.*

— Pourquoi es-tu ici ?

— *Je suis toujours attiré par les grands déploiements d'énergie magique et j'aime bien votre groupe de protecteurs de la Terre.*

— Tu nous connais ?

— *Je m'appelle Artorius et j'ai surtout eu des communications avec celui qui s'appelle Matthieu.*

— Le gardien spirituel… À moins de pouvoir me montrer à me déplacer plus efficacement, je ne vois pas pourquoi j'en aurais aussi avec toi.

— *Tu es méfiant, homme-loup, et je comprends pourquoi. Je suis au courant de tout ce qui se passe sur cette planète. Je connais ton passé, tes souffrances et tes appréhensions.*

— Alors, tu sais que ma nièce a besoin de moi.

— *Peut-être a-t-elle besoin d'apprendre à se tirer seule d'affaire.*

— Pas si ça doit causer sa mort. Je ne m'en remettrais jamais.

— *Pourtant, des milliers de gens meurent tous les jours.*

— Je ne connais pas les autres.

— *Tu es une créature fascinante, Alexei.*

— Je suis qui je suis et ça me suffit. Vois-tu l'avenir ?

— *Parfois.*

— Ce que je tente de faire est-il réalisable sur de grandes distances ?

— *Certains hommes, qui vivent dans de lointaines montagnes, y sont arrivés, mais ils n'utilisent ce pouvoir qu'en cas d'extrême urgence.*

— Où puis-je les trouver ?

— *Les routes qui mènent à leurs temples retirés ne sont praticables que quelques semaines par année et elles se trouvent sur un autre continent.*

— Je dois contrôler la téléportation maintenant.

— *Tu ignores donc que la perfection ne s'acquiert qu'avec la pratique.*

— Je n'ai pas ce loisir. Alexanne pourrait avoir besoin de moi ce soir.

— *Ton cœur a déjà été tourmenté par l'obscurité, mais je vois que tu en as été délivré. Tu es même prêt à te lancer à la rescousse de tes amis aux dépens de ta propre vie. Ce sacrifice volontaire me touche.*

— Maintenant que tu as vu ce que tu voulais voir, laisse-moi faire mes expériences en paix.

— *Et si je te donnais un petit coup de pouce ?*

Il tendit la main à Alexei, qui commença par reculer de quelques pas. Il ne savait d'Artorius que ce que Matthieu avait bien voulu lui en dire. Il ignorait s'il jouait franc jeu avec les humains.

— *Si ton désir le plus pressant est de sauver ta nièce, alors viens avec moi.*

— Où ça ?

— *Dans un univers habité par des créatures qui font exactement ce que tu as envie de faire.*

— Pourquoi ne pas m'emmener directement jusqu'à elle ?

— *Je ne peux pas intervenir dans le karma de ta nièce, mais je peux par contre te fournir le moyen de le faire toi-même si c'est le tien.*

— En reviendrai-je rapidement ?

— *Je t'en donne ma parole.*

Alexei serra la main d'Artorius dans la sienne et disparut avec lui.

Chapitre 13

L'île flottante

Tandis que le *Redemption* se dirigeait vers les coordonnées indiquées par Boyens dans son message, ses passagers ne disaient plus un mot. Ils savaient que leur avenir allait se décider avant le coucher du soleil et ils étaient profondément inquiets. Alexanne s'était isolée sur la proue du bateau et observait l'océan en espérant que ce n'était pas la dernière fois qu'elle le voyait. Bouleversée, Vicky arriva derrière elle.

— Je ne veux surtout pas te déranger, mais si je ne te parle pas maintenant, il se peut qu'on ne se revoie jamais… fit la jeune fille, émue.

— Ma tante me répète constamment que si on veut obtenir des résultats positifs, il faut demeurer positif.

— Alors, tu penses que vous vous en tirerez ?

— Il faut que j'y croie de tout mon cœur. J'ai l'intention de rentrer chez moi en un seul morceau en compagnie de mes amis et de ma petite sœur.

— Justement, c'est de ça que je voulais te parler. Puisque nous ne pourrons probablement plus communiquer dès que vous aurez mis le pied sur le yacht de l'homme riche, j'ai imaginé une autre façon de nous avertir si vous êtes en difficulté.

— Je t'écoute.

— Si jamais cet homme avait de mauvaises intentions à votre égard et qu'il décidait de vous abandonner sur une île déserte ou de vous jeter carrément à l'eau, avant que ça se produise, abandonne ton attache de géolocalisation quelque part sur le bateau, pour que nous puissions voir qu'elle n'est plus avec les trois autres. Nous saurons que quelque chose s'est passé et nous avertirons tout de suite la police.

— C'est un bon plan.

Sur la terrasse, Christian était en proie à un horrible mal de tête. En apercevant la souffrance sur son visage, Étienne s'était empressé d'aller lui chercher des cachets dans la trousse de premiers soins. Il les avait tendus à l'ancien policier avec un verre d'eau.

— Merci… Ça doit faire au moins dix ans que je n'ai pas été frappé par une telle migraine.

— C'est probablement du stress, diagnostiqua David.

— Ce ne peut pas être le soleil, en tout cas, commenta Étienne, puisque tu es resté sous les parasols presque tout le temps.

Au bout de quelques minutes, Christian décida d'aller s'allonger dans la cabine en attendant que s'arrête le marteau qui frappait à grands coups dans son crâne. Sara-Anne vint s'asseoir près de lui.

— Je t'en supplie, remets-toi sur pied avant que nous arrivions sur le bateau…

— C'est ce que j'essaie de faire, je t'assure.

— Est-ce qu'il y a une entité dans ta tête à toi aussi ?

— J'espère bien que non et, de toute façon, je ne suis pas allé sur Éridan comme toi.

— Mais tu as passé plusieurs jours avec David et moi. Nous t'avons peut-être contaminé…

— Ou bien c'est la façon qu'a trouvée mon corps de me dire que nous nous rapprochons d'un autre sorcier.

— Tant mieux si c'est vrai, parce qu'il va flamber quand ma sœur s'avancera vers lui.

— Je préférerais que nous n'adoptions pas une attitude menaçante lorsque nous monterons sur son bateau, d'accord ?

— Je te promets d'être la plus gentille petite fille du monde.

Christian ferma les yeux. Des images se formèrent aussitôt dans son esprit : la forêt derrière la maison des Kalinovsky, les yeux pâles d'Alexei, les battements d'un cœur affolé. « Mais qu'est-ce que ça veut dire ? » se demanda-t-il.

— Le bateau, si c'en est un, est en vue, annonça Roger.

La curiosité de Christian l'emporta sur sa douleur. Il fit un effort pour se redresser et grimpa sur le pont. Vicky et David observaient le yacht à l'aide des lunettes d'approche.

— On dirait une île avec tout plein de huttes dessus, remarqua l'étudiante.

— Je n'ai jamais rien vu d'aussi étrange, avoua David.

Ils remirent les jumelles à Christian et à Sara-Anne. Près d'eux, Étienne prenait déjà des photos avec son super zoom.

— Ce n'est pas croyable... murmura l'ancien policier.

Le navire était énorme. Il comptait quatre étages sur le dessus desquels se trouvait ce qui ressemblait à un volcan. De son sommet partait une cascade non pas de lave, mais d'eau claire, qui se transformait en ruisseau pour finalement se jeter dans une grande piscine à la paroi transparente, située sur la proue. Plus surprenant encore, de chaque côté du cours d'eau artificiel s'élevaient des huttes coniques coiffées de paille.

— Je vois son nom, fit Christian. C'est le *Inanna II*.

Vicky s'élança dans le laboratoire pour voir si elle trouverait quelque chose dans leur base de données maritimes déjà téléchargée dans l'ordinateur.

— Il est quatre fois plus gros que le *Redemption* ! s'exclama Sara-Anne.

— Cet homme aime vraiment le luxe, commenta Roger sans cacher son inquiétude. Il doit s'acheter tout ce dont il a envie.

— Si ce qu'il nous a dit est vrai, il peut certainement faire entendre le message de Sara-Anne sur toute la planète sans qu'elle soit obligée de se rendre partout, continua de prétendre David.

— C'est peut-être une bonne personne, avança l'enfant.

— Nous allons bientôt le savoir.

— Que ressens-tu ? demanda Christian à Alexanne.

— Toujours rien... mais le yacht est encore loin.

— Et toi, David ?

— Moi ? s'étonna le Français. Mais je ne possède aucun pouvoir de détection.

— Est-ce que je peux essayer ? les supplia Sara-Anne.

— Bien sûr, ma chouette, l'encouragea Christian.

La petite se concentra en plissant le nez.

— On dirait qu'il n'y a personne là-dessus, s'étonna-t-elle.

— Tant mieux ! s'exclama David, soulagé.

Vicky remonta sur la terrasse quelques minutes plus tard.

— Le *Inanna II* est enregistré aux Bermudes, leur apprit-elle. Il appartient cependant à une entreprise qui s'appelle Ishtar Ascendant, dont le siège social est à Genève. Le nom de Boyens n'apparaît nulle part dans les documents du navire. Apparemment, c'est un navire de croisière privé pour une clientèle sélecte.

— On ne voit pourtant personne sur le pont ou ailleurs, fit remarquer Roger.

— Ou cette réalisation coûteuse n'est qu'une couverture pour blanchir de l'argent, avança Christian.

Plus ils se rapprochaient, plus le *Inanna II* leur semblait énorme. Le *Redemption*, tout petit à côté, en fit prudemment le tour. Sa coque blanche n'affichait aucun signe d'usure ou d'érosion. Elle abritait sans doute une impressionnante chambre des machines et de luxueux appartements.

L'équipe subit un autre choc en arrivant à la hauteur de la poupe. Celle-ci ressemblait aux mâchoires ouvertes d'une baleine géante en train de se gorger de plancton. À l'intérieur, on pouvait apercevoir un escalier muni de deux rampes qui remontait à l'intérieur du bateau.

— Quoi ? Ils n'ont pas d'escalier mécanique ? s'exclama moqueusement Étienne.

À l'arrière du bateau, flottait un quai rattaché à quatre grandes plateformes, où étaient amarrés quatre zodiacs et une motomarine.

— Comment font-ils pour remonter tout ça dans le navire ? laissa tomber Vicky, intriguée.

— Ils possèdent sûrement un système de poulies, dissimulé sous ces panneaux bien polis au plafond, devina Roger.

— Je n'ai jamais rien vu de tel ! leur fit savoir Hamilton, qui manœuvrait le *Redemption* de façon à l'appuyer en douceur contre l'une des plateformes.

Étienne sauta sur le quai pour y attacher temporairement le bateau.

— J'espère pour vous que ce ne sont pas des bandits, souhaita Roger en serrant la main de Christian. Comment va votre tête ?

— La migraine s'est miraculeusement envolée. Merci pour tout, professeur Rochon.

— Revenez nous voir au port avant de quitter les Bahamas, les implora Vicky en les serrant dans ses bras à tour de rôle.

Elle aida ensuite Roger à glisser la passerelle pour faire descendre les passagers en toute sécurité. Christian prit les devants en regrettant de ne pas avoir son Glock sur lui. Alexanne le suivit, plaçant Sara-Anne entre David et elle.

— On ne dirait pas que vous étiez attendus, remarqua Étienne en faisant référence à l'absence d'un comité d'accueil. Pourtant, ils pouvaient fort bien nous voir arriver. Soyez très prudents.

Christian lui serra la main et attendit que le *Redemption* se soit éloigné avant de s'avancer vers l'escalier.

— Et maintenant ? demanda-t-il à Alexanne.

— Je n'ai jamais éprouvé une sensation aussi bizarre. Peu importe où je regarde avec mes sens de fée, je ne ressens rien…

— J'imagine que ce n'est pas bon signe.

— Surtout que je ne capte aucun signe de vie à bord.

— Sont-ils tous morts ? s'horrifia David.

— Je n'en sais franchement rien.

Ils gravirent les marches sans se presser, s'attendant à tout.

— Ils ont peut-être été attaqués par des zombies, suggéra Sara-Anne.

— Ça n'existe pas, l'avertit Alexanne.

Le quatuor aboutit dans un grand salon circulaire décoré de nombreuses plantes tropicales et meublé de fauteuils en cuir noir. Les larges fenêtres laissaient entrer la lumière du jour à grands flots. Sur le plancher de tuiles blanches apparaissaient de curieuses créatures avec des corps de lions ailés et des têtes d'hommes barbus.

— Il y a quelqu'un ? appela Christian, exaspéré.

Un homme dans la soixantaine s'avança vers eux, en provenance de l'étage inférieur. Il monta l'escalier sans se presser. Il portait un complet gris perle, une chemise blanche, mais aucune cravate. Ses cheveux argentés lui donnaient un air très sophistiqué et ses yeux bleus étaient aussi perçants que ceux des oiseaux de proie.

— Je m'appelle Charles Peter Boyens, fit-il d'une voix grave.

— Êtes-vous seul à bord ? lui demanda la fillette.

David lui fit signe de se taire.

— Bien sûr que non, répondit le multimilliardaire. Comment pourrais-je faire fonctionner un aussi gros bâtiment par moi-même ?

— Avec tout plein d'ordinateurs, suggéra Sara-Anne.

Cette fois, David la ramena contre lui pour la faire tenir tranquille.

— Vous devez être Christian Pelletier, fit Boyens en lui tendant la main.

— C'est exact, affirma l'ancien policier en la serrant.

Son contact glacé rappela à son esprit ce qu'Alexanne venait de lui dire au sujet de ses perceptions extrasensorielles.

— David Gentil, poursuivit poliment leur hôte.

Même s'il s'efforçait de conserver la parfaite maîtrise de lui-même, il arqua légèrement un sourcil au contact de la main du Français. Il salua Alexanne de la même façon, mais se garda de toucher à l'enfant.

— J'ai pris la liberté de faire transporter vos valises à bord, car j'aimerais bien passer quelques jours en votre compagnie, annonça Boyens. Prenez donc le temps de vous rafraîchir et de vous changer jusqu'au repas. Calvin va vous conduire à vos chambres.

Un homme de race noire, élancé et silencieux comme une souris, sembla surgir de l'ombre de son maître. Il était habillé tout en blanc. D'un geste de la main, il fit signe aux passagers de le suivre et se dirigea vers un autre escalier, dissimulé derrière un rideau de petits palmiers. En trottinant entre les adultes, Sara-Anne aperçut un grand bol de verre sur un guéridon. Il contenait des sphères qui brillaient comme de l'or. Elle appuya un doigt sur ce qui ressemblait à une pomme et sursauta quand il s'y enfonça. Pour que personne ne remarque sa bévue, elle s'empara du fruit et le cacha dans les plis de sa robe.

Une fois à l'étage supérieur, Calvin s'arrêta au milieu du couloir et fit signe aux filles d'entrer dans la cabine de droite, puis aux garçons de pénétrer dans celle de gauche. Sans dire un seul mot, il les quitta.

— C'est ça, un zombie, murmura l'enfant à sa sœur en la précédant dans la grande pièce.

— Arrête d'en parler, l'avertit Alexanne.

— Ils oublient comment parler et ils ne font qu'exécuter les ordres de leur maître sans poser de questions.

— Je vais commencer à surveiller tout ce que tu écoutes à la télévision.

Sara-Anne aperçut sa valise sur le sofa. Elle s'élança et l'ouvrit. Son visage s'illumina lorsqu'elle y découvrit son ourson préféré.

— Ils ont même récupéré monsieur Câlin qui se trouvait dans notre lit à l'hôtel !

— Je les trouve un peu trop attentionnés…

Elle envoya l'enfant prendre sa douche et choisit pour elle une robe fraîche qu'elle déposa sur le grand lit. Puis elle se planta au beau milieu de la chambre et scruta encore une fois le navire. « Pourquoi mes sens ne captent-ils pas au moins la présence de Boyens et de Calvin ? » s'étonna-t-elle. Elle avait l'impression de se trouver sur un bateau fantôme.

Dès que Sara-Anne sortit de la douche, Alexanne lui

démêla les cheveux et lui fit une longue tresse dans le dos. Elle lui fit enfiler sa robe et lui ordonna de ne pas quitter la chambre. La petite grimpa sur le lit et lui promit de ne pas bouger.

La fée prit une douche éclair, se changea et revint dans la chambre pour essorer ses longs cheveux châtains.

— Quand nous partirons enfin d'ici, est-ce qu'on pourrait se mettre à la recherche des sirènes ?

— Nous ferons tout ce que tu veux, coccinelle. Si nous allions voir comment sont installés les garçons, maintenant ?

Sara-Anne alla chercher sa pomme dorée, qu'elle avait laissée dans la valise, et suivit Alexanne de l'autre côté du couloir. Elle frappa quelques coups à la porte et Christian lui ouvrit tout de suite.

— Ça va ? s'inquiéta-t-il.

— Oui et non. Est-ce qu'on peut entrer ?

Christian les laissa passer.

— Votre chambre ressemble à la nôtre, leur fit savoir Sara-Anne, sauf que votre lit n'est pas dans le même sens.

— As-tu découvert quelque chose de plus ? voulut savoir l'ancien policier.

— Je ne perçois toujours aucun signe de vie à bord et je ne comprends pas pourquoi, répondit la fée.

— Et moi, j'ai trouvé ceci.

Elle leur montra sa pomme.

— Qu'est-ce que c'est ? s'inquiéta David.

— Je pensais que c'était un bibelot, mais mon doigt s'est enfoncé dedans. C'est un fruit, finalement.

— Recouvert d'une pellicule dorée ?

— C'est peut-être de l'or, suggéra l'enfant.

Christian l'examina de plus près.

— Je pense qu'elle a raison, s'étonna-t-il.

— L'or possède-t-il la propriété de conserver les fruits plus longtemps ? demanda Alexanne.

— Pas à ma connaissance. Mais il me semble que Lyette m'a parlé d'or avant notre départ…

— Un gros bateau comme celui-ci doit avoir accès à Internet par satellite, avança David.

Ils sortirent tous leurs téléphones en même temps, pendant que Sara-Anne épluchait sa pomme sur le secrétaire de la chambre. Christian envoya un premier texto demandant à Sylvain s'il le recevait. La réponse fut presque instantanée.

ENFIN ! écrivit-il en grosses lettres. Christian lui raconta en quelques mots qu'ils étaient sur le yacht de Boyens et qu'ils n'en avaient certainement pas pour longtemps, puis lui demanda pourquoi certaines personnes recouvraient leurs pommes d'or. Christian lut la réponse du journaliste à voix haute :

— C'est une pratique qui remonte à l'antiquité. Elle a été transmise aux familles royales d'Europe par des individus qui pratiquaient encore le culte d'Ishtar.

— N'est-ce pas le nom de l'entreprise qui possède ce bateau ? leur rappela David.

— Sylvain dit aussi que ces gens de sang bleu étaient les descendants d'extraterrestres reptiliens qui sont venus sur la Terre pour y chercher de l'or, car ils devaient en consommer de grandes quantités pour conserver une semi-apparence humaine.

L'accès à Internet fut brusquement coupé.

— Les Annunakis… murmura Christian. Maintenant, je me souviens. Lyette m'a dit qu'ils croquaient de l'or.

— Ce sont les ennemis des mages de Thulé et de ceux d'Éridan, ajouta Alexanne, saisie de peur. Nous sommes tombés dans un guêpier…

— Ne paniquons pas, se ressaisit Christian. Si Boyens s'aperçoit que nous avons peur, il en profitera pour nous soumettre à sa volonté. Nous devons rester calmes et lui expliquer exactement ce qui s'est passé. S'il nous a fait venir jusqu'ici pour provoquer en duel l'entité qui a parlé par la bouche de la petite, alors nous allons lui faire comprendre qu'elle n'y est plus.

— Mais Sara-Anne et moi sommes issus d'ancêtres qui y sont reliés, lui rappela David.

— Alors, nous n'en parlerons pas. Notre but, et je veux que ce soit clair pour tout le monde, c'est de quitter ce bateau le plus rapidement possible.

— Compris, fit Alexanne avec un air de combat.

Les adultes se tournèrent vers Sara-Anne et virent qu'elle était en train de se régaler.

— C'est bon, affirma-t-elle.

— Ne mange pas l'or, l'avertit David.

Elle lui montra les morceaux de la feuille métallique qu'elle avait méthodiquement pelés du fruit.

— Le mieux, c'est de me laisser parler, tout à l'heure, exigea Christian.

— Parfaitement d'accord, accepta David.

— Que fait-on si Boyens s'adresse directement à nous ? s'enquit Alexanne.

— Ne répondez que par quelques mots.

La fée s'assit sur l'un des deux grands lits de la chambre, incapable de dissimuler son angoisse.

— Si on revient au texto de Sylvain, fit Christian, la raison pour laquelle tu n'arrives pas à capter des signes de vie humaine à bord de ce bateau, c'est sans doute parce que son équipage n'est pas humain.

— C'est justement à ça que j'étais en train de penser, avoua David.

Quelques coups furent frappés à la porte. Alexanne

sentit son estomac se nouer, mais décida de se montrer brave. Si Matthieu avait eu le courage de se mesurer à une gargouille, elle en ferait autant devant ces extraterrestres, juste pour qu'il soit fier d'elle.

Christian alla ouvrir. Calvin plongea son regard dans celui de l'ancien policier et lui fit signe de le suivre avec ses amis. Le quatuor s'empressa de lui emboîter le pas. « S'il ouvrait la bouche, est-ce que sa langue serait fourchue ? » se demanda Alexanne. Ils furent conduits sur le pont, là où se trouvaient les huttes qu'ils avaient aperçues avec les jumelles.

D'un geste de la main, Calvin leur demanda de s'asseoir à une belle table en verre à l'intérieur d'une des cases. Ces abris de fabrication tropicale servaient donc de salles à manger… Boyens se joignit à ses invités quelques minutes plus tard.

— Vous voilà tous frais et dispos, remarqua-t-il en prenant place à la table. Calvin, apporte-nous des rafraîchissements.

Le serviteur se tourna vers le bar comme un robot.

— Je possède une excellente réserve de rhum, poursuivit Boyens. Et vous adorerez la cuisine de mon chef personnel.

— Je n'ai jamais vu de yacht qui ressemble au vôtre, avoua Christian.

— Il n'est pourtant pas unique, puisque j'ai demandé à mes ingénieurs de le modeler à partir d'un autre navire plus ou moins semblable qui me plaisait beaucoup.

— Le *Inanna II* vous appartient ?

— Oui, tout comme un grand nombre d'hôtels, de casinos partout dans le monde et d'îles désertes aussi.

Sagement assise à sa place, Sara-Anne l'écoutait en tenant David par la main pour se rassurer. Elle tressaillit lorsque Boyens se tourna enfin vers elle.

— Est-ce là l'enfant qui nous a livré un message si important ?

— C'est bien elle, répondit calmement Christian.

— Lui a-t-on fait apprendre son texte par cœur ?

— Je ne sais pas comment vous expliquer ce qui s'est passé.

— Mais je vous en prie, instruisez-moi. Je suis un homme très ouvert.

« Advienne que pourra », se dit l'ancien policier.

— Une entité invisible lui a confié cette mission. C'était elle qui parlait à travers la petite.

Le visage de Boyens se fit soudain moins affable.

— Cette entité est-elle toujours présente en toi, mon enfant ?

Pour ne pas dire de bêtises, Sara-Anne se contenta de secouer la tête. Les yeux pâles de leur hôte semblèrent s'obscurcir.

— Si c'est avec cette entité que vous aviez envie de vous entretenir, nous aurions pu vous épargner cette déception, ajouta Christian en conservant un ton poli. Il aurait suffi de nous poser la question avant de nous faire venir ici. Je suis vraiment navré.

— Pas autant que moi. Nous nous reverrons plus tard. Bon appétit.

Il quitta la hutte et se dirigea vers le gaillard d'arrière. Personne ne parla avant qu'il disparaisse à l'intérieur.

— Pourquoi est-ce que j'ai l'impression que c'est mon dernier repas ? souffla David, qui avait considérablement blanchi.

— Il est déçu, c'est certain, mais évitons les suppositions, d'accord ? Nous ne savons pas ce qu'il a l'intention de faire.

— Je ne serai jamais capable de manger…

— Au lieu d'agir comme des brebis qu'on conduit à

l'abattoir, comportons-nous comme des lions qui ont envie de survivre.

— Je suis infirmier, pas policier.

— Alors, il faudra que tu puises du courage au plus profond de ton âme.

— On dit qu'en situation de crise, les gens accomplissent des miracles, précisa Alexanne.

Calvin leur apporta alors des assiettes contenant des cubes de poisson grillé, de petites crevettes et du riz au lait de coco et aux haricots rouges. Alexanne plaça tout de suite la main au-dessus de son plat.

— N'y touchez pas, chuchota-t-elle à l'intention de ses camarades. J'y flaire du poison.

— Quelle ingénieuse façon de se débarrasser de ses invités, grommela David, dégoûté.

— Ne buvez rien non plus.

— C'est le moment de penser à un plan d'évasion, fit Christian, l'air sérieux.

— S'il avait été gentil, on aurait pu avoir beaucoup de plaisir, ici, soupira Sara-Anne.

— Ne me dites pas que nous devrons nager pour lui échapper, s'effraya David.

— Il y avait des zodiacs amarrés au quai, leur rappela Christian. Nous allons tenter de nous y rendre sans attirer l'attention. Il ne faut pas agir comme si nous étions en fuite, mais plutôt faire preuve de curiosité.

— Comme des touristes, quoi ? comprit Alexanne.

— Faites semblant de manger, recommanda l'ancien policier en constatant que Calvin les observait à partir du bar.

Ils plongèrent donc leurs fourchettes dans leur assiette et se contentèrent surtout de promener les crevettes dans le riz. Ils portaient leurs ustensiles près de leur bouche de temps à autre même s'il n'y avait rien dessus et mastiquaient dans le vide.

— Nous auraient-ils tués quand même si l'entité avait encore habité Sara-Anne ? demanda David dont les mains tremblaient.

— Maintenant que nous savons qui est réellement Boyens, je serais tenté de dire oui, soupira Christian. Dans quelques minutes, nous allons nous diriger vers la poupe. Puisque nous ignorons à quelle vitesse est censé agir le poison qu'il a versé sur notre nourriture, nous ne devrons pas perdre de temps.

— Donc marcher comme si la tête nous tournait ? s'enquit Alexanne.

— Nous pourrions avoir l'air légèrement désorientés, mais nous ne devons pas exagérer et perdre de précieuses minutes. Ce n'est pas parce que nous ne voyons personne nulle part qu'il n'y a pas toute une armée cachée dans la cale.

— Je dois aller à la salle de bain, annonça Alexanne. Il y en a une à côté de Calvin. Je l'ai aperçue en arrivant.

— Fais vite, lui conseilla Christian.

La fée déposa ses couverts et sortit de la hutte pour se diriger vers le bar, où s'était posté le serviteur de Boyens. Sans le regarder, elle s'enferma dans les toilettes. Pour ne pas perdre de temps, elle enleva tout de suite sa petite culotte, où Vicky avait accroché l'attache de géolocalisation, et la mit dans la poubelle. Elle enfila ensuite celle qu'elle avait apportée dans son sac à main. En constatant que l'une des quatre attaches n'avait pas suivi les autres, les archéologues du *Redemption* voleraient à leur secours. Même si elle ne connaissait rien à la mer et aux moyens de s'y déplacer, Alexanne se doutait bien que les zodiacs ne pourraient pas les emmener bien loin. « Mais comment pourrons-nous échapper à un extraterrestre qui veut nous éliminer ? » se découragea-t-elle.

Lorsqu'elle sortit des toilettes, ses amis venaient tout

juste de quitter la hutte en riant. Elle se joignit à eux et passa sous la cascade pour entrer dans le grand salon circulaire. Jusqu'à présent, tout allait bien. Alexanne jeta un œil par-dessus son épaule. Personne ne les suivait. Christian conduisit ses amis à l'escalier qui descendait dans les entrailles du bateau. Il aurait aimé se poster à la fois devant et derrière eux, car il ignorait ce qu'ils trouveraient en bas et il ne voulait pas non plus qu'on leur tire dans le dos. « J'aurais dû demander à Dalpé de nous accompagner » songea-t-il. « Ainsi, nous aurions été au moins deux à pouvoir assurer notre sécurité. »

Le quai était désert lorsqu'ils y arrivèrent enfin.

— Dans lequel dois-je monter ? demanda Sara-Anne.

— Dans le plus proche, la pressa Christian.

Il entendit alors le déclic un peu trop familier du cran de sécurité d'un pistolet et se retourna. Planté dans les dernières marches, Calvin les mettait en joue. Christian fit passer tous ses amis derrière lui et leva lentement les mains.

Chapitre 14

Soupçons

Après avoir déposé leurs nouveaux amis sur le *Inanna II*, Roger et ses étudiants se rapprochèrent de leur site de plongée en évitant pour l'instant les eaux peu profondes. Pour la première fois depuis le début de leur expédition, ils ne manifestaient aucune joie d'être là et de faire toutes ces étonnantes découvertes. Pendant que le capitaine Hamilton attendait la fin des répliques pour retourner au temple, Vicky et Étienne photographiaient, mesuraient et cataloguaient les derniers fragments qu'ils avaient remontés en surface.

— J'ai un mauvais pressentiment, fit alors la jeune femme en se tournant vers son camarade.

— Moi, j'en ai un depuis le début, avoua Étienne.

— Nous devons appeler les garde-côtes.

— Pour leur dire quoi ? Nous n'avons aucune preuve que ça se passe mal pour eux sur ce yacht et, pire encore, les gens riches arrivent toujours à échapper à la justice.

— C'est donc à nous de jouer.

— Puis-je te rappeler que nous ne sommes ni soldats, ni policiers ?

— Je sais bien, mais même si nous avions des armes, nous ne saurions pas comment nous en servir. Utilisons plutôt notre intelligence.

— Je t'écoute.

— Allons d'abord voir sur le radar si les quatre attaches sont toujours ensemble.

— Qu'est-ce que ça prouverait ?

— J'ai demandé à Alexanne de séparer la sienne des autres si jamais ils étaient en difficulté.

Étienne n'était pas convaincu que ce plan fonctionnerait, mais il accompagna tout de même Vicky au laboratoire. Elle mit l'appareil en marche.

— Elles sont toujours sur le bateau, mais la bonne nouvelle, c'est que celui-ci n'a pas bougé. Peut-être que tout va bien, après tout.

Roger se planta sur le seuil de la pièce.

— Qu'est-ce que vous êtes encore en train de fabriquer ? fit-il sur un ton amical.

— Nous surveillons Christian et les autres, répondit Vicky. Tout semble bien se passer.

— Le capitaine pense que nous pouvons poursuivre la plongée, puisque les secousses se sont considérablement espacées et qu'elles sont presque imperceptibles maintenant. Nous ne risquons plus rien. Mieux encore, nous serons plus près de l'île flottante.

À sa grande surprise, ses étudiants n'eurent aucune réaction de joie.

— Vous vous inquiétez pour eux, même si vous êtes convaincus qu'ils sont en sécurité ?

— En fait, nous ne sommes convaincus de rien, précisa Vicky.

— Des micros ou de petites caméras auraient été plus utiles que nos attaches pour les poissons, soupira Étienne.

— Le problème, c'est que nous sommes des archéologues, pas des espions, leur rappela Roger.

— Qu'arrivera-t-il si nous plongeons justement au moment où ils auront besoin de nous ? demanda Vicky.

— Nous ne faisons pas non plus partie des forces de l'ordre, fit le professeur. Nous n'avons suivi aucun entraînement pour effectuer un tel sauvetage. Je suis aussi inquiet que vous, les enfants, mais tout ce que nous pourrons faire, c'est alerter les autorités et encore, il faudrait que nous soyons certains que nos amis sont en difficulté.

Voyant qu'il n'arrivait pas à rassurer les jeunes gens, Roger leur proposa de consulter le capitaine à ce sujet.

— Je crains que le *Redemption* ne soit pas équipé de moteurs lui permettant d'échapper à une poursuite par des bandits, avoua-t-il. Contrairement à bien des propriétaires de bateaux, je ne garde aucune arme à feu à bord. En fait, nous n'avons que des harpons. Que pourrions-nous faire contre les complices d'un homme aussi riche ?

— Cette question me torture depuis que nous avons quitté nos nouveaux amis, soupira Vicky. Je sais bien que nous ne sommes pas des agents secrets et qu'il n'y a pas de jets cachés dans ce navire, mais il doit y avoir quelque chose que nous puissions faire si jamais les choses tournent mal.

— Oui, laisser les policiers faire leur travail, répéta encore une fois Roger.

— Sans vouloir vous contredire, professeur Rochon, il arrive parfois que les autorités ferment l'œil quand il s'agit de célébrités, peu importe le domaine dans lequel elles s'illustrent.

— Et l'ambassade canadienne ? suggéra Étienne.

— Je vois mal ce qu'elle pourrait faire dans l'immédiat.

— Tous les problèmes ont une solution.

— Pendant que nous réfléchissons, voulez-vous retourner sur le site ? demanda Hamilton. Peu importe où nous nous trouverons entre les îles, nous pourrons toujours foncer en direction de l'île flottante.

— Nous ne pouvons pas non plus gaspiller la

subvention que nous a accordée le gouvernement à rester assis à rien faire, ajouta Rochon pour fouetter les étudiants.

— Vous avez raison, fit Étienne.

— Je vous promets, cependant, que je garderai un œil sur le radar pendant que vous plongerez et que je vous rappellerai à la surface si j'y vois quoi que ce soit d'inhabituel. Est-ce que ça vous va ?

— J'imagine que oui, répondit Vicky.

Le *Redemption* retourna donc sur le site de plongée. À la grande surprise du capitaine, d'autres pignons avaient surgi des vagues. Il redoubla donc de prudence et vérifia attentivement les résultats de l'échosondeur à faisceau unique et du sonar à balayage latéral.

— Je crains de ne pouvoir m'approcher plus près ! lança-t-il aux archéologues.

Sur la terrasse, le professeur et ses étudiants observaient la dizaine de toits qui entouraient le premier qui avait émergé de l'océan.

— Je pense que nous venons de découvrir toute une ville, s'émut Vicky.

— Allez me documenter ça, les encouragea Roger.

Les étudiants s'empressèrent de revêtir leurs combinaisons, d'accrocher les bombonnes sur leur dos et de s'armer de caméras et de harpons.

— Voulez-vous une nacelle ? leur demanda le professeur.

— Pas tout de suite, répondit Étienne avant de se laisser tomber sur le dos dans l'eau.

— Ça va leur changer les idées, indiqua Hamilton en s'approchant de Roger.

Il avait coupé les moteurs et jeté l'ancre, mais avait suspendu ses jumelles dans son cou afin de scruter régulièrement l'horizon.

— Finalement, ce séisme sous-marin nous aura bien servi, lui dit le professeur. Nous serons les seuls à explorer ce site pendant encore plusieurs jours.

— Vous allez bientôt être célèbres.

Nageant l'un près de l'autre en direction des édifices qui avaient été poussés vers le haut par le tremblement de terre, Vicky et Étienne n'arrivaient pas à croire que l'eau soit tout de même demeurée suffisamment claire pour qu'ils puissent les distinguer. Ils prirent des photos et firent des vidéos de loin, puis le jeune homme fit signe à sa compagne qu'il désirait voir tout ça de plus près. Surveillant attentivement les alentours, ils s'approchèrent davantage. Étienne fit signe à Vicky de rester où elle était et alla se placer dans les marches qui menaient à la grande porte pour qu'elle puisse établir les dimensions de la structure en se fiant à la taille de son ami.

Les portes de bois avaient depuis longtemps disparu, rongées par le sel et les bestioles marines, mais leurs gonds métalliques étaient encore bien visibles. Malgré les gestes des bras de Vicky l'avertissant de faire attention, Étienne ne put résister à la tentation de jeter un coup d'œil à l'intérieur en laissant tourner sa caméra. Son projecteur n'était pas suffisamment puissant pour lui révéler toute la pièce qui s'ouvrait devant lui, mais le peu qu'il en vit le stupéfia. Le toit semblait être soutenu par des colonnes et entre elles se tenaient des statues parfaitement préservées !

Il allait s'avancer encore plus lorsqu'un gros poisson fonça sur lui, sans doute effrayé par la lumière. Il bouscula Étienne avec tant de force que la caméra faillit lui échapper des mains. Le jeune homme n'eut pas le temps de voir s'il s'agissait d'un mérou ou d'un requin-nourrice. Afin de ne pas tomber sur d'autres espèces plus dangereuses, il choisit de revenir sur ses pas. Vicky nageait vers lui avec force. Utilisant le langage des mains dont ils avaient convenu lorsqu'ils étaient en plongée, elle lui demanda s'il allait bien. Il fit signe que oui et qu'il préférait faire le tour de la ville plutôt que d'explorer un autre bâtiment. Ils reviendraient plus tard avec de plus puissants projecteurs.

Au bout de deux heures, ils durent revenir au bateau afin de faire une pause et de changer de bombonnes d'oxygène.

— Qu'avez-vous vu ? les interrogea Roger, fébrile.

— Vous n'allez pas le croire, professeur ! s'exclama Vicky.

Les étudiants se hâtèrent dans le laboratoire pour télécharger leurs images. Les yeux rivés sur l'écran, Roger ne cacha pas son bonheur d'y voir enfin apparaître la civilisation qu'il cherchait depuis si longtemps.

— Vous allez vraiment commencer votre carrière tout en haut de l'échelle, vous deux, murmura-t-il, émerveillé.

— En fait, j'ai l'intention de consacrer ma vie tout entière à l'exploration de ce site, avoua Vicky.

— Tout comme moi, d'ailleurs, lui fit écho Étienne. Mais attendez, vous n'avez pas vu le meilleur.

Lorsque Roger vit l'entrée d'un des édifices s'approcher sur l'écran, il plissa le front, comme s'il devinait que le jeune homme avait désobéi à ses consignes de sécurité.

— Ne me dis pas que tu y es entré ?

— Attendez avant de me gronder. Vous allez être ébloui.

Étienne avait raison : le professeur ouvrit des yeux émerveillés en apercevant les colonnes et les statues qui s'élevaient entre elles.

— Nous sommes les premiers à voir des Atlantes, s'étrangla-t-il.

Il sursauta lorsqu'un gros poisson fonça sur l'objectif.

— Qu'est-ce que c'était ? s'alarma-t-il.

— Doux Jésus ! s'exclama Vicky. Étienne, fais marche arrière.

Le jeune homme fit ce qu'elle demandait.

— Arrête l'image !

Les archéologues se retrouvèrent nez à nez avec une sirène qui ressemblait beaucoup à celle qu'avaient filmée leurs amis.

— Eh bien, si l'un de nous a osé penser que David avait truqué les scènes captées sur la plage de Paradise Island, fit Étienne, voici la preuve indiscutable que ces créatures existent vraiment.

— Sauf que nous ne pouvons pas en parler, sinon des chercheurs zélés leur feront impitoyablement la chasse, lui rappela Vicky.

— Mais que faisait-elle dans cet immeuble ? pensa Roger tout haut.

— C'est peut-être là que les sirènes se cachent ?

— J'en doute, déclara Étienne. N'oublions pas que toutes ces structures étaient enterrées et recouvertes de sédiments. Elles viennent tout juste de s'élever près de la surface.

— Pourrait-il y avoir des sirènes archéologues ? fit moqueusement Vicky.

— Elles sont sans doute curieuses, admit Roger. Toutefois, si elles sont revenues dans les parages, ça ne peut signifier qu'une chose : les secousses ont vraiment pris fin.

— Quelle excellente nouvelle, se réjouit Étienne, qui serait maintenant libre de plonger partout.

— Avez-vous surveillé le radar ? s'inquiéta soudain Vicky en se tournant vers le professeur.

— Les attaches sont toujours au même endroit.

« Ce qui ne veut pas dire pour autant que nos amis sont encore vivants », songea la jeune femme. « Leurs cadavres sont peut-être allongés les uns près des autres dans la cale du navire. »

— Nous allons plonger à nouveau à la recherche d'artefacts qui peuvent être remontés à bord, décida Étienne.

— Avec une extrême prudence, lui rappela Roger.

Les jeunes quittèrent le laboratoire en poussant des cris de victoire. Le professeur pianota sur le clavier pour revoir les magnifiques images de cette civilisation à laquelle peu de gens croyaient. Ils allaient être bien surpris…

Chapitre 15

Les requins

Sur le quai amarré au *Inanna II*, Christian protégeait de son corps ses trois amis. Sans sourciller, il faisait face à Calvin qui pointait un pistolet sur lui. Après tout, n'avait-il pas déjà affronté des sorciers et survécu chaque fois ? S'il avait été seul, il aurait sans doute tenté de le désarmer, mais il ne voulait pour rien au monde mettre la vie de David, d'Alexanne et de Sara-Anne en danger.

Ils entendirent des pas et virent apparaître Boyens dans l'escalier. Aucune émotion ne transparaissait sur son visage.

— Je vous offre l'hospitalité et qu'en faites-vous ? cracha-t-il.

— Vous avez empoisonné notre nourriture, répliqua sèchement Christian.

— Un léger soporifique pour vous aider à vous détendre.

— Peu importe ce que c'était, on ne traite pas ses invités de la sorte.

— Puis-je aussi vous faire remarquer qu'on ne quitte pas non plus son hôte d'une façon aussi cavalière ?

— Je pense qu'il est clair que ce n'est pas la petite qui vous intéressait, mais l'entité qui parlait en se servant d'elle. Nous n'avons donc plus rien à nous dire.

— Vous avez raison sur ce point, descendant d'Atrahasis, mais du sang rival coule dans ses veines tout comme dans celle de monsieur Gentil.

— Rival ?

— Êtes-vous à ce point ignorant de l'histoire de votre planète ?

— Ça n'a jamais été ma matière forte à l'école.

— Avant de me débarrasser de vous, je vais au moins éclairer votre esprit.

Pendant qu'il le faisait parler, Christian cherchait désespérément une façon de s'échapper avec ses amis sans se faire trouer la peau.

— Au début des temps, la Terre était peuplée de créatures répugnantes, qui s'entretuaient pour un morceau de viande, continua Boyens. Elles ne savaient rien des importantes richesses que recelait le sol qu'elles foulaient. C'est à cette époque que nous sommes arrivés, car nous en avions besoin pour survivre.

« Il doit parler de l'or », comprit Christian.

— Nous sommes des dieux qui avons emmené sur votre planète nos propres serviteurs, les Igigis, des demidieux inférieurs à nous. Mais ils n'étaient pas suffisamment endurants et ne cessaient de se lamenter. Nous avons donc imaginé une solution des plus ingénieuses : nous avons accéléré l'évolution de votre espèce pour en faire de formidables ouvriers, qui creusaient le sol pour nous. Malheureusement, au fil des ans, ces humains améliorés sont devenus encore plus insupportables que les Igigis et ils se sont multipliés sans égard aux conséquences de la surpopulation. Nous avons tenté plusieurs fois de réduire leur nombre, mais ils trouvaient toujours une façon d'échapper à la mort.

— Il est juste normal de vouloir survivre à l'envahisseur.

— Vous ne méritez même pas ce monde magnifique que vous traitez avec un manque total de respect.

— Si je comprends bien, vous n'êtes jamais retournés dans le vôtre.

— Ceux d'entre nous qui avaient été choisis pour exploiter le métal précieux dont nous avions besoin savaient qu'ils ne pourraient jamais rentrer chez eux.

Ils se sont adaptés à cette planète et ils y ont prospéré.

— Mais quel âge avez-vous ?

— Quelques centaines d'années. Je suis un des descendants des premiers colons.

— Combien êtes-vous ?

— Étant donné que vous ne pourrez jamais répéter mes paroles à qui que ce soit, je veux bien vous édifier, monsieur Pelletier.

Christian se demanda si, en faisant basculer les deux hommes en bas de l'escalier, il aurait le temps de faire monter tout son monde dans un zodiac, de faire démarrer son moteur et de prendre la fuite…

— Nous sommes de moins en moins nombreux, à peine quelques milliers, car la façon désinvolte que vous avez de ruiner vos écosystèmes menace notre survie.

— Donc, pour nous débarrasser de vous, nous n'avons qu'à nous autodétruire ?

— Votre raisonnement est illogique.

— Ça fait parfois partie du charme des Terriens.

— Trêve de paroles, il est temps de nous quitter.

— Attendez. Il y a une dernière chose que j'aimerais savoir.

— Demandez toujours.

— Qu'aviez-vous vraiment l'intention de faire à la petite ?

— Je serais passé par elle pour atteindre nos pires ennemis, puis je m'en serais débarrassé. Mais puisque ceux-ci ont été suffisamment intelligents pour ne pas s'attarder dans son esprit, il ne me reste plus que la dernière partie de mon plan à exécuter. Reculez jusqu'au bout du quai, je vous prie.

Christian lui obéit très lentement, pour donner le temps à ses compagnons d'en faire autant sans leur marcher sur les pieds.

— Vous nous offrez un zodiac ? demanda-t-il avec un sourire niais.

La plaisanterie fit sourire l'Annunaki.

— Malheureusement, non. Vous allez sauter dans l'eau, à moins de vouloir mourir plus rapidement avec une balle dans le cœur.

— Mais on est au milieu de nulle part… chuchota Alexanne, derrière l'ancien policier.

— Ce fut un plaisir de vous connaître.

Calvin s'avança vers le groupe, le bras tendu, prêt à les abattre s'ils n'obéissaient pas.

— Christian, je ne sais pas nager, s'alarma David.

— Sois sans crainte, nous allons nous occuper de toi.

— Sautez ! hurla Boyens.

Sa voix soudainement éraillée et inhumaine les fit tous tressaillir. « Calvin va sans doute nous tirer dessus dès que nous serons dans l'eau », songea Christian. « Je n'aurai jamais le temps de nous éloigner suffisamment de la portée de son arme… »

— Alexanne, es-tu capable de leur garder la tête hors de l'eau jusqu'à ce que je vous rejoigne ? demanda-t-il.

— Je pense que oui, s'ils ne paniquent pas.

— Allez-y et gardez votre calme.

Alexanne sauta la première afin de servir de bouée à ses amis. Sara-Anne la suivit sans hésitation et se mit à nager comme un petit chien à côté d'elle.

— Ça va aller sans mon aide ? lui demanda sa grande sœur.

— Oui, mais je ne sais pas combien de temps…

Blanc comme la craie, David se signa avant de s'élancer à son tour. C'était le moment qu'attendait l'ancien policier. Oubliant encore une fois qu'il possédait des pouvoirs de télékinésie, il mit plutôt à profit les leçons de karaté de Sachiko. Il projeta sa jambe en arc de cercle et heurta violemment la main de Calvin, lui faisant perdre la maîtrise de son arme. Le pistolet vola dans les airs et se retrouva dans les flots. Il allait poursuivre le combat en corps à corps lorsqu'il vit verdir la peau du visage du nervi et ses ongles se changer en longues griffes. Sans demander son reste, Christian tourna les talons et plongea dans la mer. Calvin se précipita sur le quai.

— Laisse-le partir ! ordonna Boyens.

L'Igigi s'arrêta net.

— Même s'ils ne saignent pas, les requins vont tout de même s'en régaler. Va plutôt jeter leurs valises à la mer pour qu'on ne les retrouve pas sur le *Inanna II*.

En grondant comme un fauve, Calvin recula et suivit son maître dans l'escalier. Christian n'avait pas perdu de temps. Il avait agrippé David par le cou pour lui maintenir la tête hors de l'eau et s'éloignait le plus rapidement possible de la poupe, persuadé que le tueur allait revenir avec une autre arme. Alexanne et Sara-Anne faisaient de leur mieux pour le suivre.

— Comment se fait-il qu'un homme de ton âge ne sache pas nager ? demanda Christian en se dirigeant vers le soleil.

— Mes parents n'ont pas jugé que c'était nécessaire, répondit David en faisant des efforts surhumains pour demeurer calme. Ils ont préféré m'inscrire au foot.

— Très intéressant. On fera une petite partie tous les deux quand on aura enfin atteint la terre ferme.

— De quel côté se situe-t-elle ? s'enquit Alexanne.

— Cette partie de l'océan est criblée de petites îles. Peu importe la direction que nous choisirons, je suis certain que nous finirons par en trouver une.

— Est-ce encore loin ? se découragea Sara-Anne.

Christian était conscient que la fatigue finirait par les gagner. Il allait donc avancer encore un peu, puis leur montrer à flotter sur le dos pour se reposer.

— Je n'en sais rien, ma puce, mais nous sommes des créatures résilientes qui n'allons pas nous laisser intimider par des Annunakis.

Ils se laissèrent porter en silence dans le sens du vent pendant quelques minutes.

— Avez-vous tous gardé le sous-vêtement où Vicky et Étienne ont accroché les attaches en plastique ? voulut savoir Alexanne.

— Oui, même si tante Tatiana insiste pour que nous les changions tous les jours, répondit Sara-Anne. J'ai pensé que c'était important de remettre la même petite culotte.

— Je suis fière de toi, ma chérie.

— J'ai fait pareil, affirma David.

— Et toi, Christian ?

— J'avoue en avoir enfilé une autre, mais j'ai arraché l'attache et je l'ai enfoncée dans la poche de mon jean.

— Merveilleux, se réjouit Alexanne. Parce que moi, j'ai laissé la mienne sur le bateau.

— Quoi ? s'exclamèrent ses compagnons.

— J'ai convenu avec Vicky que si nous devions nous retrouver en très grande difficulté, je me débarrasserais de la mienne. Ainsi, en voyant qu'il n'en reste qu'une sur le bateau et que les autres s'en éloignent sur le radar, l'équipe du *Redemption* saura que nous avons besoin d'aide.

— Si je n'avais pas la tête coincée dans le bras de Christian, je t'embrasserais, soupira David, soulagé.

— Je peux te libérer si tu veux y aller, le taquina l'ancien policier.

— Très drôle…

— Tenez bon, les encouragea Alexanne. J'ai l'intime conviction qu'on va bientôt nous secourir.

— C'est quoi ça, là-bas ? demanda Sara-Anne en essayant de pointer vers le sud.

Christian s'efforça de regarder dans cette direction. Un frisson d'horreur parcourut tout son corps lorsqu'il aperçut les ailerons qui fendaient les vagues.

— J'ai bien peur que ce soient des requins...

— Oh non ! s'écria la petite en se rapprochant de sa sœur.

— Écoutez-moi bien. Les requins ressentent les pulsions électriques de la peur dans l'eau.

— Mais ils vont nous manger !

— Pas si nous faisons le minimum de mouvements et si nous restons zen. Maintenant, plus un seul mot. Concentrez-vous sur votre survie.

Les deux énormes prédateurs se mirent à faire de grands cercles autour des naufragés, comme s'ils les étudiaient avant de s'en régaler. Alexanne tenta de se servir de ses pouvoirs de fée pour les attirer ailleurs, mais leur esprit était si primitif qu'il ne recevait aucun de ses signaux subtils.

— Ce n'est pas comme ça que je voulais mourir, murmura David, sur le point de perdre conscience.

Christian avait appris, dans ses cours de plongée, que la meilleure façon de se défendre contre les requins, c'était de leur porter un coup de poing sur le nez tout en évitant leurs dents, mais ils étaient deux. Ce qui importait, pour le moment, c'était de ne pas les perdre de vue.

Il allait demander à Alexanne de s'occuper de David pour pouvoir affronter les requins lorsqu'il sentit le Français échapper à son emprise et être emporté à une vitesse vertigineuse. Ses hurlements de terreur semèrent la panique chez les filles qui n'eurent pas le temps de crier à leur tour. Elles furent aussitôt enlevées de la même façon.

« Ma dernière heure est venue », comprit Christian, qui s'était immobilisé, résigné à son sort. Tout comme ses amis, il sentit une force irrésistible s'emparer de lui. Elle le retourna sur le dos et l'entraîna vivement au loin. Les vagues frappaient sa nuque et l'eau qui jaillissait dans ses yeux l'empêchait de voir quoi que ce soit. « Mais pourquoi le requin ne m'entraîne-t-il pas vers le fond pour me noyer ? » se demanda-t-il au bout de quelques minutes. « Est-il en train de s'enfuir avec moi pour ne pas être obligé de partager sa proie avec ses petits amis ? »

Incapable de se libérer de la prise du squale sur sa cage thoracique, Christian se mit à prier, d'abord pour le salut de son âme, puis pour la sauvegarde de ses amis de la loge. Les Annunakis allaient certainement infliger aux alliés des mages de Thulé et d'Éridan le même sort qu'ils avaient réservé à Sara-Anne.

Il allait s'abandonner sereinement à la mort lorsqu'il fut subitement relâché et se frappa durement les omoplates dans le sable. Le requin s'était-il égaré en eaux peu profondes par mégarde ? Christian se retourna en cherchant une pierre sur le fond avec ses mains et battit des paupières pour arriver à y voir quelque chose. À son grand étonnement, ce n'était pas le prédateur qui se trouvait devant lui, mais une sirène qui l'observait avec beaucoup d'inquiétude.

— Vous m'avez sauvé ? balbutia-t-il.

La créature pencha doucement la tête sur le côté.

— Parlez-vous ?

Elle fit entendre des sifflements aigus, qui furent suivis de plusieurs autres autour d'elle. Christian se tordit le cou pour voir d'où ils venaient. Un grand soulagement détendit tous ses muscles lorsqu'il aperçut ses amis plus loin, également assis devant d'autres sirènes.

— Je ne sais pas comment vous remercier…

— Qu'est-ce qui vient de se passer ? demanda David.

— Les sirènes ne voulaient pas que nous soyons dévorés par les requins, lui répondit Sara-Anne.

Celle qui se trouvait devant Christian pointa derrière lui. Il se retourna et vit qu'ils étaient à quelques pas d'une île.

— Ne restons pas dans l'eau ! lança-t-il.

— Mais elles sont gentilles, protesta la petite.

— Ce ne sont pas elles que je crains. Si l'équipage de serpents venimeux de Boyens essaie de nous repérer avec des jumelles, il ne faut pas qu'ils nous voient. Nous devons nous abriter sur la terre ferme.

L'ancien policier se releva avec difficulté et se mit à avancer dans le sable, où ses chaussures s'enfonçaient. « Même si je les fais sécher pendant des jours, elles ne me serviront plus jamais à rien », se dit-il en portant son attention sur son nouvel environnement. Il n'avait aucune idée où il se trouvait et si l'île était habitée. La dernière chose qu'il voulait, c'était de tomber sur une cachette de pirates.

David avait également témoigné sa reconnaissance à la sirène devant lui par un mouvement de tête et un large sourire, puis avait entrepris de suivre Christian. Sara-Anne, quant à elle, avait spontanément étreint sa salvatrice.

— Ne vous gênez pas pour revenir, d'accord ? Je voudrais apprendre à mieux vous connaître.

Elle nagea sur le ventre à la suite des deux hommes sans se rendre compte que sa grande sœur était restée assise devant sa propre sirène.

— Je me doute bien que vous ne possédez pas les organes qui vous permettraient de parler comme nous, mais je crois que vous êtes télépathes comme moi.

Alexanne utilisa donc ses pensées pour lui faire savoir que ses amis archéologues se trouvaient non loin sur un bateau de recherche. Elle imprima l'image de celui-ci dans l'esprit de la créature et lui demanda de les ramener jusqu'à l'île. Comme si elles avaient éprouvé une grande peur, toutes les sirènes plongèrent sous l'eau en même temps et s'éloignèrent.

« Elles n'ont pas peur des requins, alors il doit s'agir d'un autre danger », comprit-elle. Elle se hâta à la suite de ses amis. Lorsqu'elle arriva enfin sur la plage de sable fin, Christian avait déjà fait entrer David et Sara-Anne dans la végétation, un peu plus loin. Mains sur les hanches, il attendait impatiemment que la fée arrive à son tour. Dès qu'elle fut près de lui, il la saisit par le bras et l'entraîna en courant sous le couvert des petits palmiers.

Chapitre 16

Un abri providentiel

Christian, Alexanne, David et Sara-Anne demeurèrent un long moment immobiles à regarder du côté de l'océan, mais ils ne virent aucun navire approcher, ni grand, ni petit.

— Je suis vraiment content que ce bandit ne nous ait pas donné rendez-vous en Arctique, laissa alors tomber l'ancien policier pour détendre l'atmosphère.

— Nous n'aurions pas tenu plus de quelques minutes dans de l'eau glacée, affirma la fée.

— Que tu aies su nager ou pas n'aurait fait aucune différence, mon homme, fit-il à l'intention de David.

— Qu'est-ce qu'on fait ? demanda Sara-Anne.

— Nous allons explorer l'endroit et espérer qu'il n'appartient pas à Boyens.

— En tout cas, on n'entend aucun bruit qui révélerait la présence de civilisation, fit remarquer David.

— Demeurons confiants et nous trouverons de l'aide, les encouragea Christian.

Ils enlevèrent leurs chaussures devenues inutilisables, les lancèrent dans la forêt et se mirent à marcher sur la plage, avec l'intention de faire tout le tour de l'île.

— Peut-être que nous sommes sur l'île de Robinson Crusoé ? fit Sara-Anne, au bout d'un moment.

— Je préférerais ça à celle de Jurassic Park, grommela David, ce qui fit sourire Christian.

Le vent chaud sécha rapidement leurs vêtements et leurs cheveux.

— Viviane et Magali ne voudront jamais croire ce qui m'est arrivé, poursuivit l'enfant.

— En fait, ma chérie, il serait préférable que tu ne leur parles pas des extraterrestres, des requins ou même des sirènes, répliqua Alexanne.

— Pourquoi ?

— Premièrement, pour qu'elles ne rient pas de toi et qu'elles commencent à te traiter de menteuse.

— Mais c'est la vérité !

— La plupart des gens ne sont pas prêts à admettre la vérité, ma puce. Il est préférable que ça reste dans la famille, d'accord ?

— Mais que vais-je leur dire ?

— Que tu as passé une formidable semaine à nager, à prendre du soleil et à goûter aux délices culinaires des îles.

— Ce qui me rappelle que mon estomac me torture depuis que les sirènes nous ont emmenés ici, soupira David.

— Ne vous inquiétez pas, nous trouverons à manger, les rassura Christian.

— Quand je serai grande, je voudrais être aussi débrouillarde que toi, lui dit Sara-Anne.

— Ça s'apprend.

— Si Thibault savait tout ce que je traverse en ce moment, je pense qu'il tomberait raide mort, fit David en l'imaginant.

— À lui non plus il ne faudra rien dire ?

— Ce serait préférable pour mon bonheur futur, sinon il ne me laissera plus jamais sortir de la maison.

Christian s'arrêta et tendit les mains de chaque côté pour les empêcher de continuer.

— Qu'y a-t-il ? chuchota Alexanne.

— Une bien curieuse habitation. Gardez le silence

pendant que j'essaie de déterminer si elle est habitée et si ses résidents sont armés de mitraillettes.

— Pas encore… gémit la petite.

— Chut, fit sa sœur.

Christian observa tous les recoins de l'étrange habitation circulaire aussi blanche qu'un œuf dont la moitié seulement était protégée par un toit. Tous ses murs semblaient faits de larges vitres. Le reste consistait en une grande terrasse. La moitié de la maison reposait sur la plage et l'autre dans l'eau. « Elle vaut sans doute plusieurs millions de dollars », songea l'ancien policier. Il n'y détecta aucun mouvement où que ce soit.

— Je vais y aller en reconnaissance, décida-t-il. Restez ici.

Il quitta ses amis et demeura près de la végétation en s'approchant de la villa. Il n'y avait aucun véhicule, ni sur la plage, ni dans l'eau. Il ramassa une noix de coco sur le sable pour lui servir d'arme et se faufila sur la terrasse afin de regarder à l'intérieur par la vitre la plus proche. Il n'y avait aucune division entre les pièces. Seules des poutres tenaient le toit en place. Cette grande visibilité lui permit de déterminer qu'il n'y avait personne à l'intérieur.

Il marcha donc le long du mur vitré et contourna la grande piscine en plein air tout au centre de la terrasse, alimentée par les pluies. Il tourna doucement la poignée. Elle était verrouillée. Normalement, Christian n'entrait pas chez les gens sans y être invité, mais leur situation était devenue désespérée. À l'aide de la noix de coco, il fracassa le verre près de la poignée et plongea sa main dans le trou pour faire glisser le verrou. Il poussa la porte et se risqua dans la maison. Il s'immobilisa dans l'espace qui servait de vestibule et tendit l'oreille. Pas un seul son…

Il explora d'abord la partie de droite qui comptait trois grands lits. Les propriétaires ne respectaient-ils pas l'intimité les uns des autres ? Il se dirigea ensuite vers la gauche et trouva un grand salon, une salle à manger et une cuisine avec une vue magnifique sur l'océan. Il passa un doigt sur le comptoir et y laissa une trace dans la poussière. Personne n'avait séjourné à cet endroit depuis longtemps.

Christian sortit sur la terrasse et fit signe à ses camarades de le rejoindre. Au lieu de s'approcher prudemment comme il l'avait fait, ceux-ci piquèrent tout droit à travers la plage. Ils grimpèrent sur la terrasse sans cacher leur étonnement.

— Je jette à l'eau le premier qui me dit que ça ressemble à une soucoupe volante, les avertit l'ancien policier.

— C'est quoi, une soucoupe volante ? demanda Sara-Anne.

— Je vais te l'expliquer plus tard, murmura Alexanne. Pour l'instant, on n'en parle pas, d'accord ?

— Cet endroit n'a pas été visité depuis des semaines, peut-être même des mois, leur apprit Christian. D'ailleurs, il ressemble davantage à un pavillon pour faire la fête plutôt qu'un pied-à-terre pour une famille riche. Vous comprendrez en le visitant.

— Tu es bien certain que ce n'est pas un piège ? s'enquit David, inquiet.

— Plus que certain. Venez.

— Au moins, on y sera à l'abri du soleil, déclara Alexanne en faisant un effort d'optimisme.

— Est-ce qu'on va devoir s'habiller avec des feuilles de palmier et construire nos propres outils ? s'enthousiasma la petite.

— Nous n'en sommes pas encore là, répondit

Christian, amusé. Écoutez-moi bien. Si nous voulons survivre jusqu'à l'arrivée des secours, nous devons travailler en équipe. Les filles, allez voir si vous pouvez trouver de la nourriture où que ce soit. Si c'est vivant, n'y touchez pas.

— Pouah ! s'exclama Alexanne.

— Mieux vaut prévenir que guérir, compris ? Il y a des insectes et de petites bêtes venimeuses sous les Tropiques. Venez me chercher si vous en voyez. N'essayez pas de les capturer ou de les caresser, même si elles sont mignonnes.

— Promis, fit Sara-Anne en acceptant sérieusement cette responsabilité.

— David, essaie de trouver des moyens de communication. La même précaution vaut pour toi.

— C'est sûr, affirma le Français. Et toi, que feras-tu ?

— Je vais me mettre à la recherche d'armes pour nous défendre. Allons-y.

Les filles se dirigèrent immédiatement vers les comptoirs tout blancs qui formaient un demi-cercle près du mur vitré le plus éloigné de l'entrée de la villa. Prenant en considération les conseils de l'ancien policier, elles ouvrirent prudemment chacune des portes et découvrirent des boîtes de conserve, des ustensiles, des assiettes, des verres et même un petit réfrigérateur rempli de bouteilles de soda et de bière.

— Je pense que Christian a raison, fit Alexanne. C'est davantage un pavillon de plaisir qu'une vraie maison. Il n'y a pas beaucoup de variété dans la nourriture que les propriétaires gardent ici, mais au moins, nous pourrons manger.

— Et puis, il y a des fruits dans les arbres, ajouta la petite en regardant dehors… et un homme…

— Quoi ?

Alexanne saisit la main de l'enfant, prête à courir jusqu'à leurs amis, lorsqu'elle reconnut les traits de celui qui venait de sortir de la palmeraie.

— N'aie pas peur, dit-elle à la petite. Je le connais.

— Comment est-ce possible ? Nous ne sommes jamais venus ici auparavant !

— Je l'ai rencontré à l'hôtel.

— Christian a dit de ne faire confiance à personne. Il pourrait bien être un autre Annunaki.

— Je l'ai déjà scruté et je peux t'assurer que non. Tu peux rester ici ou m'accompagner.

— Non, je ne veux pas sortir de la maison.

Sara-Anne traversa la villa en courant pour rejoindre David, tandis que sa grande sœur en sortait pour aller à la rencontre du nouveau venu.

— James ?

— Bonjour, Alexanne.

— Est-ce chez vous ?

— J'aimerais bien dire que c'est mon pied-à-terre dans les Caraïbes, mais non.

— Que faites-vous ici ?

— J'étais à votre recherche.

— Il y a des centaines d'îles dans les Bahamas et vous ne pouvez certainement pas nous avoir suivis, puisque nous sommes arrivés ici d'une façon plutôt inusitée.

— J'ai fait confiance à mon intuition.

Christian sortit de la maison et se hâta jusqu'à Alexanne, craignant qu'elle ne soit en danger. D'un seul coup d'œil, il estima que l'étranger n'était pas armé, mais il portait un sac bien rempli sur son dos...

— Que se passe-t-il ? Qui est-ce ?

— Christian, je te présente James Rancourt. Je l'ai rencontré sur la plage, le jour où j'ai trouvé la sirène. Il m'a vue la sauver.

— Si tu es ici, est-ce que ça signifie que nous sommes revenus sur New Providence ?

— Malheureusement non, le renseigna l'Amérindien. Vous vous trouvez sur une petite île au nord d'Andros.

— Ça ne me dit pas grand-chose.

— J'ai apporté des cartes. Je vous indiquerai notre position.

— Alors, comment as-tu abouti au même endroit que nous ?

— J'ai eu une vision.

« Il en a lui aussi ? » s'étonna Christian. « Combien de médiums y a-t-il sur la Terre ? »

— Je vous ai vus sortir de l'eau et marcher vers une maison toute ronde. J'ai donc fait des recherches sur Internet pour trouver cette maison.

— Où est ton bateau ?

— De l'autre côté de l'île. C'est un petit catamaran qui ne peut supporter que le poids de deux personnes. Il faudra penser à une autre façon de quitter cet endroit.

— Allons poursuivre cette conversation à l'intérieur, décida l'ancien policier, de plus en plus incommodé par le soleil.

Alexanne et James le suivirent dans la maison. David reconnut aussitôt leur invité.

— Le monde est vraiment petit, laissa tomber le Français.

— Heureux de vous revoir, fit poliment le dernier arrivé.

— Est-ce qu'il n'y a que moi qui ne te connais pas ? se plaignit Sara-Anne.

— Je m'appelle James Rancourt.

— Moi, c'est Sara-Anne Wakanda Kalinovsky.

— Alors, nous avons quelque chose en commun.

— Ah oui ? Qu'est-ce que c'est ?

— Notre sang amérindien.

— Génial !

— Vous devez être morts de faim.

— Ça paraît sur nos visages ?

— Je vous ai vus refuser le repas qu'on vous a offert il n'y a pas très longtemps.

— Tu étais sur le bateau, toi aussi ?

— Non.

La petite décocha un regard interrogateur à Christian.

— Si on recommençait au début ? suggéra-t-il.

— Permettez-moi d'abord de faire taire vos estomacs.

James sortit de son sac un pain tranché ainsi que du thon en boîte. Il confectionna des sandwichs pour tout le monde, puis déposa des bananes sur la table en verre. Pendant qu'il les nourrissait, Alexanne en avait profité pour le sonder profondément, mais elle ne trouvait aucune emprise du Mal en lui.

— Merci, James, fit-elle. Ça fait du bien.

— Je vous comprends d'être méfiants envers moi après tout ce que vous venez de traverser.

— Parle-nous de toi et dis-nous pourquoi tu es ici, requit Christian.

— Tout comme vous, je tiens à sauver notre mère la Terre, et cela depuis fort longtemps. J'ai été recruté par un vieux chaman en raison de mes talents particuliers.

— Un vieux chaman ? répéta Sara-Anne, étonnée. J'en ai vu un moi aussi !

— Dans un pictogramme, je sais. Il m'a parlé de vous tous.

— Comment pouvons-nous être certains que c'est le même ? voulut s'assurer David.

— Il m'a dit que vous étiez des alliés des Uru-annas

et que vous aviez même eu le bonheur de les côtoyer.

— Jurez-nous que vous n'êtes pas un Annunaki.

— Je n'ai pas une seule goutte de sang reptilien dans les veines. Au contraire, je suis issu d'un des peuples qu'ils ont asservis avant que les Uru-annas nous délivrent.

— Ils ont oublié bien des choses dans mes cours d'histoire, on dirait, commenta Christian, avec un air découragé. J'étais persuadé que tout avait commencé avec les Égyptiens…

— En effet, il vous manque quelques événements antérieurs, confirma James.

— Quels sont tes talents particuliers ?

— Je reçois des visions depuis mon enfance. C'est d'ailleurs à ce moment-là que j'ai vu le chaman pour la première fois. Il n'a jamais cessé de m'instruire par la suite. Je possède aussi une intuition presque infaillible et je peux projeter mon esprit à l'extérieur de mon corps.

— J'ai de la difficulté à comprendre comment tu fais ça.

— Vous aurez l'occasion de me voir à l'œuvre bientôt.

Sara-Anne, qui avait pratiquement avalé son sandwich tout rond, s'attaqua avec bonheur aux bananes.

— Dans vos visions, nous en tirons-nous indemnes ? s'inquiéta David.

— Elles ne vont pas encore aussi loin, mais je peux vous affirmer que nous réussirons à traverser les épreuves qui nous attendent.

— Les épreuves ? Mais je n'en veux plus du tout.

— Vous allez apprendre, tout comme je l'ai fait, que les Annunakis sont des créatures tenaces.

— Ils nous ont jetés à la mer. Ils doivent sûrement penser que nous sommes morts.

— Croyez-moi, avant de poursuivre leurs funestes entreprises, ils vont vouloir s'en assurer.

— Pourquoi est-il si important pour eux de nous éliminer ? intervint Alexanne.

— La petite aura un rôle important à jouer dans la survie du monde. En ce qui vous concerne, ils ne voulaient pas laisser de témoins du meurtre.

— Donc, tes visions te portent à croire qu'ils nous trouveront ici ? s'enquit Christian.

James se contenta de hocher doucement la tête.

— Y a-t-il des armes dans ton sac à dos ?

— Aucune.

— Dans ce cas, ne restons pas ici, les supplia David.

— Non seulement mon catamaran ne peut pas transporter autant de monde, mais les Annunakis patrouillent dans les parages. Ce n'est pas le bon moment de nous aventurer sur l'eau.

— Qu'allons-nous faire ? demanda Alexanne.

— Leur montrer que leur règne est bel et bien terminé, grommela Christian.

— Nous ne sommes pas tous des policiers comme toi, lui rappela David.

— En effet, Sara-Anne et toi êtes issus d'une race beaucoup plus pacifique, confirma James.

— Pas toi ? fit l'enfant.

— Heureusement pour vous, je suis aussi un guerrier.

— Je ne sais pas me battre, mais il est certain que je défendrai ma vie, affirma Alexanne.

— David et moi, nous trouverons une cachette sûre et nous attendrons la fin des combats pour en sortir, n'est-ce pas, David ? l'implora l'enfant.

— C'est une bonne idée, acquiesça Christian. En combinant nos pouvoirs, nous devrions nous en sortir.

Alexanne, es-tu capable de scruter les alentours comme Alexei sait le faire ?

— Oui, bien sûr, mais apparemment, je ne capte pas les Annunakis et leurs serviteurs. Ce qui me fait penser que je devrais communiquer avec Alex pour lui faire savoir que nous avons été trompés par Boyens, mais que nous nous en sommes tirés indemnes.

— Communiquer ? fit James, intéressé.

— Par la pensée. Moi aussi, j'ai quelques facultés non négligeables.

Son air taquin fit sourire l'Amérindien. Elle croisa ses jambes sous elle pour s'asseoir en tailleur et ferma les yeux. Une fois bien concentrée, elle tenta de contacter son oncle plusieurs fois, en vain.

— Il ne me répond pas… s'alarma-t-elle en ouvrant les yeux.

— Il doit être en train de changer la couche de sa fille, répliqua Christian pour détendre l'atmosphère.

Mais sa plaisanterie ne rassura nullement la fée. Alexei avait toujours répondu à ses appels.

— Quand il saura que nous avons été jetés aux requins et que des sirènes nous ont sauvés, il va penser que nous avons trop pris de soleil, rajouta Sara-Anne, contente de pouvoir faire de l'humour, elle aussi.

— Je ne raconterai jamais ça à Dalpé, murmura Christian, surtout pour lui-même.

Il inspira profondément pour se donner du courage.

— C'est le moment de faire le point. Les filles, à part James, qu'avez-vous trouvé ?

— Des tas de conserves, de la bière et des boissons gazeuses, répondit Alexanne. Le réfrigérateur fonctionne encore.

— Il doit y avoir des panneaux solaires quelque part sur le toit… David ?

— Il y a une radio branchée sur une génératrice, mais elle ne fonctionne pas.

— Je n'ai trouvé aucune arme à feu, ajouta Christian.

— Il y a des couteaux dans un tiroir du comptoir de la cuisine, mentionna Alexanne, mais ils ne sont pas pointus.

— C'est mieux que rien. Maintenant, écoutez-moi bien. Nous ne savons pas quand ces bandits finiront par se rendre compte que nous sommes ici. Ce pourrait fort bien être en pleine nuit. Alors, nous devons répéter nos rôles tandis qu'il fait encore clair. Jusqu'à présent, ça va ?

Ils agréèrent tous d'un mouvement sec de la tête.

— Lorsque je donnerai le signal, il faudra vous activer sans poser de questions.

— Ce sera quoi, le signal ? demanda Sara-Anne.

— Je pense que le mot qui vous fera le plus réagir, ce sera « Annunakis ».

— Ça, c'est sûr !

— Quand je crierai ce mot, David et toi devrez vous rendre en courant et en silence à la cachette que nous allons vous trouver dans quelques minutes. Alexanne, sans vouloir t'offenser, je pense que tu devrais les accompagner. Tu as le pouvoir de détruire les sorciers, mais apparemment pas les extraterrestres. À moins d'avoir appris à te battre au couteau, tu risques surtout d'être blessée.

— Je te promets de prendre des cours d'autodéfense en rentrant à la maison.

— J'ai un très bon professeur à te recommander.

Il se tourna vers James :

— Parmi tes talents particuliers, possèdes-tu celui d'abattre un ennemi armé d'un pistolet sans te faire tuer ?

— Oui, monsieur.

— Excellent. Alexanne, David et Sara-Anne, pendant que nous nous débarrasserons des assassins, vous ne devrez pas prononcer un seul mot.

La petite leva la main comme elle le faisait en classe lorsqu'elle désirait poser une question.

— Je ne voudrais pas que ça se passe comme ça, mais que nous arrivera-t-il si ces bandits réussissent à vous tuer ?

— Ne bougez pas et attendez qu'ils partent. Mais ce n'est pas ce qui arrivera. Je te le promets.

Ils allèrent ensuite explorer la forêt derrière la maison. Ce fut David qui trébucha sur une poignée qui sortait du sol, dans une petite clairière, à environ deux cents mètres de la maison. Il enleva le sable et découvrit une porte en métal.

— Mais qu'est-ce que c'est que ça ?

Jugeant plus prudent de ne pas l'ouvrir seul, il appela ses amis. Christian fut le premier sur les lieux. Il fit reculer David et tira sur la poignée. Il aperçut un grand trou dans le sol, où quelqu'un avait caché une importante quantité de bouteilles d'alcool.

— Hé ! appela-t-il. Venez par ici !

Les autres les rejoignirent.

— Je pense que c'est du rhum, fit David en examinant une bouteille.

— Cet endroit est le refuge idéal, commenta l'Amérindien.

— Transportons tout ça dans la maison pendant que nous sommes encore capables de voir où nous mettons les pieds, les encouragea Christian.

Le groupe fit donc plusieurs allers-retours entre la villa et la cache d'alcool. Il y rapporta ensuite des couvertures, des bouteilles remplies d'eau et une lampe de poche qui fonctionnait encore.

— C'est rassurant de savoir que nous ne serons pas

assis sur le plancher rouillé dans le noir, déclara Sara-Anne en raccompagnant ses amis à la maison.

— Si je sonne l'alarme, tu dois tout de suite courir à cette cachette et y rester en silence avec Alexanne et David, lui répéta encore une fois Christian.

— Mais il se peut que ce ne soit pas nécessaire, n'est-ce pas ?

— Nous ne savons pas ce qui va se passer, Sara-Anne, mais nous devons nous préparer à tous les scénarios possibles.

— Est-ce qu'on peut faire la même chose dans n'importe quelle situation de la vie ?

— J'allais justement en parler. Ce n'est jamais une mauvaise chose d'être toujours prêts à tout.

La petite ne garda le silence que quelques secondes.

— Qui préparera le souper, ce soir ?

— Ce sera moi, décida Alexanne.

La fée réussit à allumer un des ronds de la cuisinière au gaz propane et fit chauffer des haricots noirs. Après le repas, puisque le soleil avait déjà presque disparu, les filles partagèrent un des grands lits, tandis que David s'allongeait sur le deuxième. Christian offrit le troisième à l'Amérindien pendant qu'il prenait le premier tour de garde. Il décapsula une bière et sortit de la villa. Puisqu'il n'y avait aucune source lumineuse ni dans la maison, ni sur l'île, pour la première fois de sa vie il contempla les milliers d'étoiles qui s'allumaient dans le ciel.

« C'est sans doute ce que voyaient les premiers habitants de la Terre avant qu'ils commencent à inventer des tonnes de machines qui font de la lumière et du bruit », songea-t-il. Cet endroit était si tranquille qu'aucune embarcation ne pouvait s'en approcher sans qu'il puisse l'entendre. Allongé sur une chaise longue, sur la terrasse, Christian se surprit à penser que s'il n'y avait pas eu la terrible menace des Annunakis, il aurait acheté l'île et la maison pour y passer le reste de ses jours.

Au milieu de la nuit, James vint s'asseoir près de lui.

— Tout va bien ?

— C'est si silencieux que j'ai eu de la difficulté à rester éveillé.

— Vraiment ? Moi, j'entends les cliquetis des chauves-souris, les bourdonnements des insectes et le clapotis des vagues contre la structure en béton sur laquelle repose la villa.

— C'est sans doute parce que j'ai passé toute ma vie dans la grande ville que je n'entends plus les sons subtils.

— Vous pouvez aller dormir.

— J'irai me coucher dans quelques minutes. J'aimerais en savoir plus à ton sujet.

— Tout comme moi, d'ailleurs, avoua James.

— Quel âge as-tu ? Es-tu Canadien ? Américain ? Sumérien ?

Le jeune homme éclata de rire.

— Les Annunakis n'ont pas soumis que les peuples de la Mésopotamie, malheureusement. Ils avaient les moyens de se déplacer partout sur la planète. Je suis né dans une réserve amérindienne de l'Ontario où j'habiterais sans doute encore si le chaman ne m'était pas apparu quand j'étais enfant pour me guider. J'aurai bientôt vingt-sept ans.

— Tu ne parais pourtant pas plus vieux qu'Alexanne. Que fais-tu dans la vie ?

— J'ai étudié l'anthropologie à Toronto. Toutes sortes de miracles ont commencé à se produire dans ma vie. J'ai décroché un poste de professeur après mon dernier examen, sans même avoir postulé pour cet emploi, puis je me suis mis à recevoir toutes sortes de subventions pour aller étudier les caractères anatomiques et biologiques de l'homme partout dans le monde. Il est alors devenu évident pour moi que cette main invisible qui faisait disparaître les obstacles sur ma route voulait que je travaille pour elle, alors j'ai cessé de résister.

— L'enseignement n'est donc qu'une couverture ?

— Oui, en quelque sorte, car je n'ai plus vraiment le temps de donner des cours. Toutefois, j'adore la recherche, même si l'étude des extraterrestres est un terrain glissant et dangereux.

— Ton chaman t'a demandé de les espionner ?

— Je dois trouver une façon de les empêcher de nous déloger de notre monde. Alors, notre rencontre n'est certainement pas fortuite.

— Tu agis seul ?

— Pour le moment. C'est une vie solitaire, mais j'ose croire que mon sacrifice ne sera pas vain.

Avant de lui parler de la loge, Christian lui raconta sa vie et ce qui lui était arrivé après qu'il eut rencontré les Kalinovsky.

— Un sorcier ? s'enthousiasma James. Un vrai ?

Christian tendit la main et fit voler le bouchon de sa bière jusqu'à sa paume.

— Waouh !

— Ce n'est pas très utile, car en situation de crise, j'oublie que j'ai de tels pouvoirs. Ce sont toujours mes réflexes de policier qui l'emportent.

— Jusqu'à présent, ils vous ont bien servi. Puis-je vous demander à mon tour si vous agissez seul ?

— Non. Je fais partie d'un groupe qui met tout en œuvre pour que notre planète devienne un lieu où nous pourrons enfin vivre dans la paix, la joie et la sérénité.

— Une société secrète ?

— Nous n'en sommes pas encore là, mais nous préférons ne pas révéler ce que nous faisons au grand public.

— C'est mieux ainsi, car l'ennemi est sournois. Faites attention.

Mort de fatigue, Christian décida d'aller se coucher. Il ne savait pas s'il pouvait faire confiance à cet étranger qui venait juste d'arriver dans leur vie, mais si Alexanne n'avait pas senti de méchanceté en lui, il s'en remettrait au jugement de la jeune fée.

Chapitre 17

Guides inattendus

En attendant des nouvelles de leurs amis québécois, les archéologues poursuivaient leurs fouilles du fond marin afin de ne pas jeter par les fenêtres l'argent qui leur avait été alloué pour les recherches. Si quelques immeubles atlantes avaient miraculeusement échappé à la destruction de l'éruption volcanique, douze mille ans plus tôt, ils ne recelaient cependant aucun artéfact. Vicky et Étienne refusaient de se décourager et continuaient d'explorer les structures. Elles contenaient d'énormes statues et de larges vasques que les étudiants ne pouvaient pas déplacer. Alors, ils les photographiaient sous tous les angles, au cas où se produirait un nouveau séisme qui les engloutirait à tout jamais.

Selon Roger, la raison pour laquelle les jeunes ne tombaient sur aucun article de la vie de tous les jours, c'était parce que ces bâtiments étaient sans doute des temples et que les prêtres avaient emporté tous les objets précieux dès la première des secousses qui avaient détruit leur monde.

— Je suis du même avis, lui fit savoir Étienne. Si nous les avons trouvés en premier, c'est que dans la plupart des anciennes civilisations, les édifices religieux et les palais étaient toujours construits dans les hauteurs.

— Ce qui signifie que les maisons du peuple sont toujours ensevelies, comprit Vicky. Mais où est donc le palais ?

— Selon Platon, l'Atlantide était une immense île et nous n'avons exploré qu'un seul kilomètre carré de sa surface.

— Nous devons nous dépêcher avant que cette découverte soit imputée à un équipage de pêcheurs qui passait dans le coin, insista Étienne.

— Jetons d'abord un coup d'œil à la disposition des temples, suggéra Roger. Peut-être nous pointeront-ils dans la bonne direction ?

— Excellente idée ! s'égaya Vicky.

Ils se rendirent au laboratoire où le professeur déroula la carte qu'ils avaient commencé à dresser dès leurs premières plongées. Étienne y ajouta les immeubles qui venaient de faire surface.

— Il y a six temples dans le même quartier ? s'étonna Vicky.

— Peut-être qu'il y avait plusieurs cultes chez les Atlantes ? suggéra Étienne.

— Ou une seule religion qui recevait les fidèles dans des bâtiments différents selon leur provenance sociale, ajouta Roger.

— De la ségrégation ? s'étonna Étienne.

— Ce n'est pas impossible. Nous ne savons presque rien de cette société.

— Et si nous ne recueillons pas bientôt des artéfacts qui pourraient nous éclairer à son sujet, elle demeurera un mystère jusqu'à la fin des temps, soupira Vicky.

Les archéologues étudièrent la carte en silence pendant un petit moment.

— Les temples, tous construits sur une colline, semblent former un cercle, mais en réalité, on dirait plutôt un hexagone, laissa tomber Étienne.

— Et le plus grand fait face à l'est, remarqua Vicky.

— Dans bien des civilisations, les temples les plus importants étaient situés à l'opposé du palais, leurs constructeurs ayant voulu créer un effet miroir.

— Nous devrions donc aller chercher par là, fit

Vicky en mettant le doigt au hasard à l'est de leur position.

— Mais avant de partir, j'aimerais plonger ici une dernière fois, insista Étienne. Il y a un bâtiment dans lequel nous ne sommes pas encore entrés.

— Entendu, mais n'y passez pas plus de deux heures, cette fois, les avertit le professeur.

Les jeunes se préparèrent en vitesse et retournèrent à l'eau. Son harpon à la main et sa caméra autour du cou, Vicky suivit son compagnon en surveillant les alentours. Le dernier temple était le plus petit des six, mais ils voulaient quand même y jeter un œil. Ils allaient en atteindre la porte lorsque la jeune femme aperçut un banc de gros poissons qui approchaient du sud-est. Elle tapota aussitôt le bras d'Étienne et pointa en direction du danger. Immobiles, les plongeurs étaient incapables de déterminer s'il s'agissait de requins, de thons ou de dauphins.

Quelle ne fut pas leur surprise de voir foncer sur eux une vingtaine de sirènes ! Au lieu de fuir en apercevant les humains, elles se mirent à nager autour d'eux. Elles n'étaient pas armées, mais elles avaient certainement la force de s'emparer d'eux, de leur arracher leurs appareils de respiration et de les entraîner vers le fond pour les noyer. Vicky et Étienne échangèrent un regard effrayé. Ils ne comprenaient tout simplement pas ce qu'elles voulaient.

Soudain, l'une des sirènes saisit le bras de la jeune femme et voulut l'emmener avec elle. Vicky résista et pointa plutôt vers le haut. La créature poussa un cri aigu et toutes ses compagnes nagèrent vers la surface en accompagnant les étudiants. Lorsque toutes ces têtes émergèrent des flots, Roger sursauta.

— Mais qu'est-ce que c'est que ça ?

— Elles essaient de nous dire je ne sais quoi ! s'exclama Vicky, excitée.

— Moi aussi, j'ai quelque chose à vous apprendre ! Je viens de constater sur le radar qu'une de nos attaches n'a pas suivi les trois autres, qui sont maintenant au nord de notre position !

— L'affolement des sirènes pourrait-il être relié à cet indice de la part d'Alexanne ?

— Il n'y a qu'une façon de le savoir. Remontez à bord. Nous allons voir où elles veulent nous mener.

Les étudiants obéirent à Roger, mais avant de talonner Étienne, Vicky utilisa ses mains pour tenter de faire comprendre aux créatures marines de prendre les devants. Pendant ce temps, Roger s'était rendu jusqu'au poste de pilotage pour informer le capitaine de la situation.

— Je ne l'aurais jamais cru si je ne l'avais pas vu de mes propres yeux ! s'exclama Hamilton.

— Et le petit film de notre ami David, alors ?

— Il aurait pu le truquer. Les jeunes sont si habiles avec des ordinateurs de nos jours.

— Nous aimerions les suivre.

— Ne savez-vous pas ce qui est arrivé à Ulysse et ses compagnons ? répliqua le capitaine avec son humour britannique.

— Nos amis ont besoin de nous.

— Si vous avez aussi l'intention de me demander d'utiliser mon bateau pour nous attaquer à l'île flottante du multimilliardaire, puis-je vous rappeler que nous ne sommes pas de taille ?

— Je suis plutôt d'avis que cet homme les a jetés à l'eau pour se débarrasser d'eux. Je vous en prie, remontez l'ancre. Le temps presse.

— D'accord. Allons voir ce qu'elles veulent, mais si

je sens que nous nous mettons en danger, je ferai tout de suite demi-tour et je lancerai un S.O.S.

— C'est une excellente idée.

Dès que le navire fut libéré du fond, les sirènes filèrent devant sa proue à la manière des dauphins.

— Personne ne voudra croire tout ce qui m'est arrivé depuis que je vous ai laissés monter à bord.

— Rappelez-vous que vous ne pouvez rien révéler à qui que ce soit, monsieur Hamilton, lui dit Roger. C'est clairement stipulé dans votre contrat.

— Comment expliquerez-vous à votre université que le *Redemption* a été coulé par des sirènes, alors ?

— Mais où est donc passé votre sens de l'aventure ?

Au bout d'une heure, Roger aperçut quelque chose au loin. Il s'empara des jumelles et distingua la maison blanche circulaire à moitié sur la plage.

— On dirait qu'elles nous mènent à cette petite île, fit-il à l'intention du capitaine.

— C'est une des nombreuses propriétés qui appartiennent à des gens très riches, ce qui n'est guère rassurant. Je vais devoir ralentir, car je n'aurai bientôt plus suffisamment de profondeur pour continuer. Si vous voulez débarquer, ce sera dans l'un des zodiacs. À moins que vous ne préfériez nager, bien sûr.

Le professeur continua de scruter attentivement les lieux. C'est alors qu'il vit un homme sortir de la maison et s'avancer sur la terrasse arrondie en faisant de grands gestes avec ses bras.

— C'est monsieur Pelletier, le reconnut-il.

— Est-il en mauvaise posture ?

— Je ne crois pas, mais je ne vois pas les autres.

— Je vais jeter l'ancre ici.

Le professeur s'empressa de rejoindre ses étudiants. Ayant déjà anticipé la manœuvre, ils étaient en train de détacher un zodiac sur le gaillard d'avant. Se servant du système de poulie, ils mirent la petite embarcation à l'eau et utilisèrent l'échelle en corde pour y descendre. Étienne n'eut jamais le temps de faire démarrer le moteur. Trois sirènes s'installèrent derrière le bateau pneumatique et le poussèrent en direction de la plage. Ses passagers s'empressèrent de s'accrocher aux poignées en caoutchouc pour ne pas tomber par-dessus bord.

Lorsque la coque s'enfonça dans le sable, Étienne sauta dans l'eau et tira le zodiac jusqu'à la terrasse. Roger alla au-devant de Christian en compagnie du jeune homme, pendant que Vicky remerciait ses nouvelles amies écaillées.

— Comment vous êtes-vous retrouvés ici ? demanda le professeur. Êtes-vous prisonniers ? Avez-vous été abandonnés sur cette île ? Où est le type riche qui vous avait donné rendez-vous ?

— C'est une longue histoire, soupira Christian. Venez, nous allons vous raconter tout ça.

Heureux de revoir David, Alexanne et Sara-Anne, les étudiants les étreignirent avec affection et tendirent plutôt une main prudente à James.

— Son rôle dans cette histoire est difficile à expliquer, fit Christian, mais sachez que c'est un allié.

Ils s'installèrent en rond sur les chaises de la terrasse et l'ancien policier offrit des rafraîchissements à tout le monde.

— Nous sommes vraiment soulagés de vous voir en vie, déclara Étienne.

— Surtout qu'on a bien failli être mangés par des requins ! s'exclama Sara-Anne.

— Quand Boyens n'a pas réussi à nous empoisonner, ajouta Alexanne.

Les archéologues écarquillèrent les yeux, incrédules.

— Êtes-vous en train de vous moquer de nous ? tenta Vicky.

— Pas du tout, affirma très sérieusement David.

— Quand il a compris que la petite n'était plus habitée par l'entité qui a transmis le message sur la vidéo, il s'est arrangé pour se débarrasser de nous, expliqua Christian.

— Vous avez nagé jusqu'à cette maison, poursuivis par des requins ? fit Vicky, effrayée.

— Les sirènes nous ont attrapés et nous ont ramenés sur une plage, non loin d'ici, précisa Alexanne. Nous leur devons la vie.

— Elles sont également venues nous avertir que vous aviez besoin de nous, les informa Étienne.

— Et James, dans tout ça ? s'enquit le professeur.

— Nous nous sommes croisés à l'hôtel, lui apprit la fée.

— Mais ce n'était pas une coïncidence, souligna l'Amérindien. On m'a demandé de garder un œil discret sur Sara-Anne et ses amis. Le tsunami les ayant empêchés de rentrer au port, j'ai attendu d'avoir la permission de quitter Paradise Island et je me suis mis à leur recherche. Mon intuition m'a mené jusqu'ici.

Le regard méfiant de Roger n'échappa pas à Christian.

— Nous avons pensé nous aussi qu'il travaillait pour Boyens, lui dit-il, mais Alexanne affirme qu'il est dans notre camp. Et croyez-moi, en ce moment, nous avons besoin de tout le soutien que nous pouvons trouver.

— Nous pourrions vous ramener aujourd'hui à Nassau, mais je crains que ce soit une très mauvaise idée, soupira le professeur. Vous devriez rester ici quelques jours pour que le multimilliardaire croie que vous êtes vraiment morts. Il a sans doute des espions à l'hôtel qui guettent votre retour.

— Mais comment saurons-nous où est rendu cet Annunaki de malheur ? demanda David.

— Grâce à ma petite culotte, indiqua Alexanne avec un sourire moqueur. Je l'ai laissée dans la salle de bain près du bar. Mon attache de géolocalisation y était encore accrochée.

— Tu es vraiment intelligente, toi ! la félicita Sara-Anne.

— Dans ce cas, nous pourrons vous prévenir si son bateau s'approche de la villa, tenta de les rassurer Étienne.

— Il ne faudrait pas qu'ils les trouvent ici, par contre, fit Vicky, et ils ne peuvent aller nulle part.

— Ce serait également trop dangereux de vous cacher à bord du *Redemption*, ajouta Roger. Il pourrait être arraisonné par les hommes de main de votre ennemi.

— Nous allons les laisser sans défense sur cette île pendant que nous allons continuer à plonger ? se désola Vicky.

— Nous avons un plan ! affirma Sara-Anne.

— Comment pourriez-vous survivre à une attaque de la part de ces bandits ? s'étonna Étienne.

— De notre mieux, soupira Christian. Votre professeur a raison : notre meilleure chance de nous en sortir, c'est de rester ici et d'attendre que Boyens s'éloigne.

David pencha tristement la tête, mais l'ancien policier jugea que ce n'était pas le moment de lui demander de se vider le cœur.

— J'ai apporté nos plus récentes photos ! s'exclama Vicky pour changer le sujet.

Elle sortit un sac de plastique étanche de son sac à dos et fit circuler parmi ses amis les clichés des temples, tant à l'extérieur qu'à l'intérieur. Le sourire admiratif de James, lorsqu'ils arrivèrent dans ses mains, ne lui échappa pas.

— C'est vraiment magnifique, murmura-t-il.

— On dirait que ça vous touche plus profondément que les autres, fit Vicky en s'assoyant près de lui.

— Je suis un descendant des gens qui vivaient ici, il y a des milliers d'années.

— Comment pouvez-vous en être certain ? Les arbres généalogiques ne remontent sûrement pas jusque-là.

— Me croiriez-vous si je vous disais que je tiens cette information d'un vieux chaman ?

— Après tout ce que j'ai entendu ces derniers jours, je pense que oui.

Des cris aigus en provenance de la mer les firent sursauter. En moins de deux, Christian s'était levé. Par réflexe, il avait mis la main là où il avait porté son Glock pendant des années, mais il n'y était plus.

Ils aperçurent les sirènes qui leur faisaient signe d'approcher avec leurs mains palmées. Trop jeune pour être vraiment consciente du danger, Sara-Anne fut la première à se précipiter sur la plage et à entrer dans l'eau.

— Que se passe-t-il, belles sirènes ?

Elle vit flotter leurs valises, récupérées par les créatures marines, après que Boyens les eut fait jeter à la mer.

— Ce sont nos affaires ! s'écria-t-elle, folle de joie.

— Qu'il va falloir faire sécher, ajouta David en arrivant derrière elle.

Il donna un coup de main à l'enfant, car les bagages gorgés d'eau pesaient des tonnes. James, Étienne et Christian aidèrent le Français à les transporter jusqu'à la terrasse où ils se mirent à tordre leurs vêtements.

Demeurée dans l'eau avec les sirènes, Alexanne ne cessait de s'émerveiller devant leurs traits profilés par des milliers d'années d'évolution. Si, comme Darwin le prétendait, l'homme était sorti de l'eau pour devenir un mammifère, apparemment d'autres créatures amphibies avaient décidé d'y rester.

— J'aimerais tellement que ma tante puisse vous voir… murmura-t-elle. Elle serait tout aussi fascinée que moi.

Alexanne crut voir apparaître un sourire sur le visage de la créature qui se tenait directement devant elle. Avec l'agilité d'un dauphin, elle fit un saut par-derrière et plongea dans la mer. Sur la terrasse, Étienne avait capté toute la scène en photos avec son zoom.

— Si seulement nous pouvions mieux vous comprendre, je suis certaine que votre version de l'histoire du monde est bien différente de la nôtre, soupira Alexanne.

Les autres femmes-poissons se mirent à échanger des cliquetis entre elles.

— Dites-moi que ce n'est pas une mauvaise nouvelle, s'alarma la fée en regardant au loin.

Le navire de Boyens était si gros qu'il aurait été facile à repérer même s'il s'était trouvé à des kilomètres de l'île. Il n'y avait pourtant rien à l'horizon.

En faisant de gros efforts pour calmer ses appréhensions, la fée resta assise dans l'eau, à attendre la suite des événements. Quelques minutes plus tard, la sirène refit surface devant elle et lui tendit un objet qui ressemblait à un grand chandelier à plusieurs branches recouvert de petits coquillages.

— Vicky ! Étienne ! appela Alexanne. Venez voir !

Les étudiants se précipitèrent sur la plage et marchèrent jusqu'à elle.

— Mais est-ce que c'est... s'engoua le jeune homme.

— Un candélabre ? s'enthousiasma sa camarade. D'où vient-il ?

La sirène pointa le large.

— Elle n'a mis que dix minutes, expliqua Alexanne, alors ça ne doit pas être très loin.

— Il faut aller chercher notre équipement ! insista Vicky.

À l'aide de ses mains, Alexanne pointa le bateau ancré plus loin, puis forma un masque devant son visage. La sirène hocha doucement la tête pour dire qu'elle comprenait.

— Je veux y aller aussi, fit-elle ensuite aux étudiants.

— Nous devons d'abord avertir le professeur, leur rappela Étienne. Attendez-moi ici.

Il emporta le chandelier avec lui pour le lui montrer et lui dire qu'ils voulaient suivre les créatures qui l'avaient trouvé.

— Allez-y et soyez prudents.

— Alexanne aimerait nous accompagner.

— Sait-elle plonger ?

— Je n'en sais rien, mais avec toutes ces sirènes qui nous tournent autour, je vois mal comment elle pourrait se retrouver en fâcheuse position.

— Moi aussi je peux y aller ? implora Sara-Anne.

— Pas cette fois-ci, coccinelle, décida Christian. J'ai besoin que tu m'aides à suspendre les vêtements partout.

— La prochaine fois, je pourrai ?

— Oui et j'irai même avec toi.

Elle poussa un cri de joie et retourna tordre son ourson de peluche. Laissant l'artéfact sous la garde du professeur, Étienne retourna dans l'eau. Les trois jeunes furent aussitôt remorqués jusqu'au *Redemption* par les sirènes qui faisaient bien attention de leur tenir la tête hors de l'eau.

Ils grimpèrent sur le bateau et, pendant qu'ils enfilaient les combinaisons, racontèrent au capitaine ce qui s'était passé après qu'il ait eu laissé ses passagers sur le *Inanna II*. Une fois leurs bombonnes bien attachées, ils se laissèrent retomber sur le dos et furent aussitôt entourés de sirènes.

— Que découvrirons-nous ensuite ? murmura Hamilton, impressionné. Le kraken ?

Au lieu de prendre des harpons, Étienne et Vicky apportèrent des ballons de positionnement, car ils ne savaient pas où les emmèneraient leurs nouvelles amies. Après un cours éclair à Alexanne qui avait déjà fait de l'apnée quand elle était enfant, mais qui n'avait jamais utilisé de bombonne, Vicky signala aux sirènes qu'ils étaient prêts. Ils furent saisis par les bras et traînés au large sur une distance d'environ deux kilomètres, puis relâchés. Les femmes-poissons plongèrent toutes en même temps, indiquant aux humains que c'était à cet endroit qu'ils découvriraient des choses intéressantes.

Contrairement aux temples, le palais, qui s'était trouvé trop loin de l'épicentre du séisme, n'avait pas été complètement délivré de sa prison de sédiments. Il ne s'était élevé qu'à moitié, mais on pouvait déjà voir que c'était un immense bâtiment. Ils en firent lentement le tour en prenant des photos. Certaines d'entre elles ne seraient jamais livrées à l'université puisqu'il y apparaissait parfois une sirène ou deux. Lorsqu'ils arrivèrent au portique, ils constatèrent que pour y entrer, il n'y avait qu'un petit trou. Puisque leur corps était svelte et allongé, les femmes-poissons n'avaient aucun mal à y pénétrer, mais les humains, surtout encombrés par les bombonnes sur leur dos ne pouvaient pas les suivre.

Étienne laissa partir un des ballons pour indiquer l'endroit où il leur faudrait revenir avec le bateau pendant que Vicky et Alexanne continuaient d'admirer la structure géante. Une sirène revint alors avec des bracelets en or qu'elle offrit aux deux plongeuses. Avec ses bras, elle leur fit comprendre que les trésors qui se trouvaient à l'intérieur étaient trop gros pour être retirés du palais dans l'étroite ouverture.

Vicky s'approcha et tenta d'arracher la couche de sédiments pour agrandir l'entrée, mais ils s'avérèrent plus coriaces qu'ils en avaient l'air. « On ne va pas attendre le prochain tremblement de terre pour aller voir ce qu'il y a là-dedans ? » se découragea-t-elle. Elle se tourna vers les créatures marines et balaya devant elle avec son bras pour leur demander s'il y avait d'autres sites dans les environs. Elles les entraînèrent alors un peu plus loin pour leur montrer un mur qui descendait vers les profondeurs. Vicky leur fit signe qu'elle ne pourrait pas les suivre dans cette fosse abyssale en mettant la main sur ses poumons et en mimant la détresse. « Mais notre petit sous-marin pourrait sans doute s'y aventurer », se dit-elle.

Les plongeurs entendirent alors un étrange son qui ressemblait à une seule longue note du chant des baleines. Les sirènes y réagirent immédiatement en agrippant les bras des humains et en les ramenant vers le bateau, où elles les abandonnèrent sans aucune explication.

— Est-ce le cri d'un prédateur ? demanda Alexanne en enlevant son masque.

— Je suggère que nous en débattions à bord, fit Étienne, inquiet.

Ils grimpèrent dans le *Redemption* et se défirent de leur équipement.

— Ce peut aussi être le signal de leur colonie leur indiquant qu'elles doivent rentrer à la maison, avança Vicky.

— Elles ont semblé effrayées, leur fit remarquer Alexanne.

— Étant donné que nous ignorions qu'il existait des sirènes, imaginez ce qui pourrait également se trouver dans les profondeurs, commenta Étienne.

— Quelque chose que nous n'avons pas envie de rencontrer ? le taquina sa compagne.

— Heureusement qu'il y a deux zodiacs sur ce bateau, parce que notre transport s'est évanoui.

Ils offrirent au capitaine de les accompagner sur l'île, mais Hamilton refusa de quitter son navire. Il leur souhaita une bonne soirée et leur promit de donner trois coups de sirène si jamais il voyait approcher le *Inanna II* sur son radar.

Les jeunes retournèrent donc à la villa dans le second bateau pneumatique. Christian alla à leur rencontre et leur suggéra de traîner les deux embarcations plus loin sur le sable, derrière les palmiers pour qu'elles ne soient pas visibles de loin. En s'y mettant tous ensemble, l'opération ne dura que quelques minutes.

— C'est James qui prépare le repas, ce soir, annonça l'ancien policier. J'espère que vous aimez le thon.

— C'est une excellente source de protéines, répliqua Étienne. Il contient des acides aminés essentiels au maintien d'une bonne santé.

Ils le suivirent jusqu'à la terrasse, où le professeur était en train d'aider l'Amérindien à confectionner les sandwiches. Assis en rond, ils mangèrent ensemble, en refusant de discuter des dangers qui les guettaient.

— Où coucherez-vous, cette nuit ? leur demanda Christian.

— Nous retournerons sur le bateau, décida Roger. Ce sera plus prudent.

La conversation devint alors plus légère, tandis que les étudiants retraçaient les principales étapes de leur parcours qui les avaient menés jusqu'au professeur.

Chapitre 18

Découvertes

La nuit fut aussi calme que la précédente. Encore une fois, Christian et James se partagèrent le guet. L'Amérindien suivait la course des étoiles dans le ciel lorsque, un peu avant le lever du soleil, Alexanne le rejoignit sur la terrasse.

— Vous n'avez plus sommeil ? se désola-t-il.

— Il m'est arrivé tellement de choses ces derniers jours, bonnes et moins bonnes, que mon cerveau refuse d'arrêter de tourner. Je me pose des milliers de questions sur l'univers et je ne sais pas où trouver les réponses.

— Des milliers ? fit moqueusement James. Heureusement que vous êtes encore jeune. Vous aurez le temps de découvrir ce que vous cherchez.

— Je n'ai pas de chaman qui m'éclaire sur tout, moi.

— Contrairement à ce que vous croyez, ces précieux guides ne sont pas très bavards. Ils ne nous disent que ce que nous avons besoin d'entendre.

— Ce qu'il avait à vous dire était suffisamment convaincant pour vous arracher à votre vie de professeur et vous pousser à l'aventure autour du monde.

— Nous avons tous notre libre arbitre, Alexanne. J'aurais aussi pu refuser de faire ma part pour sauver la planète. La seule chose que je pourrais lui reprocher, c'est de me donner l'information au compte-gouttes.

— Ce doit être frustrant, en effet.

— Il ne faut jamais perdre de vue que chacun de nos gestes a une incidence sur la tournure des événements.

Lorsque nous décidons de ne rien faire, ce qui devait se produire pour améliorer les choses risque de ne jamais arriver.

— L'effet domino…

— C'est exact. Alors, même si parfois ce qu'il me suggère de faire me crée un peu d'inconfort, je me rappelle que ma contribution, aussi petite soit-elle, aura un impact sur l'évolution de la planète. Les fées ne pensent-elles pas également de cette façon ?

— Les plus âgées, sans doute, car elles ont une plus grande expérience de la vie, mais personnellement, j'ai surtout passé les dernières années à parfaire mes pouvoirs. J'imagine que lorsque je les maîtriserai enfin, je pourrai moi aussi faire ma part.

— À mon avis, vous le faites déjà sans vous en rendre compte.

— C'est gentil de me remonter le moral comme ça.

— Dites-moi, que font les fées ?

— Votre chaman ne vous en a jamais parlé ? le taquina Alexanne.

— Pas un seul mot. J'ignorais même leur existence.

— Les fées sont surtout des guérisseuses. Il y en a dans tous les pays. Celles de ma famille ont mis leurs fascinantes facultés au service des gens en Russie. Toutefois, depuis le début de ce siècle, nos compétences semblent s'être élargies. Nous avons une cousine qui prédit surtout l'avenir et moi, je suis devenue vengeresse, par inadvertance.

— Vengeresse ?

— Une tueuse de sorciers, si vous préférez.

James arqua un sourcil.

— Vous parlez à un chaman qui n'existe pas vraiment et vous refusez de croire aux sorciers ?

— Je sais qu'ils existent et votre ami Christian m'a

convaincu qu'il en était un. Ce qui m'étonne, c'est que vous voyagez ensemble et qu'il est toujours vivant.

— Vous avez raison… murmura Alexanne, qui n'y avait jamais songé.

Christian avait reçu les pouvoirs d'un vil sorcier, alors pourquoi ne s'était-il jamais enflammé en sa présence. De quoi avait-il hérité, au juste ?

— C'est peut-être un bon sorcier ? fit James pour la tirer de sa rêverie.

— Ou tout à fait autre chose…

— Le soleil va bientôt se lever.

En effet, le ciel commençait à pâlir sur leur gauche.

— Pourriez-vous monter la garde pendant que je vais chercher des fruits pour le déjeuner ?

— Oui, bien sûr.

Alexanne le regarda s'éloigner dans la forêt. L'attitude de James n'était pas celle d'un débutant sur le sentier de la connaissance. Il en savait bien plus qu'il ne laissait entendre. Lorsqu'il revint, il faisait beaucoup plus clair. Il avait relevé son t-shirt vers le haut sur son ventre pour en faire un panier de fortune. Il était rempli de bananes, de papayes, de figues sauvages et de fruits d'arbre à pain.

— Vous savez comment préparer tout ça ? s'étonna la fée.

— J'ai appris à me nourrir partout.

— Êtes-vous un homme de cinquante ans qui a l'air d'en avoir vingt ?

Il éclata de rire en déposant son butin sur la table extérieure.

— Tout le monde a la capacité d'apprendre énormément de choses en peu de temps, expliqua-t-il lorsqu'il se fut calmé. J'ai choisi de ne pas gaspiller le mien et d'utiliser toutes les minutes de mon existence à me perfectionner dans le plus de domaines possible. Je dois avouer que ce qu'on m'a enseigné sur la survie me sert vraiment bien.

— En effet.

Il montra à la jeune femme à préparer les fruits sauvages pour qu'ils puissent les manger en toute sécurité. David fut le premier à les rejoindre, puis Sara-Anne arriva avec monsieur Câlin qui avait enfin fini par sécher. Ils se régalèrent volontiers en compagnie d'Alexanne et de James.

— Ce que je donnerais pour un café ! s'exclama Christian en sortant de la maison.

— Nous n'en avons trouvé nulle part, s'excusa la fée.

Il éplucha une banane.

— Des toasts, du bacon et des œufs… continua-t-il de se plaindre.

— Courage, fit la petite. Tout sera bientôt terminé.

— Est-ce que tu as le don de la prémonition ? la taquina Christian.

— Je ne sais pas…

Le bruit d'un moteur fit sursauter l'ancien policier. Il se tourna aussitôt vers l'océan et se détendit en apercevant l'un des zodiacs du *Redemption* qui approchait. Vicky et Étienne en descendirent les premiers et aidèrent Roger à en faire autant. Il transportait une cafetière et deux tasses.

— J'ai vraiment une fée marraine, murmura Christian, stupéfait.

— Puis-je vous offrir une tasse de café, monsieur Pelletier ? fit le professeur en grimpant sur la terrasse.

— Laissez-moi vous aider avec ça, fit-il en se chargeant de la cafetière. Je pleurerais toutes les larmes de mon corps si elle devait vous échapper des mains.

Assis sur une chaise longue, Christian but le café les yeux fermés.

— Quels sont vos plans pour la journée ? s'enquit alors David.

Il n'avait pas fini sa phrase qu'une cacophonie de sifflements s'élevait de l'océan.

— Je pense que les sirènes ont déjà établi votre horaire, fit moqueusement Christian.

— Elles ont sans doute un autre site à nous montrer, se réjouit Étienne.

— Nous avons apporté le nécessaire pour deux autres plongeurs, annonça Vicky. Qui vient avec nous ?

— Moi, c'est certain, répondit Alexanne. Christian ?

— Désolé, mais tant que nous ne serons pas hors de danger, il n'est pas question que je sois ailleurs que sur l'île à surveiller le large.

— Puis-je y aller ? s'enquit James.

— Tu sais plonger, en plus ? le taquina Alexanne.

— Avec et sans équipement.

— Et moi ? s'attrista Sara-Anne qui savait bien qu'ils n'avaient que deux masques.

— Sois patiente, poulette, la réconforta Christian. Ton tour viendra.

— On y va ? s'enthousiasma Vicky.

Les jeunes allèrent chercher leur équipement dans le zodiac et se préparèrent sur la plage.

— Et nous, que ferons-nous, pendant ce temps-là ? soupira Sara-Anne.

— Nous pourrions explorer l'île, suggéra Roger. Il y a peut-être d'autres trésors à découvrir, par ici. On peut faire de l'archéologie autant sur la terre que dans la mer.

— Oh oui !

Les sirènes ramenèrent les plongeurs au palais englouti, avec leurs paniers, cette fois. Étienne vit tout de suite que l'ouverture dans la porte avait été considérablement agrandie. Voyant sa surprise, l'une des créatures marines lui montra le gros coquillage avec lequel elle avait arraché les sédiments. Les jeunes allaient donc pouvoir s'y faufiler, même avec les bombonnes sur le dos. Étienne alluma le projecteur de sa caméra vidéo et y passa le premier.

S'attendant à ce que l'intérieur de l'immeuble soit rempli de débris, il fut agréablement surpris de découvrir que ce n'était pas du tout le cas. Il se retrouva dans un immense vestibule. Trois rangées de colonnes doubles supportaient des voûtes en forme d'arche. Il était impossible de déterminer la profondeur de cette pièce, car la lumière n'éclairait que ce qui l'entourait. Vicky s'arrêta près de lui. Étienne lui pointa son projecteur et lui fit signe qu'il en avait besoin d'un bien plus puissant. Nageant autour d'eux, les sirènes avaient assisté à leur échange. Elles s'empressèrent de sortir du palais pour aller conférer avec leurs congénères.

Vicky allait rebrousser chemin lorsqu'un rayon de soleil traversa le plafond et éclaira une partie du vestibule, une centaine de mètres devant eux. Les yeux écarquillés, les étudiants se demandèrent si la structure n'était pas en train de leur tomber sur la tête. Ils n'eurent pas le temps de rebrousser chemin que d'autres faisceaux lumineux se mirent à apparaître tout partout. « Est-ce que nous avons provoqué une réaction en chaîne en franchissant la porte ? » se demanda Étienne, stupéfait.

Le hall s'éclaira de plus en plus, si bien que le jeune homme put éteindre la lampe de la vidéo. Il commença par contempler la scène irréelle qui se révélait à lui. Les colonnes à la surface lisse assurément d'ordre toscan romain étaient baguées à un mètre du socle et se terminaient par contre par un chapiteau ionique à volutes d'une grande richesse qui rappelaient les vagues lorsqu'elles se jettent sur la plage. Trois par trois, les larges socles qui supportaient deux colonnes chacun étaient rectangulaires et décorés de paysages marins. Étienne en compta une vingtaine de rangées.

Il se mit à filmer en avançant très lentement, tandis que Vicky, Alexanne et James se rapprochaient du plafond pour voir comment il avait soudainement laissé entrer la lumière sans avoir subi de dommage, car aucune pierre n'était tombée sur le plancher. Ils constatèrent alors qu'il était en verre très épais et que de l'autre côté, c'étaient les sirènes qui étaient en train de le nettoyer.

Plus le vestibule s'éclairait, plus il devenait évident que la civilisation atlante avait été parmi les plus prospères de la planète. Il ne s'agissait pas là d'une construction préhistorique, mais d'un palais qui rivalisait avec les plus beaux châteaux de la Renaissance. Le travail de la pierre était exquis et à peine érodé, malgré qu'elle ait passé plus de douze mille ans au fond de l'océan. De chaque côté de la colossale pièce, des colonnes semblables, mais plus petites, soutenaient un grand balcon qui courait jusqu'à l'autre bout du vestibule. Sans doute s'y massait-on lors de l'arrivée de grands personnages au palais. L'espace sous le balcon était également ouvert et faisait penser à un cloître.

Lorsque le jeune homme arriva au bout du hall, il se retrouva devant deux portes cyclopéennes qui partaient du sol et montaient presque jusqu'au plafond. Parce qu'elles avaient été fabriquées avec du bois, elles n'avaient pas résisté à l'usure de l'eau et seuls quelques morceaux pendaient encore sur les charnières. Il entra dans la pièce suivante, où les sirènes commençaient également à faire pénétrer de la lumière. Aussi vaste que le vestibule, elle était plutôt circulaire.

Tout au fond s'élevait ce qui ressemblait à un arbre géant percé à la hauteur du plancher. De chaque côté, une voûte s'ouvrait sur un tunnel qui devait mener aux appartements privés du monarque et de sa famille. Sur le pourtour, à plusieurs mètres au-dessus du sol, étaient percés des balcons dont la balustrade en fer forgé était rouillée et manquante à certains endroits. De chaque côté des balcons, s'élevaient d'imposants porte-flambeaux en pierre qui avaient la forme de dauphins.

Étienne se sentit envahi d'un grand respect mêlé d'admiration tandis qu'il approchait de l'arbre. Il aperçut alors le trône en or qui y était logé. Il avait la forme d'un tridacne flanqué de deux hippocampes. « Un roi s'est assis ici… » songea-t-il.

Les sirènes venant d'arracher une importante couche de sédiments, un large faisceau éclaira le milieu de la salle royale. Le jeune homme tomba en extase en apercevant les motifs que la lumière venait de dévoiler sur le plancher en marbre bleu et blanc. Plusieurs cercles concentriques délimités par ce qui semblait être une bande d'or étaient décorés de symboles qu'il n'avait jamais vus durant ses études. Au-delà de la dernière circonférence, d'autres signes apparaissaient à l'intérieur de larges coquillages. « Je suis un homme béni », se dit l'étudiant, les larmes aux yeux.

Pendant qu'il explorait la salle du trône, Vicky achevait de prendre des photos du vestibule, des colonnes, du travail d'ornementation sur chacune d'entre elles, des voûtes, du balcon et, évidemment, de ses nouveaux amis et des sirènes qui nageaient autour d'elle. Quand elle pénétra finalement dans la pièce suivante, elle éprouva la même révérence qu'Étienne, surtout en apercevant le plancher. Sans perdre une minute, elle se mit à faire des centaines de clichés.

Ce fut toutefois dans l'une des pièces plus petites derrière le trône que les archéologues commencèrent à trouver des artéfacts. Dans ce qui semblait être une cuisine, ils découvrirent des assiettes exquises, des gobelets en or et en argent, des ustensiles en nacre de perle. Vicky les déposa doucement dans sa nacelle et se tourna vers Étienne. Celui-ci tapota la montre de plongée sur son poignet pour lui faire signe qu'il était temps de mettre fin à cette excursion. Elle accepta à regret d'un signe de la tête et alla chercher James et Alexanne.

Suivis des sirènes, ils remontèrent à la surface et enlevèrent leurs embouts pour respirer de l'air frais.

— Waouh ! hurla Étienne. Vous avez vu ça !

— C'est vraiment incroyable, lui fit écho Alexanne.

— C'est certain que le professeur voudra être de la prochaine plongée, déclara Vicky qui avait envie de faire une petite danse de joie.

Elle se tourna vers les sirènes dont les têtes sortaient de l'eau autour d'eux et leur fit signe qu'ils voulaient retourner à l'île. Aussitôt dit, aussitôt fait. Les jeunes gens furent remorqués jusqu'à la villa. Ils déposèrent leur équipement dans le zodiac et sortirent de leurs combinaisons. Pendant que Vicky et Étienne se hâtaient sur la terrasse en tenant chaque côté du panier en corde, Alexanne retourna dans l'eau avec les créatures marines.

— Merci pour toute votre aide, leur dit-elle. Sans vous, nous n'aurions jamais pu faire une aussi importante découverte.

James l'observait de la plage en se demandant jusqu'à quel point les sirènes pouvaient comprendre les humains. Il les vit toutes plonger en même temps et foncer vers le large, à quelques centimètres sous la surface.

Au même moment, Roger venait de retirer du panier un magnifique gobelet gravé de diverses spirales. Il était dans un si grand état de choc, qu'il n'arrivait pas à dire un seul mot.

— Il va sûrement s'évanouir quand il verra nos photos, chuchota Vicky à son compagnon.

— Vous avez gagné le gros lot ? fit Christian en s'approchant d'eux.

— Nous avons bel et bien retrouvé l'Atlantide, affirma Étienne.

— Et elle est encore plus belle que tout ce que nous avons pu imaginer, ajouta Vicky.

— Rapportons ces artéfacts sur le *Redemption*, réussit enfin à articuler Roger.

— Nous allons en profiter pour télécharger les films et les photos dans l'ordinateur.

— Et nous vous rapporterons du spaghetti en boîte pour le souper, promit Étienne.

— Juste comme je commençais à m'habituer au thon, fit mine de se chagriner Christian.

Ils retournèrent au zodiac.

— Où sont David et Sara-Anne ? demanda alors Vicky.

— Ils s'habituent à leur cache, soupira l'ancien policier.

Le groupe s'apprêtait à repousser le bateau pneumatique à l'eau lorsque la vingtaine de sirènes revint en fendant les vagues à la manière des dauphins. Elles s'arrêtèrent en eau profonde et leur présentèrent d'autres objets qu'elles avaient retirés du palais : plateaux en métal précieux, coupes, vases, coffres et deux amphores.

— Mais qu'est-ce que nous avons là ? s'étonna le professeur.

Il marcha prudemment jusqu'aux femmes-poissons, car c'était son premier contact direct avec elles, et accepta le récipient scellé avec beaucoup de reconnaissance.

— C'est lourd…

— Laissez-moi vous aider, offrit Étienne en se chargeant de la deuxième amphore.

— Que pensez-vous y trouver ? demanda Christian, curieux.

— Tout dépend si les sirènes les ont prises dans les cuisines ou dans la bibliothèque, répondit Roger en reculant vers la plage. Nous allons le savoir tout de suite.

Il tenta de dévisser le couvercle de métal rouillé scellé dans la cire, puis finalement demanda aux garçons de lui donner un coup de main. En y mettant toute sa force, James réussit à déboucher la première.

— Elle contient des documents, annonça-t-il.

Roger sortit ses gants de ses poches et les enfila avant de retirer le long morceau de papyrus enroulé sur lui-même.

— Vous avez trouvé quelque chose ? s'exclama Sara-Anne en sortant de la forêt en courant.

Le manuscrit était couvert de petites spirales de toutes les formes.

— On a vu les mêmes symboles sur le plancher de la salle royale, indiqua Étienne.

— C'est de l'éridanais, leur apprit la petite en y jetant un coup d'œil.

— En es-tu certaine ? voulut s'assurer Roger.

— Bien sûr que oui. C'est écrit : « Moi, Édéric, maître du port d'Alt, affirme que ces vaisseaux sont arrivés le huitième jour du mois des moissons. »

— C'est incroyable… Nous allons retourner à bord

pour les photographier, puis nous reviendrons avec les photos pour que tu continues de les traduire, d'accord ?

— David aussi peut vous aider.

Après avoir tout chargé dans les deux zodiacs, les archéologues retournèrent au *Redemption*. Sara-Anne remit son ourson de peluche à David qui venait de les rejoindre et entra dans l'eau pour aller s'asseoir près d'Alexanne.

— Vous ne devez pas faire confiance à tous les hommes, était en train de leur dire la jeune fée. Certains sont très méchants.

— *Nous savons...*

— Tu as entendu ça ? s'étonna la petite.

— Je pense qu'elles commencent à nous faire suffisamment confiance pour s'adresser à nous.

L'une des créatures s'avança vers l'enfant et caressa doucement sa joue.

— *Nous nous rappelons la bonté des enfants des étoiles.*

— Vous connaissez d'autres extraterrestres ?

— *Ils sont venus il y a très longtemps, mais les anciens en parlent encore...*

— Alors, sachez qu'il y en a des gentils, mais aussi des malveillants qui n'hésiteraient pas à vous vendre à des cirques, grommela Alexanne, mécontente.

— *Nous savons faire la différence. Ils ne sont pas pareils en dedans. Le requin du grand bateau est tout noir à l'intérieur. Toi, tu es toute blanche.*

— Comment avez-vous fait pour échapper à tous les touristes, pêcheurs et plongeurs qui pullulent dans la région ? demanda la fée.

— *Nous sommes prudentes et ils nous prennent souvent pour des dauphins. Nous ne nous éloignons jamais trop loin de nos grottes où nous nous réfugions la nuit pour échapper aux prédateurs.*

Toutes les sirènes tournèrent la tête vers le large en

même temps. Pourtant, Alexanne n'avait entendu aucun signal.

— *Nous devons rentrer pour les petits. Nous reviendrons plus tard.*

Elles plongèrent et nagèrent en banc, avant de foncer dans les eaux plus profondes.

— Il est vrai que nous n'avons jamais vu d'enfants parmi elles, raisonna Sara-Anne.

— Elles doivent les confier à des nourrices ou à des gouvernantes parce qu'ils sont trop vulnérables.

— Ce serait amusant qu'elles nous en présentent au moins un avant que nous retournions chez nous.

— Tu es certaine, toi, que nous allons rentrer ?

— Oui. Quelque part au creux de mon cœur, j'en ai la certitude.

— C'est rassurant.

Alexanne lui tendit la main et la ramena à la terrasse. Christian se tenait sur son pourtour, regardant au loin. Pendant que Sara-Anne allait retrouver David à l'ombre, la fée s'approcha de l'ancien policier.

— Les Annunakis ne sont plus très loin, n'est-ce pas ? murmura-t-elle.

— Je ne sais pas comment l'expliquer, mais quand j'ai une crampe au milieu de l'estomac, ce n'est jamais bon signe. Il y a trop d'activité dans les parages. Boyens finira par se douter de quelque chose.

— Je vais aller nous préparer à dîner, décida-t-elle en refusant de céder à la peur. Je meurs de faim après cette plongée.

Christian resta planté à son poste, profondément inquiet.

Chapitre 19

Les croquis

À la fin de la journée, les sirènes rapportèrent d'autres artéfacts sur la plage à l'intention des archéologues. Puisque ceux-ci n'étaient pas encore revenus du bateau, Alexanne et David les rapportèrent sur la terrasse. Pour passer le temps, la fée prit le cahier à spirales que Vicky avait oublié sur la table et se mit à y reproduire un bougeoir en forme d'étoile de mer. James vint s'asseoir près d'elle pour observer son travail.

— Savez-vous dessiner ? lui demanda-t-elle.

— Je n'ai jamais essayé. Je préfère lire et contempler les œuvres des autres qui ont sans doute plus de talent que moi.

— Je ne le faisais pas trop bien au début, mais c'est comme n'importe quoi : quand on s'applique, on finit par obtenir des résultats acceptables.

Elle travailla en silence pendant quelques secondes.

— Vous avez dit à Christian que vous étiez anthropologue, n'est-ce pas ?

— C'est bien ça.

— Vous êtes Amérindien tout comme Sara-Anne, mais pas extraterrestre.

— On ne peut pas avoir toutes les qualités, plaisanta-t-il.

— À votre tour, maintenant. Commençons par ce gobelet tout simple.

Elle lui tendit le cahier et le crayon. James retourna légèrement l'objet afin de mieux l'étudier. Le contact avec l'artéfact déclencha en lui une mystérieuse sensation. Il se sentit s'enfoncer dans le béton de la terrasse, puis dans les entrailles de la Terre, sans être capable d'appeler à l'aide, puis se retrouva dans une grande salle où des centaines de personnes étaient en train de manger. « Mais qu'est-ce que je fais ici ? » s'étonna-t-il.

Si Alexanne n'avait jamais vu Alexei entrer en transe, elle aurait paniqué en voyant James se mettre à dessiner à la vitesse d'un photocopieur sur la page blanche. Tatiana l'avait prévenue de ne jamais toucher à son oncle lorsqu'il utilisait ses pouvoirs. Elle attendit donc qu'il s'arrête de lui-même. L'Amérindien sursauta et respira bruyamment comme s'il venait de sortir la tête de l'eau. Il jeta un œil au cahier.

— C'est moi qui ai fait ça ?

— C'est sûr, parce que je ne suis certainement pas aussi douée, affirma Alexanne.

— Je ne me souviens même pas d'avoir fait bouger le crayon.

— Et pourtant, vous avez exécuté ceci en moins d'une minute.

— C'est impossible…

Il constata que ce qu'il avait dessiné, c'était exactement ce qu'il avait vu quelques secondes auparavant dans sa vision.

— Vous êtes entré en transe tout de suite après avoir touché au gobelet, alors, auriez-vous objection à ce que nous fassions un nouvel essai avec un autre objet ?

— Absolument aucune. Je dois savoir si c'est un talent temporaire ou permanent.

Elle approcha donc de lui le bougeoir dont elle avait commencé à faire le croquis.

— Et c'est parti…

James l'effleura et plongea dans une nouvelle transe qui le transporta dans la chambre à coucher d'une magnifique jeune fille aux longs cheveux noirs. La flamme brillait sur sa commode tandis qu'elle regardait au loin à sa fenêtre. Il revint brutalement sur sa chaise en haletant et regarda ce qu'il avait fait.

— C'est exactement ce que j'ai vu, affirma-t-il.

— Donc, si je comprends bien, vous vous rendez psychiquement à l'endroit où s'est trouvé l'objet pendant que vous le dessinez ?

— Je n'en ai aucune idée.

— Si vous n'êtes pas trop épuisé, j'aimerais poursuivre cette expérience.

— Je vous le ferai savoir quand je n'en pourrai plus.

Parmi les derniers objets qu'avaient apportés les sirènes, elle choisit un peigne en nacre. James prit une profonde inspiration et y toucha. Il se retrouva derrière une femme qui démêlait ses cheveux noirs devant la glace de sa coiffeuse de marbre blanc. Elle lui sembla triste, mais malheureusement, il ne pouvait pas ouvrir la bouche pour la questionner. À son retour dans son corps, non seulement il vit la dame sur le papier, mais il avait également reproduit tout ce qui se trouvait sur le meuble.

— Je pensais que mon oncle était la seule personne au monde qui possédait cet extraordinaire pouvoir, lui dit Alexanne, émerveillée.

— Il fait ça, lui aussi ?

— C'est aussi le seul homme fée de ma famille. Il possède une puissance inépuisable.

— Je vous jure que je ne suis pas une fée, fit moqueusement James.

— Encore un ?

— Je suis plus coriace que j'en ai l'air, mademoiselle.

Elle plaça donc devant lui un vase où étaient sculptés des dauphins jouant dans des vagues. Avec moins d'hésitation que les autres fois, il refit la même chose. Le récipient, rempli de coquillages, se trouvait sur une table en bois, au milieu d'une grande pièce. Tout autour, assises sur des bancs, des femmes discutaient entre elles en petits groupes. Il ne comprenait pas ce qu'elles disaient, mais elles semblaient beaucoup s'amuser.

— Il y a beaucoup de personnages dans celui-ci, entendit-il dire Alexanne en revenant au présent.

— Et je n'ai regardé que d'un côté de la salle…

— Un dernier ?

— D'accord, mais j'aurai certainement besoin de me reposer un peu après, car je sens venir un horrible mal de tête.

Alexanne déposa un tout petit bracelet de pierres précieuses sur sa paume. Il se retrouva dans la chambre toute blanche d'une fillette qui ne devait pas avoir plus de deux ans. Elle était debout dans son lit d'enfant et regardait les joyaux qui brillaient à son poignet. Devant elle se tenait un homme dont les cheveux sombres atteignaient les épaules. Son front était ceint d'un large ruban doré. James revint à lui plus brutalement, cette fois.

— Je pense que vous avez dessiné le roi qui habitait ce palais où nous avons plongé, se réjouit Alexanne.

— Vous aviez raison : ce sera le dernier pour aujourd'hui.

James se leva et tituba vers la maison. Se sentant coupable, Alexanne fit un geste pour se porter à son secours, mais le bruit désormais familier du moteur du zodiac attira son attention vers la mer. Leurs amis archéologues arrivaient. Ils débarquèrent quelques minutes plus tard et grimpèrent sur la terrasse. Étienne transportait un sac rempli de conserves, et Vicky une enveloppe de photos.

— Je n'ai pas tout imprimé, parce que j'aurais manqué de papier, fit-elle en riant. J'ai choisi parmi les meilleures.

— J'ai apporté le souper, tel que promis, enchaîna Étienne. Le bateau de ravitaillement a finalement trouvé le *Redemption*, alors nous ne mourrons pas de faim.

— Et moi, j'ai une surprise pour vous, répliqua Alexanne. Regardez ça.

Le jeune homme déposa son sac et feuilleta le cahier.

— Waouh, quel talent, Alexanne ! s'exclama-t-il.

— Je n'en suis pas l'auteur.

Étienne tendit les dessins au professeur Rochon.

— Celui qui a imaginé ces scénarios n'est peut-être pas si loin de la vérité, après tout, commenta-t-il.

— C'est James. En fait, il a utilisé ses pouvoirs psychiques pour les réaliser.

— Je ne comprends pas...

— Certaines personnes n'ont qu'à toucher à de très vieux objets pour retourner dans le passé, au moment où ils ont été utilisés, et, parfois, ces mêmes personnes sont capables de dessiner ce qu'elles viennent de voir.

— Vraiment ?

— L'oncle d'Alexanne possède aussi ce don, affirma Christian en s'approchant. Je l'ai souvent vu s'en servir depuis que je le connais.

— Où sont les objets qui ont rendu ces illustrations possibles ?

Alexanne les rassembla sur la table.

— D'où viennent-ils ? s'étonna le professeur qui avait pourtant rapporté tous les artéfacts sur le *Redemption* quelques heures plus tôt.

— Les sirènes nous en ont fait cadeau tout à l'heure, répondit Alexanne.

— Où est James ? demanda Vicky.

— Il a ressenti une grande fatigue après avoir fait les esquisses.

Roger alla s'asseoir plus loin pour les regarder encore

une fois. Non seulement il venait de découvrir l'Atlantide, mais il allait également être en mesure de donner un exemple de la vie quotidienne de ses habitants, grâce au talent de James.

— Acceptera-t-il de continuer à dessiner pour nous ? demanda le professeur.

— Vous pourrez le lui demander pendant le repas, suggéra Alexanne.

David alla aider Étienne à faire chauffer le spaghetti en boîte, pendant que Vicky montrait ses photos à Christian. Ce dernier ne cacha pas sa surprise.

— Vous avez réellement vu ceci ? Mais si l'Atlantide a été engloutie il y a douze mille ans à la suite d'une éruption volcanique, comment se fait-il que ce plancher ne soit pas tout brisé ?

— C'est une excellente question, intervint Roger. Sachez d'abord que les architectes de ces anciennes civilisations construisaient des structures mille fois plus résistantes que celles d'aujourd'hui. Si l'île s'est effondrée très rapidement, il est possible que les édifices les plus imposants aient été ensevelis dans la vase d'un seul coup. Privés d'oxygène, tout ce qu'ils contenaient est demeuré pratiquement intact. Ce fut parfois le cas de certaines tombes en Égypte.

— Pourquoi ne contiennent-ils pas de cadavres ?

— La seule explication possible, c'est qu'ils ont fui le palais et les temples.

David les appela alors à table, à l'intérieur de la villa. Ils mangèrent en se racontant encore une fois leurs aventures de la journée. Affamée, Sara-Anne avalait les pâtes en silence. Vicky fit ensuite circuler ses photos, épatant David et la petite.

— Est-ce qu'on pourrait rester ici pour toujours ? demanda alors Sara-Anne.

— J'espère bien que non, rétorqua David. Il y a quelqu'un qui m'attend.

— J'aimerais devenir une sirène.

— Nous avons tous des rêves secrets.

— Quels sont les tiens, David ? demanda Étienne.

— Vivre dans un monde serein et honnête, où tous sont traités de façon équitable. Et toi ?

— Retrouver le continent d'Atlantide en entier, même si je dois y passer toute ma vie.

— Alors, nous désirons la même chose, lui apprit Roger.

— Moi, je voudrais être heureuse dans mon travail, dans ma vie amoureuse et dans mes amitiés, déclara Vicky. Et j'aimerais que nous ne nous perdions pas de vue.

— Pareil pour moi, affirma Alexanne. Christian ?

— La liste est trop longue, mais disons qu'en ce moment, c'est de nous sortir vivants d'ici.

Ils se tournèrent vers James.

— J'ai déjà tout ce que je veux, affirma-t-il.

— Êtes-vous venu jusqu'ici en sachant que vous découvririez l'Atlantide avec nous ? lui demanda Roger.

— Non, monsieur, mais je remercie le ciel de m'avoir fait vivre ce grand moment. Pour que ce soit bien clair, je me suis rendu aux Bahamas parce qu'une force supérieure m'a demandé de le faire. On m'a fait comprendre que des gens spéciaux avaient besoin de moi.

— J'admire votre engagement, jeune homme. Pourrais-je abuser en vous demandant de continuer à dessiner pour nous ?

— Rien ne me ferait plus plaisir.

Sara-Anne dirigea alors un regard interrogateur sur les archéologues.

— Comment avez-vous su que vous trouveriez une ville au fond de l'eau ?

— Grâce aux récits d'un ancien Grec, répondit Roger. Ceux-ci n'ont suscité aucun intérêt de son vivant, mais à partir du Moyen Âge, plusieurs érudits s'y sont intéressés. De nos jours, les chercheurs sont partagés entre deux interprétations de ces textes. Les premiers sont persuadés que ce grand continent a existé et les autres pensent que c'est de la pure fiction.

— Mais vous, vous y croyez.

— Oui, depuis très longtemps. Après avoir lu le *Timée* et le *Critias*, je n'ai eu qu'une seule ambition : prouver que Platon avait dit vrai.

— C'est dans ces livres que vous avez su que l'Atlantide était ici ? s'étonna Sara-Anne.

— En allant au-delà des mots qui y sont écrits, en fait. Platon a dit que cette île se situait au-delà des colonnes d'Hercule. À l'époque, celles-ci s'élevaient au goulet du Gibraltar, donc face à l'océan Atlantique. Si on regarde une carte géographique de la région, il est évident que les centaines d'îles des Bahamas sont des vestiges de l'Atlantide. C'est pour cette raison que nous avons choisi de plonger ici.

— Il y a aussi les lectures du prophète américain Edgar Cayce qui indiquent que cette brillante civilisation avait sombré dans cet océan, ajouta Vicky. Il a même prédit qu'elle ressurgirait un jour des flots.

— Ce qui est arrivé ! constata l'enfant.

— Maintenant, il ne nous reste plus qu'à découvrir de l'orichalque, intervint Étienne.

— Qu'est-ce que c'est ?

— Le métal le plus précieux après l'or, expliqua Roger. Apparemment, l'Atlantide produisait de grandes quantités de cet alliage pour faire des bijoux et des armures de parade.

— On dit même que le plancher et les colonnes de

son plus grand temple en sont recouverts, ajouta Étienne.

— Il n'y en avait pas dans les premiers édifices que nous avons découverts, par contre, leur fit remarquer Vicky.

— Nous n'avons exploré qu'une infime fraction de cette île légendaire, répliqua le professeur.

— À quoi ça ressemble ?

— À du laiton, répondit Étienne.

Sara-Anne n'avait aucune idée de ce que c'était.

— Est-ce que nous finirons tous par nous retrouver au fond de la mer comme les Atlantes ? demanda-t-elle plutôt.

— Si les glaciers continuent à fondre, c'est fort possible, l'informa David. Le niveau des océans va monter et submerger beaucoup de grandes villes et même des pays entiers.

— Les civilisations sont soumises aux mêmes grandes lois de l'univers que les êtres humains, ajouta James. Elles naissent, elles évoluent, puis elles disparaissent. Il y a des milliers d'années, les Atlantes étaient loin de se douter qu'un jour, il ne resterait plus aucune trace d'eux. Ce fut la même chose pour les Égyptiens et toutes les anciennes nations d'Amérique du Sud.

— Je pense que je vais commencer à m'intéresser à l'histoire, déclara Sara-Anne. Et quand j'aurai terminé l'école, je viendrai travailler ici avec vous et les sirènes.

— Tu es déjà embauchée, fit Roger avec un sourire.

Au coucher du soleil, les archéologues retournèrent sur le *Redemption*, où Hamilton continuait de monter la garde. Le professeur alla prendre le thé avec lui, comme il le faisait tous les soirs, pendant que les étudiants photographiaient, cataloguaient et emballaient les nouveaux artéfacts que les créatures marines avaient offerts à Alexanne.

— Quand j'ai accepté de participer à cette folle aventure, jamais je n'ai cru que vous trouveriez quoi que ce soit, avoua le capitaine. Puis, vous avez commencé à remonter des morceaux de poteries. Je me suis dit qu'ils provenaient sûrement des centaines de naufrages qui se sont produits par ici pendant des milliers d'années.

— Vous avez peut-être raison au sujet de ces fragments, concéda Roger, mais nous ne le saurons que lorsque nous les aurons analysés à l'université. Toutefois, ceci achèvera de vous convaincre que nous sommes sur la bonne voie.

Pendant qu'il déposait les tasses sur le tableau de bord, Hamilton regarda les photographies de Vicky.

— C'est incroyable… s'étrangla le navigateur. Et si bien préservé. Vous avez beaucoup de chance que le tremblement de terre et le tsunami aient fait fuir tout le monde, sinon, vous ne pourriez pas plonger à votre guise dans ces eaux qui seraient infestées de touristes et de chercheurs.

— Dès que nous pourrons rentrer à Nassau, je ferai part de ma découverte à l'université pour qu'elle l'enregistre en mon nom et je lui ferai livrer nos premières caisses d'artéfacts. Après, je ne sais pas ce qui se passera, mais je prie le ciel que ces immeubles ne soient pas saccagés.

— Il est assez difficile d'établir un périmètre de sécurité autour d'un site archéologique sous-marin.

— J'en suis bien conscient.

— J'imagine que vous plongerez avec les jeunes, demain.

— Évidemment. Je veux voir toutes ces splendeurs de mes propres yeux.

Derrière les deux hommes, sur la terrasse couverte qui servait d'entrepôt, Étienne et Vicky se dépêchaient de terminer leur travail tandis qu'il faisait encore jour, mais le soleil déclinait rapidement.

— Te rends-tu compte de la veine que nous avons ? lâcha Vicky qui prenait les dernières photos des artéfacts.

— Ça doit faire cent fois que je me pince, avoua le jeune homme en riant. Nous n'avons pas encore obtenu nos diplômes et nous allons déjà passer à l'histoire.

— Mes parents vont être tellement fiers de moi.

— Et les miens, donc ?

— Mais après une découverte d'une telle importance, que nous restera-t-il à accomplir dans la vie ?

— Des choses plus simples, j'imagine.

— Je sais qu'il y a encore beaucoup de sites archéologiques encore enfouis, mais je ne sais pas si j'ai envie d'aller cuire dans le désert ou me faire manger par les moustiques dans la jungle.

— Si nous en avons envie, notre renommée mondiale nous permettra de décrocher un poste dans une université et d'avoir une vie un peu plus normale. Mais personnellement, je pense que je vais repousser cette éventualité jusqu'à ce qu'il n'y ait plus rien à découvrir ici.

— Tu arriverais à vivre aussi longtemps loin de ta famille et de tes amis ? s'étonna Vicky.

— Je leur parlerai souvent sur Internet et je ferai de petits sauts de temps en temps à la maison, mais je suis prêt à tout sacrifier pour ma passion.

— Personnellement, j'adore ce que nous sommes en train de faire, mais je ne sais pas si je pourrai y consacrer des dizaines d'années. Les hommes peuvent faire des bébés jusqu'à leur mort, mais nous, les femmes, nous devons tenir compte de notre horloge biologique.

— Tu n'as qu'à choisir un bel homme-sirène dans la région.

— Ce que tu peux être idiot, quand tu veux.

— As-tu remarqué que nous n'avons vu que des femmes-poissons ?

— Peut-être qu'elles font partie d'une société évoluée où les hommes restent à la maison pour élever les enfants ? plaisanta Vicky.

— Ou comme chez les lions, où ce sont surtout les femelles qui chassent.

— On ne sait même pas ce qu'elles mangent.

— Pour l'apprendre, il faudrait pouvoir communiquer avec elles. Tu es très douée pour leur parler avec tes mains, mais je ne vois pas comment tu arriveras à entrer dans les détails de cette façon.

— Fais-moi confiance, Étienne. J'ai plus d'un tour dans mon sac.

Le jeune homme cloua la dernière boîte.

— Je suis éreinté, soupira-t-il.

— Nous avons mérité de nous reposer ce soir et aussi bien aller dormir tout de suite, car nos amies marines sont plutôt matinales.

Ils étirèrent leurs muscles, puis se rendirent à la cabine de pilotage pour souhaiter bonne nuit à leurs aînés.

* * *

Après le départ des archéologues, David s'était allongé dans une chaise longue pour contempler le coucher du soleil. Sara-Anne y avait grimpé avec lui et s'était appuyé le dos contre sa poitrine.

— Est-ce que tu connais le nom de toutes les étoiles ? demanda l'enfant.

— Je suis infirmier, pas astronome.

L'ancien policier se tenait debout sur le bord de la terrasse qui reposait dans l'eau. Il écoutait les sons en provenance de la mer en buvant une bière.

— Et toi, Christian ?

— Je connais la Grande Ourse et la Petite Ourse, comme tout le monde.

— James ?

Ne recevant aucune réponse de sa part, la petite tourna la tête dans tous les sens.

— Où est-il ?

— Il est allé s'assurer que son catamaran n'a pas été emporté par les vagues, l'informa Christian. Il reviendra bientôt.

— Et tu pourras le harceler avec toutes tes questions, la taquina David.

— C'est normal d'être curieuse à mon âge !

Alexanne était allée s'asseoir dans le sable chaud. James lui avait recommandé de ne pas entrer dans l'eau au coucher du soleil, car c'était le moment de la journée où les prédateurs remontaient à la surface pour se nourrir. La tête d'une sirène apparut alors dans les vagues, la faisant sursauter. Celle-ci se traîna doucement sur le sable pour s'approcher de la fée.

— N'est-il pas dangereux pour vous de sortir de l'eau ? s'inquiéta-t-elle.

— *Le soleil n'est plus assez chaud pour nous brûler la peau. Je voulais te revoir, même si c'est plus prudent de rentrer dans les grottes quand il disparaît.*

— Qu'est-ce qui vous menace, la nuit ?

— *Les géants des profondeurs.*

— Des requins ?

— *Beaucoup plus gros et plus affamés aussi. Nos yeux sont adaptés à la mer, mais pas à l'obscurité. Les leurs, oui.*

— Alors, vous devriez rentrer maintenant.

— *Mes sœurs vont bientôt venir me chercher. Je peux encore parler un peu avec Alexanne. Je m'appelle Vaï.*

— Enchantée de faire votre connaissance, Vaï. Vous êtes l'une des plus belles créatures qu'il m'ait été donné de rencontrer sur cette planète. Il n'y a pas une seule once de méchanceté en vous.

— *Je peux dire la même chose d'Alexanne.*

— Depuis combien de temps les sirènes vivent-elles dans l'océan ?

— *Les anciens disent que nous étions là bien avant que la boule de feu détruise les bêtes qui vivaient sur la terre.*

— Avez-vous connu les gens qui habitaient dans les immeubles engloutis que nous avons explorés ensemble ?

— *Les anciens accompagnaient souvent leurs bateaux, quand ils étaient encore en harmonie avec la nature. Mais un jour, ils ont changé et ils se sont uniquement préoccupés des métaux qui brillent et des pierres précieuses. Ils ont tenté de nous capturer pour en obtenir encore plus, alors nous nous sommes éloignées d'eux.*

— Est-ce ainsi que vous avez survécu à l'explosion de l'île ?

— *Beaucoup de nos sœurs sont mortes à ce moment-là. Les survivantes ont eu du mal à s'en tirer, jusqu'à ce qu'elles découvrent les grottes profondes qui sont devenues nos maisons. Nous avons décidé de ne plus avoir de contacts avec les humains, mais toi et tes amis, vous êtes si différents.*

— C'est vrai, mais continuez de vous méfier des autres. Nous dépensons beaucoup d'énergie à essayer de les rendre meilleurs, mais c'est loin d'être gagné. Faites bien attention.

— *Ceux qui sont sur l'île flottante ne sont pas humains.*

— Nous l'avons découvert à nos dépens, malheureusement. Ils ont tenté de nous tuer et nous craignons qu'ils ne reviennent nous achever s'ils découvrent que nous sommes toujours vivants.

— *S'ils approchent, nous vous préviendrons.*

— Merci.

Une vingtaine de sirènes arrivèrent alors derrière Vaï et lancèrent de gros poissons sur la plage, par-dessus la tête d'Alexanne.

— *C'est un cadeau.*

Toutes les créatures marines plongèrent en même temps afin de regagner la sécurité de leur refuge. Trempée par l'eau qui avait coulé des poissons argentés avant qu'ils s'écrasent dans le sable, Alexanne s'empressa d'aller chercher une des caisses en bois des archéologues et y entassa les prises. Elle rapporta ensuite son fardeau sur la terrasse.

— Quelqu'un sait-il quoi en faire ? demanda-t-elle.

— Tu es allée pêcher ? s'étonna Sara-Anne.

— Non. C'est un présent de nos amies sirènes.

— Elles n'ont pas dû aimer l'odeur du spaghetti en boîte, plaisanta David.

— On pourrait les nettoyer et les faire cuire demain, suggéra Christian.

— Je ne sais pas comment, mais je veux bien apprendre, fit bravement Alexanne.

— Moi, je sais le faire, annonça James en remontant sur la terrasse.

— Seront-ils encore bons demain ? voulut savoir David.

— Oui, si je m'en occupe tout de suite. Je vais les mettre à l'eau, dans la grande cuve du bar.

— Je veux vous aider ! s'écria Sara-Anne en s'élançant vers lui.

Pendant que l'enfant suivait l'Amérindien dans la villa, Alexanne alla se poster près de Christian.

— Tu sens le poisson, la taquina-t-il.

— Ce qui n'est pas vraiment étonnant, car j'ai dû les ramasser un à un sur le sable.

— Dis-moi ce qui te ronge.

— C'est si apparent que ça ?

— J'ai appris à lire sur les visages, dans la police.

— Eh bien, c'est quelque chose que James a mentionné. Tu sais que j'ai le pouvoir de détruire les sorciers, n'est-ce pas ?

— Je t'ai en effet vu en faire flamber quelques-uns.

— Alors, si tu as bel et bien hérité des facultés de Desjardins, pourquoi est-ce que tu es encore vivant ?

Christian planta son regard dans celui de la fée.

— C'est une excellente question…

— Je n'ai pas cessé d'y penser et je ne vois qu'une seule explication possible.

— Je t'écoute.

— En passant dans ses armes, ses pouvoirs se sont inversés, comme s'ils traversaient un miroir. Autrement dit, de noirs, ils sont devenus blancs.

— Es-tu en train de me dire que je suis devenu un « bon » sorcier ?

— Ça me paraît logique, non ?

— Donc, je peux cesser d'avoir peur de faire du mal aux autres ?

— À mon avis, tu ne pourrais que leur faire du bien.

— C'est une merveilleuse nouvelle. Dommage que je ne puisse pas appeler la loge pour la leur annoncer. Même s'il y avait un réseau ici, mon cellulaire n'a pas résisté à notre fuite de l'île flottante.

— Pareil pour le mien.

— Toujours aucune nouvelle d'Alexei ?

— Non, et même si je ne le laisse pas paraître, j'avoue que ça m'inquiète beaucoup. Je ne peux m'empêcher de penser que les assassins de Boyens se sont peut-être rendus chez nous et qu'il n'y aura plus personne pour nous y accueillir à notre retour…

Un sanglot dans sa gorge empêcha Alexanne d'aller

plus loin. Christian la pressa contre lui pour la rassurer.

— Moi, je pense plutôt que ton oncle ne te répond pas parce qu'il est trop occupé à défendre sa famille. Tu sais aussi bien que moi que c'est un redoutable guerrier. Il a certainement une bonne raison de ne pas donner signe de vie.

— C'est sûrement ça.

— Va te coucher. Je vais prendre le premier tour de garde.

— Merci, Christian.

— Y a pas de quoi, mademoiselle la fée.

Alexanne essuya ses larmes et se composa un visage joyeux avant d'entrer dans la maison.

Chapitre 20

Sous le couvert de la nuit

Lorsque James vint le relayer, Christian s'allongea sur le troisième lit de la maison. Près de lui, Alexanne, Sara-Anne et David dormaient à poings fermés. Il ressentait une grande fatigue, mais son esprit refusait de se détendre. Toutefois, ce que la fée lui avait révélé lui avait fait le plus grand bien. Il n'était pas la pauvre victime d'un ignoble sorcier, comme il l'avait cru. Au lieu d'avoir reçu ses sombres pouvoirs, qui risquaient de lui faire faire du mal à ceux qu'il aimait, Christian possédait de belles facultés qui lui permettraient de leur rendre la vie plus facile. En rentrant au Québec, il se plierait docilement à l'entraînement d'Ophélia, afin de les développer pleinement. Maintenant qu'il ne craignait plus de se transformer en monstre, il ferait de gros efforts pour devenir un véritable ange gardien. Sur ces pensées, il finit par fermer l'œil.

Au milieu de la nuit, une pluie drue et abondante s'abattit sur l'île, un phénomène courant dans les Tropiques. Sur le *Redemption*, le martèlement des grosses gouttes avait réveillé Roger. Avec l'âge, son sommeil était devenu plus léger. Il savait que ces ondées ne duraient jamais très longtemps, mais il décida tout de même de se lever et de se préparer du thé en attendant que sa cabine redevienne enfin silencieuse. Il déposa le sachet dans l'eau chaude et se rendit au laboratoire en attendant que l'infusion soit terminée. «Demain, je plonge avec les jeunes», se réjouit-il. Il jeta un coup d'œil au radar et constata que l'attache qu'Alexanne avait abandonnée sur le *Inanna II* était toujours aux mêmes coordonnées. « Pourquoi ce vaisseau ne bouge-t-il pas ? » se demanda le professeur. « Qu'est-ce qu'il attend ? »

Il regarda dehors, même en sachant qu'il n'y verrait pas grand-chose et crut apercevoir une brève lueur. « Des poissons phosphorescents ? » se demanda-t-il. Il était archéologue, pas océanographe, alors il ignorait les mœurs de ces curieuses bêtes. Il s'empara des jumelles et scruta les alentours.

Sur l'île, pendant que la pluie régénérait la nature, James se tenait sous le repli du toit de la villa, le dos appuyé contre le mur vitré. Parce qu'il était difficile d'entendre autre chose que le choc de l'eau sur le béton, l'Amérindien était particulièrement attentif. Il commençait à comprendre pourquoi le chaman l'avait envoyé aux Bahamas. Les gens sur lesquels il devait veiller étaient vraiment spéciaux. Ils avaient, comme lui, un rôle à jouer pour sauver la planète. James ignorait si son guide lui demanderait de continuer à travailler avec eux, mais il l'espérait de tout son cœur. Il voulait apprendre à mieux les connaître et en savoir davantage sur ce groupe dont Christian faisait partie.

Un cri, qui ne provenait pas de la maison, le fit sursauter. Il bondit à l'intérieur pour aller réveiller l'ancien policier, mais celui-ci était déjà assis sur son lit, attentif.

— Qu'est-ce que c'était ? murmura-t-il.

— Je n'en sais rien. Ça provenait de la mer.

Christian ne secoua pas tout de suite ses amis. Il voulait d'abord s'assurer qu'il ne s'agissait pas d'un dauphin enjoué. Par mesure de prudence, il s'empara du harpon que Vicky avait oublié sur le bord de la porte et suivit James dehors. Immobiles, les deux hommes demeurèrent silencieux et vigilants.

Alexanne arriva alors près d'eux en se frottant les

yeux. Au lieu de leur demander ce qui se passait, elle sonda les alentours avec son pouvoir d'écholocalisation. Toujours rien.

— Je sens l'approche du danger, annonça l'ancien policier.

— En es-tu certain ? demanda Alexanne. Ce ne pourraient pas être les propriétaires de la villa ?

— Va réveiller David et Sara-Anne et allez vous enfermer dans la cache.

La fée lui obéit sans répliquer.

— As-tu un plan ? chuchota James à Christian.

— Je préférerais ne tuer personne, mais je ne laisserai pas non plus ces criminels nous faire du mal.

Dès que les trois autres furent sortis de la maison et qu'ils se furent enfoncés dans la forêt, l'ancien policier fit signe à James de le suivre. Ils se dissimulèrent derrière la partie la plus éloignée de la terrasse pour ne pas être aperçus par leurs adversaires. La pluie s'arrêta d'un coup sec.

— Si je savais au moins combien ils sont… grommela Christian.

— C'est donc le moment pour moi d'utiliser un de mes talents très particuliers, lui dit l'Amérindien.

Il ferma les yeux et, à l'aide de son esprit, chercha dans les parages un animal qui ne soit pas endormi. Il trouva une chauve-souris suspendue à l'envers sous une large palme et la persuada de survoler la plage tout en se branchant à ses sens.

— Quatre zodiacs et ils n'ont pas la même forme que ceux du *Redemption*.

— Vous les voyez ? Avec les yeux fermés ?

— Ce n'est pas le moment de vous expliquer comment je m'y prends, mais sachez que mes renseignements sont exacts.

— Bon, d'accord. Par où arrivent-ils ?

— Du sud-ouest… mais il se passe quelque chose d'étrange.

— Ne me dites pas qu'ils se changent en lézards.

— Je ne peux pas distinguer leurs traits, mais je peux vous affirmer qu'ils semblent aux prises avec un ennemi marin.

En effet, en entendant le bruit des moteurs, les sirènes les plus hardies avaient quitté la sécurité de leurs refuges pour se lancer aux trousses des zodiacs. Armées de coquillages coupants, elles s'attaquaient aux embarcations pneumatiques pour les couler. Croyant avoir affaire à des requins, en sentant un objet coupant s'enfoncer dans son pied et en voyant l'eau envahir son zodiac, l'un des bandits ouvrit le feu, transformant le plancher en passoire. Son coéquipier se leva avec l'intention de lui saisir le bras pour arrêter son geste insensé. Il sentit un grand choc dans son dos et fut projeté dans les flots sombres. Sans perdre une minute, les femmes-poissons s'emparèrent de lui et l'entraînèrent vers le fond.

— Juste ciel, j'espère qu'ils ne sont pas en train de tirer sur les archéologues, s'alarma Christian en entendant les coups de feu.

— Ce sont les sirènes qui tentent de les empêcher de se rendre jusqu'à nous.

— En pleine nuit ?

— Elles ont réussi à couler un des quatre petits bateaux. Les trois autres sont sur le point d'arriver sur la plage, mais un seul devant la villa.

James relâcha la chauve-souris et se mit à la recherche d'un autre allié, sous la surface, cette fois. Il trouva un énorme requin qui suivait les sirènes afin d'en faire son repas. Sans perdre une seconde, l'Amérindien s'empara de son esprit et le lança plutôt à l'assaut du zodiac le plus près en lui faisant croire que cette nourriture serait plus satisfaisante. Il fit bondir le squale hors de l'eau, la gueule ouverte. L'Igigi n'eut pas le temps de tirer qu'il était happé par plusieurs rangées de dents acérées. Le goût du sang dans sa bouche dégoûta James qui sortit de la tête du prédateur. Il en chercha un autre, en vain. Le survivant de cette attaque avait ouvert son moteur à fond pour échapper à une seconde passe du requin. Le fond de son embarcation venait de glisser sur le sable, de l'autre côté de la baie où se trouvait la maison.

— Il reste cinq des huit hommes, annonça l'Amérindien en ouvrant les yeux. En plein jour, j'aurais sans doute pu en éliminer plus, mais il n'y a pas suffisamment de requins aux alentours en ce moment.

— De requins ? répéta Christian qui ne comprenait pas de quoi il parlait.

— Je vous expliquerai tout plus tard. Il y a un bandit droit devant nous. Les autres sont débarqués sur d'autres plages.

— Il sera plus facile de les neutraliser un par un.

Ayant enfermé David et sa petite sœur dans la trappe à rhum, Alexanne était revenue sur ses pas en faisant bien attention de se dissimuler derrière les palmiers. Elle aperçut la silhouette d'un homme qui avançait sur la plage en direction de la maison. Elle crut même voir ce qui ressemblait à une mitraillette dans ses mains. Christian et James n'étaient pas armés !

La fée chercha des projectiles autour d'elle et en trouva finalement à ses pieds. Elle ramassa les noix de coco et se mit à bombarder le bandit. La réaction de ce dernier fut instantanée. Il ouvrit le feu sur la forêt. Alexanne eut tout juste le temps de se jeter à plat ventre pendant que les balles sifflaient au-dessus d'elle et massacraient les arbres.

Christian ne savait pas à qui s'attaquait le sbire de Boyens, mais il utilisa cette diversion à son avantage. Armé de son harpon, il bondit de sa cachette et courut vers lui. N'ayant jamais utilisé cette arme de sa vie, son tir manqua sa cible. L'homme se retourna et appuya sur la gâchette. « BOUCLIER ! » hurla intérieurement Christian, affolé. Les balles ricochèrent sur l'écran invisible qu'il venait de lever devant lui. Les bras relevés devant son visage et les dents serrées, il endura courageusement la mitraillade. Puis, une fois rassuré que son pouvoir tenait le coup, il se mit à avancer sur son adversaire en maintenant cette protection devant lui.

Pris au dépourvu, l'Igigi recula sans comprendre ce qui se passait. Lorsque Christian fut suffisamment près de lui, il le heurta violemment avec son bouclier, le forçant à arrêter de tirer pour ne pas perdre l'équilibre. Sans perdre une seconde, l'ancien policier fit disparaître sa barrière de protection et agrippa la mitraillette. Plantant son pied dans l'estomac de l'assassin, il le repoussa durement et réussit à lui arracher son arme. Christian n'attendit pas que son adversaire s'en prenne à lui. Il se débrouillait fort bien dans les combats corps à corps, mais quatre autres assassins venaient également d'arriver sur l'île. Il se servit donc de la mitraillette pour le frapper de toutes ses forces au visage. L'Igigi bascula vers l'arrière et tomba dans les vagues, aussitôt emporté par les sirènes.

« Ne reste pas à découvert, Pelletier », se dit Christian en se repliant vers la maison. Il retourna s'accroupir près de James.

— Vous avez aussi des talents cachés, murmura l'Amérindien.

— Ce n'est pas un don. J'ai été entraîné à me défendre. Maintenant que nous avons au moins une arme, il ne reste plus qu'à les attendre sagement. Sais-tu où ils sont rendus ?

— Non, mais il existe une façon de se renseigner.

Tandis que les deux hommes qui étaient descendus à terre le plus près de la villa avançaient en direction des tirs qu'ils venaient juste d'entendre, de gros crabes sortirent du sable et se mirent à les pincer.

— Aïe ! hurla l'un d'eux en dansant sur place.

Pour échapper aux crustacés démoniaques, les bandits accélérèrent le pas.

— Ils sont juste derrière ces palmiers là-bas, chuchota James. Ils arriveront par la plage.

— Si tu as le cœur sensible, je te conseille de fermer les yeux.

— C'est comme dans les jeux vidéo, en somme.

— Sauf que dans les jeux, on n'accumule pas de karma.

— Au niveau de la loi, c'est de la légitime défense.

— Au niveau spirituel, peu importe comment on met fin à une vie, ça demeure une dette.

— Les voilà.

Maintenant que la pluie avait cessé, les rayons de la lune éclairaient la plage d'une étrange lumière bleutée. Ils permirent à Christian de distinguer les silhouettes des gros costauds qui venaient vers lui. Tout comme leur camarade, ils étaient armés de mitraillettes. « Pas de précipitation, Pelletier », se dit l'ancien policier. « Laisse-les approcher. » Intrigués par la maison, les sbires avaient ralenti.

Comme un diable à ressort, Christian sortit de sa cachette et déchargea son arme sur les Igigis. Pris par surprise, ceux-ci n'eurent même pas le temps de riposter. Ils s'écrasèrent sur le dos. N'ayant pas de munitions pour recharger sa mitraillette, l'ancien policier se précipita sur les corps pour prendre les leurs.

— Restez où vous êtes et déposez ces armes, fit une voix rauque et menaçante.

Christian se retourna vivement et aperçut les deux derniers assassins sortant de la forêt. L'un d'eux retenait fermement Alexanne par le cou grâce à une clé de bras et la faisait avancer devant lui. Sans bouger un seul muscle, Christian chercha David et Sara-Anne des yeux, mais ne les vit nulle part.

— Je vous ai dit de les déposer ! cracha l'homme en appuyant le canon de sa mitraillette sur la tempe de la fée.

Pour acheter du temps, car il se doutait bien que les reptiliens les tueraient tous, Christian fit ce qu'il demandait.

— Relevez-vous lentement, les bras en croix.

L'ancien policier lui obéit en évaluant rapidement toutes ses options. Il espéra que James avait déjà foncé vers la cache afin d'y protéger les extraterrestres.

— Nous ne vous avons rien fait, tenta-t-il.

— Ce n'est rien de personnel, humain. Nous ne faisons qu'obéir à nos ordres.

— Comment pourrais-je vous persuader de nous laisser la vie ?

— Vous ne pouvez plus rien faire. C'est fini pour vous.

Le nervi qui ne retenait pas la fée le mit en joue, mais son doigt n'eut pas le temps d'appuyer sur la détente. Un bolide le frappa… par-derrière et lui fit exécuter plusieurs culbutes en direction de Christian. Celui-ci ne comprenait pas ce qui venait de se passer, mais il se hâta de réagir en criblant son adversaire de balles.

Le complice envoya choir sa prisonnière sur le sol et se tourna vers le responsable de cette attaque. Christian vit que c'était un homme, mais dans l'obscurité, il était incapable de déterminer s'il s'agissait de David ou de James. Son sauveteur ne manifesta aucune peur devant le colosse armé. Il fonça sur lui. Les balles partirent.

— Non ! hurla Christian qui ne pouvait pas se servir de sa propre mitraillette sans risquer de frapper son allié.

À son grand étonnement, les tirs ricochèrent sur un bouclier ! L'étranger projeta son adversaire sur le sol, s'empara du couteau qui dépassait de la botte de ce dernier et lui trancha prestement la gorge. « Non, ça ne peut pas être David », raisonna Christian. James ?

De son côté, à quatre pattes sur le sable, Alexanne, elle, avait reconnu leur sauveteur.

— Alex ? Comment es-tu arrivé ici ?

— Alex ? répéta Christian, incrédule.

Emportant les armes avec lui, il s'approcha pour vérifier que la fée n'était pas en train de se méprendre sur l'identité de cet homme. Les rayons lunaires firent alors briller les yeux pâles de l'homme-loup.

— Mais c'est bien toi ? s'étonna-t-il.

— Que fait-on des cadavres? demanda-t-il, comme si sa présence sur l'île était toute naturelle.

— Nous devons les rejeter à l'eau, intervint Alexanne en voyant que l'ancien policier restait planté là, interdit.

D'un geste de la main, Alexei fit voler le corps de l'assassin plus loin dans la mer.

— Les deux autres aussi ?

Sa nièce hocha la tête et les deux autres Igigis subirent le même sort.

— Je suis arrivé à temps, on dirait.

— À temps, tu dis ? explosa Christian, fou de joie.

Il laissa tomber les mitraillettes et se jeta dans les bras de son ami. James sortit de sa cachette et s'approcha lentement en se demandant ce qui se passait. En sentant sa présence, Alexei repoussa Christian et se tourna vers lui.

— C'est un ami ! cria Alexanne pour éviter que son oncle ne lui fasse un mauvais parti.

— Mais d'où venez-vous ? s'étrangla l'Amérindien. Vous n'étiez pas sur l'île il y a cinq minutes.

— Avant de passer aux interminables explications, intervint Christian, d'autres embarcations remplies de ces tueurs approchent-elles de cette plage ?

James s'infiltra dans l'esprit de la chauve-souris.

— Pas pour l'instant, en tout cas.

— Mais il est certain que Boyens ne restera pas à rien faire quand il se rendra compte que ses hommes de main ne rentrent pas, soupira Alexanne.

— Nous n'avons pas beaucoup de temps pour réagir, indiqua Christian.

Ils entendirent alors un autre moteur de bateau. Alexei leva les mains, prêt à se défendre.

— Non, attends ! ordonna sa nièce.

— Ce sont des alliés, les informa James.

— Où est Sara-Anne ? s'inquiéta-t-il.

— Je vais aller la chercher, décida James.

Les bras chargés de mitraillettes, Christian insista pour qu'ils retournent sur la terrasse pour y attendre les archéologues. Alexanne emboîta le pas aux deux hommes lorsqu'elle entendit un gémissement. En la voyant s'éloigner, Alexei s'immobilisa.

La fée se jeta à genou dans l'eau, ce qui alarma l'homme-loup. Il faussa compagnie à Christian et se hâta auprès d'elle.

— Qu'est-ce que c'est que ça ? s'étonna-t-il.

— C'est une sirène et elle est blessée.

La créature ressemblait à un gros poisson, sauf que son visage était humain.

— Je ne maîtrise pas encore la guérison par les mains, mais je vais tenter de vous soulager.

Elle examina son bras.

— Est-ce votre seule blessure ?

— *Oui et je perds trop de sang pour retourner à la grotte. Les géants des profondeurs sont à la chasse.*

— Je vais refermer la plaie.

— Tu ne peux pas, s'opposa Alexei. La balle est encore à l'intérieur.

— Comment puis-je l'extraire ?

L'homme-loup s'agenouilla près de sa nièce et passa la main au-dessus du bras. La créature poussa une plainte de douleur alors que la balle remontait à la surface. Lorsqu'elle sortit de la peau verdâtre et retomba dans l'eau, Alexei s'empressa de refermer la plaie. Le zodiac arriva à quelques pas d'eux. Roger en descendit le premier, suivi des étudiants.

— Je n'ai jamais vu autant de requins ! s'exclama Étienne. C'était terrifiant !

— Et ils sont énormes ! ajouta Vicky en aidant son ami à tirer l'embarcation sur le sable.

— On ne peut pas l'abandonner ici, dit Alexanne à son oncle. Elle est trop faible pour leur échapper.

— Nous pourrions la mettre dans la piscine de la terrasse jusqu'au lever du soleil, suggéra Étienne.

— C'est de l'eau douce, leur rappela Roger.

— Pourriez-vous survivre sans le sel de la mer ? demanda Alexanne à la sirène.

— *Oui, mais pas plusieurs jours.*

— Nous vous remettrons à la mer dès l'aurore, c'est promis.

Roger, Étienne, Vicky et Alexanne soulevèrent la créature marine sous les yeux étonnés d'Alexei, qui ne savait même pas que de tels poissons existaient. Ils grimpèrent la sirène sur la terrasse et la déposèrent dans la piscine.

— Nous allons monter la garde, la rassura Alexanne. Il ne vous arrivera rien.

— *Merci.*

— D'autres sirènes ont-elles été blessées ?

— *Je ne sais pas.*

La fée se tourna vers son oncle, qui se tenait quelques pas plus loin, encore troublé par sa découverte.

— Alex ! hurla Sara-Anne en courant vers lui.

Elle lui sauta dans les bras et le serra de toutes ses forces.

— Je suis contente que tu sois ici !

— Nous avons entendu un grand nombre de coups de feu, fit alors Roger, qui tentait de comprendre ce qui s'était passé sur l'île. Malgré l'avertissement du capitaine, nous avons décidé de venir à votre secours.

— C'est une bonne chose que vous ne soyez pas arrivés avant, commenta Christian. Je vous en prie, assoyez-vous. Nous allons faire le point.

Il leur raconta le plus fidèlement possible les événements de la nuit.

— Nous éprouvons beaucoup d'amitié pour vous, dit-il aux archéologues. C'est pour cette raison que je vais vous demander de remonter sur le *Redemption* et de vous éloigner le plus possible de cette île.

— Pas sans vous, protesta le professeur.

— Ces hommes étaient armés de mitraillettes et ils sont venus jusqu'ici pour nous tuer. Je ne veux pas avoir vos vies sur ma conscience.

— Mais comment vous en sortirez-vous ? balbutia Vicky, effrayée.

— Je n'en sais rien encore, mais si nous voulons retourner chez nous et y vivre en toute sécurité, nous devons en finir une fois pour toutes avec Boyens.

— Êtes-vous en train de me dire que vous avez l'intention de l'attaquer sur son bateau ? crut comprendre Roger.

— C'est une option que je dois considérer, oui.

— Aucune négociation n'est donc possible avec lui ?

— Depuis le début, son plan est de nous éliminer. En le faisant dans les Tropiques, il pouvait nous faire facilement disparaître et tout le monde aurait cru que c'était un accident.

— Nous pourrions vous ramener à Nassau, où les autorités pourraient vous protéger.

— Je ne veux pas que ce bandit établisse quelque lien que ce soit entre nous, sinon vous ne pourrez pas continuer à plonger dans les Bahamas. Je vous en prie, faites ce que je vous demande.

— Très bien, accepta finalement le professeur, mais à la condition que vous nous donniez signe de vie dès que tout sera terminé.

— Je vous le jure.

Les nouveaux amis se firent leurs adieux. Seul Alexei demeura en retrait, car il ne connaissait pas les archéologues et préférait utiliser son attention pour surveiller la côte. Roger, Étienne et Vicky remontèrent dans le zodiac et repartirent vers le *Redemption*.

— Qu'est-ce qu'on fait, maintenant ? demanda Sara-Anne.

— Nous devons attendre la suite des événements, répondit Christian en s'efforçant de ne pas paraître découragé. Tu peux aller te recoucher, si tu veux.

— Je préférerais rester collée contre quelqu'un.

— Allez, viens par ici.

Les adultes s'installèrent sur les chaises longues, non loin les uns des autres. La petite se pressa contre la poitrine de l'ancien policier, qui attendit qu'elle s'endorme avant de s'adresser aux autres.

Chapitre 21

La téléportation

Dès que Sara-Anne eut sombré dans le sommeil, Christian voulut savoir comment Alexei s'était rendu jusqu'aux Bahamas et, surtout, s'il était venu seul ou en compagnie d'autres membres de la loge. Sa réponse le laissa bouche bée.

— J'ai appris à me téléporter, répondit fièrement l'homme-loup.

— Est-ce que tu sais au moins ce que ça veut dire ? répliqua Christian, estomaqué.

— Aller d'un lieu à un autre sans utiliser de moyens de transport.

— Et qui t'a montré à faire ça ? s'étonna Alexanne.

— Je ne suis pas capable de prononcer son nom, mais c'est un vieil homme qui vit dans une montagne.

— Un chaman ?

— Non. Un moine avec le crâne rasé.

— Alex, reviens un peu en arrière et dis-nous comment tu t'es retrouvé avec lui, exigea Christian.

— Quand j'ai demandé à la loge de me permettre de voler à votre secours, on m'a répondu que c'était impossible en raison de l'évacuation de la région. Gowan aurait pu m'emmener dans son hélicoptère, mais je ne serais pas arrivé avant plusieurs jours.

— Sans compter que tu n'as même pas de passeport, lui rappela Alexanne.

— Je ne sais pas ce que c'est, mais je ne pense pas en avoir.

— Continue, insista Christian, curieux.

— J'ai cherché une autre façon de voyager.

— Mais où as-tu entendu parler de téléportation et ne me dis pas que c'est dans une émission de science-fiction ?

— C'est Sachiko qui me l'a suggéré.

— Alors là, c'est encore plus incroyable...

Christian était convaincu que la jeune femme l'avait dit pour se moquer de lui, mais Alexei ne comprenait toujours pas le concept de la plaisanterie.

— Comment as-tu rencontré le fameux moine ?

— J'ai commencé par essayer de me transporter d'un côté à l'autre de la rivière par mes pensées, mais c'était très douloureux. C'est là que le gardien spirituel de la Terre m'est apparu.

— Artorius ? firent en chœur Alexanne, David et Christian.

Seul James ne savait pas qui il était.

— Il a dit que mes actions le troublaient. C'est lui qui m'a appris que certains humains arrivaient à se téléporter et il m'a emmené faire leur connaissance.

— Où, exactement ? s'inquiéta Christian.

— Je n'ai pas demandé où j'étais. J'avais déjà suffisamment de difficulté à me faire comprendre. Ces gens parlent une autre langue et nous avons dû communiquer avec nos mains.

— Ils t'ont enseigné la téléportation à l'aide du langage des sourds ?

— Au début. Quand ils ont saisi ce que je voulais, ils m'ont surtout fait des démonstrations que je n'ai eu qu'à imiter.

— Tu m'épates, mon homme.

— Moi, ce que j'aimerais savoir, intervint Alexanne, c'est comment tu as su que nous étions précisément sur cette île.

— Pour aller quelque part, on peut imaginer l'endroit dans sa tête ou fixer son attention sur l'énergie d'une autre personne. Donc, je me suis concentré sur la tienne.

— Peux-tu nous sortir d'ici ? espéra David.

— Non. Les moines m'ont fait comprendre que c'était une façon personnelle de se déplacer. Je suis venu jusqu'ici parce que j'étais très inquiet pour vous.

— Est-ce que tu peux retourner à Saint-Juillet de la même manière ? s'enquit Alexanne.

— Il n'est pas question que je parte avant que vous soyez saufs.

— Le problème, Alex, c'est qu'on ne sait pas si nous serons un jour capables d'échapper à Boyens.

Christian lui raconta tout ce qui leur était arrivé depuis leur rencontre sur le *Inanna II*.

— Il est certain que le multimilliardaire enverra d'autres assassins lorsqu'il n'aura plus de nouvelles des premiers.

— Combien en a-t-il ? demanda l'homme-loup.

— Je n'en sais rien.

— Alors, il faut préparer notre défense sans perdre une seconde.

— Je suis d'accord. Commençons par récupérer les trois zodiacs avec lesquels ils sont arrivés sur l'île. James, tu viens ?

— Certainement.

Christian alla déposer Sara-Anne dans son lit et Alexanne décida de rester près d'elle afin de pouvoir la réveiller rapidement en cas d'alerte. Quant à David, il resta assis à deux pas de la piscine de la terrasse, où la sirène s'était immobilisée à quelques centimètres du fond. « Dort-elle ou est-elle en train de reprendre ses forces ? » se demanda le Français. La créature remonta doucement à la surface, comme si elle avait entendu ses pensées. Elle sortit la tête de l'eau et l'observa en silence.

— Quand j'étais jeune, je croyais que toutes les sirènes ressemblaient à Ariel, lui dit-il avec un sourire embarrassé.

— *Vous n'êtes pas comme les autres humains...*

— Mais je vous entends !

— *Vous possédez la faculté d'écouter avec votre esprit plutôt qu'avec vos oreilles, comme les dauphins. Vous arrivez de loin, comme les hommes qui nous veulent du mal, mais vous êtes différent.*

— Je suis né ici, tout comme vous, mais apparemment, mes ancêtres sont descendus des étoiles, mais pas des mêmes que celles des hommes qui habitent l'île flottante.

— *Votre énergie n'est pas agressive.*

— Je vous jure que je suis un humain des plus aimables.

— *Je vous crois.*

— Comment vous portez-vous ? Y a-t-il quelque chose que je puisse faire pour vous rendre la santé ?

— *Ma blessure ne me cause plus de douleur et ce repos me permettra de rentrer chez moi quand les géants des profondeurs seront redescendus au fond de l'océan.*

— Avez-vous faim ? Nous avons un évier rempli de poissons.

— Pas maintenant.

La sirène se mit à nager doucement en rond.

— *Comment est-ce dans le monde des humains ? Comment sont vos maisons ?*

Un sourire se dessina sur les lèvres de David.

— Laissez-moi vous le montrer.

Le jeune homme rappela à sa mémoire les paysages de son enfance et les fit apparaître sur un écran virtuel qui faisait tout le tour de la piscine. La femme-poisson tourna lentement la tête, impressionnée par ce que lui présentait David.

— *Comment faites-vous cela ?*

— Je n'en sais franchement rien. Il s'agit probablement d'un pouvoir que m'ont légué mes aïeux extraterrestres.

— *Tous les humains vivent là ?*

— Non.

Il lui montra diverses villes qu'il avait jadis visitées, des palais, des jardins, de vastes plaines et de grandes étendues de sable.

— Nous ne nous ressemblons pas tous et nous ne parlons pas nécessairement la même langue, mais nous habitons la même planète et chacun de nous a le devoir de la sauvegarder.

David fit de son mieux pour lui présenter des gens de races blanche, noire, rouge et jaune ainsi que plusieurs peuples métissés qu'il avait eu le bonheur de rencontrer autrefois.

— *C'est troublant...*

— Il n'y a donc aucune sirène de couleur différente ?

— *Toutes celles que je connais sont comme moi. Y a-t-il d'autres créatures sur la terre ferme ?*

Comme il l'avait fait sur Éridan, il lui fit visiter un zoo.

— Nous avons aussi de petits animaux domestiques.

La sirène vit courir des chiens de plusieurs races sur une grande pelouse, puis des chats qui jouaient avec des balles de laine.

— Y a-t-il dans l'océan des créatures qui deviennent vos fidèles compagnons ?

— *Les dauphins parfois. Nous partageons des terrains de chasse communs et ils nous aident à attraper du poisson sans rien demander en retour. Avez-vous des ennemis comme les géants des profondeurs ?*

— Il y a de grands prédateurs dans les régions sauvages.

Il fit apparaître des ours, des loups et des fauves.

— Mais le plus dangereux, c'est l'homme.

— *Je ne comprends pas...*

— Pour toutes sortes de raisons ridicules, les humains se querellent entre eux et il arrive même qu'ils prennent les armes les uns contre les autres, au lieu de discuter et de résoudre leurs différends de façon civilisée.

— *Avec des bâtons qui crachent le feu et transpercent la peau ?*

— Malheureusement, oui. Ils n'arrêtent pas d'inventer de nouvelles façons de s'agresser mutuellement, même sur Internet.

— *Qu'est-ce que c'est ?*

— Une façon de communiquer sans être obligé d'être en présence de notre interlocuteur.

— *Comme les baleines qui se parlent même quand elles sont très loin les unes des autres ?*

— On pourrait dire ça.

— *Le monde est beaucoup plus grand que je le pensais.*

— Si ça peut vous rassurer, soixante-dix pour cent de la planète est recouverte d'eau.

— *C'est vrai ?*

— Je vous le jure.

— *Nous pourrions aller n'importe où, alors ?*

— Si vous avez besoin de chaleur pour survivre, alors je ne vous conseille pas d'explorer le nord où l'eau est glaciale.

— *Vous savez beaucoup de choses.*

— En toute franchise, je ne fais que répéter ce que j'ai appris à l'école.

— *Qu'est-ce que l'école ?*

— L'endroit où les enfants apprennent ce qu'ils doivent savoir dans la vie.

Il lui fit voir sa classe lorsqu'il était très jeune.

— Je ne sais pas comment vous vivez, mais vous avez

certainement une façon de transmettre vos connaissances à vos petits.

— *C'est le rôle de leur mère. Votre monde est vraiment étrange.*

— Le vôtre aussi, avoua David, amusé. C'est sans doute pourquoi ils ne se sont jamais croisés.

— *Les humains nous confondent avec les poissons de l'océan. Très peu savent que nous existons.*

— Je l'ignorais moi-même avant d'arriver ici. Mais, à mon avis, vous ne devriez pas vous faire voir tant que les habitants de cette planète ne seront pas plus évolués.

— *Vous devriez dormir un peu. Je veillerai sur votre sommeil.*

— J'allais vous dire la même chose.

— *Merci de m'avoir instruite.*

La sirène redescendit au fond de la piscine pendant que David s'allongeait sur la chaise en observant le ciel qui commençait à s'éclaircir.

Pendant ce temps, ses amis s'étaient mis à la recherche des embarcations pneumatiques des bandits. James s'était chargé de ramener celle qui s'était échouée le plus près de la villa, tandis que Christian et Alexei poursuivaient leur route sur le sable.

— Je pensais que tous les autres pays ressemblaient à Saint-Juillet, avoua l'homme-loup.

— Ils ont chacun leurs particularités, Alex.

— Les feuilles n'ont pas rougi ici et, pourtant, c'est l'automne.

— Sous les Tropiques, il fait toujours chaud.

— Il ne neige pas ?

— Jamais. C'est pour cette raison que les gens qui ont besoin de soleil l'hiver viennent jusqu'ici faire provision de vitamines.

— On peut en absorber autrement, même en l'absence de soleil.

— Nous ne possédons pas tous ta sagesse, mon homme.

Ils trouvèrent le deuxième zodiac.

— Tu peux le prendre, décida Alexei. Je vais continuer seul.

— Sois prudent et ne perds pas trop de temps. Mon estomac me dit que nous allons bientôt avoir de la compagnie.

L'homme-loup découvrit la troisième embarcation dans une petite crique. Il n'y connaissait pas grand-chose en moyens de transport marins, mais il comprit assez rapidement que s'il ne rabaissait pas le petit moteur à l'intérieur, il aurait beaucoup de difficulté à la déplacer. Il la traîna en direction de la maison en scrutant les alentours et surtout l'océan. Christian avait raison. D'autres zodiacs approchaient. Il hâta le pas. Lorsqu'il arriva en vue de la villa, il vit son ami policier lui faire signe de s'enfoncer entre les arbres pour dissimuler le petit bateau.

— Ils arrivent, annonça Alexei. Je les entends.

— Je vais envoyer les autres se cacher et nous allons les attendre de pied ferme, décida Christian.

Ils grimpèrent sur la terrasse, où James avait rejoint David.

— C'est le moment de retourner vous cacher, annonça l'ancien policier.

— Pas avant d'avoir remis la sirène à la mer, les avertit le Français. Si les tueurs la trouvent dans ce bassin, ils la cribleront de balles et elle ne pourra rien faire pour leur échapper.

— Je peux m'en occuper avec James et Alex. Emmène les filles dans la forêt. Et cette fois, garde Alexanne avec vous.

Ils réussirent à faire sortir la femme-poisson de la piscine et la transportèrent jusqu'à la plage. Ils la déposèrent en eau peu profonde, mais elle demeura sur place en les fixant de ses grands yeux noirs.

— Ne restez pas là, l'implora Christian. Les bandits vont revenir avec des armes et vous serez encore une fois blessée.

D'un puissant coup de queue, la sirène fila vers le large. Les trois hommes retournèrent à la villa et virent David qui poussait Alexanne et Sara-Anne devant lui en direction de la cache.

— Messieurs, avez-vous déjà utilisé une mitraillette ? demanda Christian.

— Non, mais je n'en aurai pas besoin, affirma Alexei.

— Ils seront nombreux.

L'homme-loup secoua la tête.

— Et toi, James ?

— Non, et je n'y tiens pas.

— Tu préfères te faire tuer ?

Christian vit qu'Alexei s'était immobilisé, attentif.

— Que se passe-t-il ?

— Ils ne viennent pas par ici. Ils font le tour de l'île.

— Alors, ils verront mon catamaran, s'inquiéta l'Amérindien.

— Ça ne fait plus aucune différence, James, soupira Christian. Ils savent déjà que nous sommes ici. Établissons plutôt un plan de défense et vite.

— Si on réussit à les éliminer, combien d'autres viendront ensuite ?

— Autant qu'il y en a sur l'île flottante, à moins que Boyens les crée au fur et à mesure. Combien de bateaux a-t-il envoyés cette fois ?

— Trois, répondit James qui venait de s'emparer de l'esprit d'un oiseau qui volait au-dessus des flots.

— Si nous survivons à cette épreuve, nous pourrons nous lancer dans la vente de zodiacs, plaisanta Christian pour détendre l'atmosphère.

— Ils ne se dirigent pas tous au même endroit, poursuivit Alexei, qui ne l'écoutait pas.

— Alors, le mieux, ce serait de nous séparer et d'en neutraliser un chacun de la meilleure façon possible.

L'ancien policier prit la mitraillette la plus chargée et se mit en route avec ses amis en restant sous le couvert des arbres.

— Là, indiqua Alexei en pointant vers la mer.

Le soleil commençait à se lever, ce qui leur permettrait de mieux se protéger.

— Je m'en occupe, indiqua Christian, son but étant de ne pas laisser les bandits débarquer trop près de la maison. Continuez et stoppez les autres.

James et l'homme-loup se dépêchèrent, car les embarcations se rapprochaient rapidement de l'île. Au bout de quelques minutes à peine, ils aperçurent le deuxième zodiac. Ayant senti la présence de plusieurs requins-marteaux, l'Amérindien décida d'en utiliser un pour neutraliser ses adversaires.

Maintenant seul, Alexei traqua plus rapidement la dernière embarcation. Il ne savait pas ce qu'était un catamaran, mais en apercevant le bateau à deux coques attaché à un palmier, il se douta qu'il appartenait à James. Les bandits avaient mis le cap droit sur celui-ci. Il se hâta sur le sable et s'assura que ses adversaires puissent bien le voir sur la plage. En constatant que le tueur qui était assis devant s'était mis à gesticuler dans sa direction, il sut qu'il avait atteint son but. Alexei n'avait pas besoin d'une arme à feu pour se débarrasser des extraterrestres. Il se téléporta instantanément à bord de leur bateau. Il réapparut entre les deux hommes, qui furent si surpris de le voir arriver qu'ils demeurèrent d'abord paralysés.

— Partez ou vous mourrez, les menaça Alexei.

L'un des Igigis pointa sa mitraillette sur lui, mais lorsqu'il se mit à tirer, l'homme-loup n'était déjà plus là, alors il cribla son camarade de balles. Le voyant passer par-dessus bord, l'assassin poussa un cri de colère et se tourna en tous sens pour voir où Alexei avait bien pu aller. Ce dernier se matérialisa de nouveau, mais dans son dos, cette fois. Le bandit voulut pivoter pour s'en prendre à lui, mais n'eut pas le temps de terminer son geste. L'homme-loup lui rompit le cou.

Caché derrière des palmiers nains, James avait vu fuir les requins-marteaux devant un grand requin blanc mesurant plus de six mètres! « C'est encore mieux », se dit-il. S'emparant de son esprit, il le lança aussitôt à l'assaut du zodiac. Dès qu'il l'eut rattrapé, il le fit remonter à la surface avec la force d'un missile et catapulter le petit bateau dans les airs, projetant ses occupants dans les flots. Contrairement à la mauvaise réputation qu'on avait attribuée à ces squales dans les films, ils n'attaquaient pas spontanément les nageurs et lorsqu'ils s'en prenaient à eux, c'était souvent parce qu'ils les avaient pris pour un autre type de proie. James transforma donc les nervis en tortues dans l'esprit du requin, puis se détacha de lui, persuadé qu'il se délecterait des deux Igigis avant de se rendre compte de sa méprise. « Un zodiac de moins », se dit-il en revenant sur ses pas.

De son côté, Christian était resté entre les troncs des palmiers, mitraillette à la main. Il savait que son bouclier pourrait le protéger des tirs des assassins, mais son but, c'était de les empêcher de débarquer et de s'en prendre à Sara-Anne. Il connaissait la portée de presque toutes les armes à feu et il était conscient qu'il était encore trop loin pour les toucher. « Patience, Pelletier… » se répétait-il depuis quelques minutes. « Ne tire pas trop vite. » C'est alors qu'il se produisit quelque chose qu'il ne comprit pas sur le coup: le moteur sembla faire des ratés, ce qui accapara l'attention d'un des bandits vers l'arrière du bateau pneumatique.

Au lieu de retourner dans sa grotte, la sirène qu'Alexei avait soignée était restée dans les parages afin de leur venir en aide. Ayant repéré les restes d'un vieux filet de pêche sur le fond, elle avait poursuivi le zodiac et avait lancé les mailles dans son hélice, ce qui avait fini par l'immobiliser. À moins d'avoir apporté des avirons, les assassins seraient obligés de descendre dans l'eau pour se rendre jusqu'à l'île et c'est exactement ce qu'attendait la femme-poisson.

Christian vit les Igigis s'affoler, puis débarquer du bateau en tenant leur mitraillette au-dessus de leur tête. L'ancien policier se planta solidement sur ses pieds, prêt à recevoir ses adversaires avec un tir de barrage. Curieusement, le premier s'enfonça d'un seul coup sous la surface. Son compagnon ne s'aperçut même pas de sa disparition et continua d'avancer. « Encore quelques mètres et ce sera la fin », se dit Christian. Mais il n'eut jamais l'occasion de presser la gâchette. Le deuxième bandit se volatilisa comme le premier.

— Mais qu'est-ce que...

James arriva au pas de course et s'arrêta près de Christian.

— Tu les as eus ? se réjouit-il en apercevant le zodiac vide à la dérive.

— C'est une excellente question. Ils ont plongé dans les vagues et je ne sais plus où ils sont.

— Laisse-moi t'aider.

L'Amérindien utilisa sa faculté de projeter son esprit et utilisa les yeux d'une tortue qui passait par là.

— Je viens de voir une sirène en emporter un vers le large, l'informa-t-il.

— Alors, ça expliquerait ce que je viens de voir.

Alexei sortit de la forêt et les informa qu'il s'était aussi débarrassé de deux assassins.

— Ils vont sans doute en envoyer d'autres, soupira Christian, mais d'ici là, nous sommes saufs.

* * *

Pendant que leurs compagnons affrontaient leurs ennemis, David, Sara-Anne et Alexanne attendaient qu'ils leur apportent de bonnes nouvelles. La fée avait été tentée d'aller voir ce qui se passait à l'extérieur de la cache, après avoir entendu une pétarade de mitraillettes, mais sa petite sœur s'était accrochée à sa main avec frayeur.

— Que va-t-il nous arriver si les bandits réussissent à débarquer sur l'île ? murmura l'enfant.

— Il ne faut pas parler, lui recommanda David.

Elle se colla contre lui en regrettant d'avoir oublié son ourson de peluche dans la maison. « Si je possédais des pouvoirs de fée, je saurais ce qui se passe dehors », songea-t-elle.

La porte de la cache s'ouvrit brusquement, l'inondant de lumière. Effrayée, Sara-Anne poussa un cri aigu.

— Sortez de là.

Ne reconnaissant pas la voix de l'homme, Alexanne sentit tous ses muscles se crisper. S'il se tenait devant eux, cela signifiait-il que ses amis n'avaient pas réussi à enrayer la menace ?

— Maintenant ! se fâcha l'assassin.

David rassembla son courage et grimpa les quelques marches qui menaient dehors. L'Igigi pointait sa mitraillette sur eux et il n'hésiterait certainement pas à s'en servir. Le jeune homme ne pouvait pas savoir que leur agresseur venait d'échapper aux mâchoires d'un énorme requin et que son arme avait passé plusieurs minutes sous l'eau.

Serrant la main de Sara-Anne dans la sienne pour la rassurer, Alexanne suivit le Français à l'extérieur.

Chapitre 22

La cavalerie

Dans le grand salon immaculé du *Inanna II*, Charles Peter Boyens faisait les cent pas devant son fidèle serviteur, qui le suivait des yeux sans faire de commentaires. Aucun des tueurs que le multimilliardaire avait envoyés pour le débarrasser une fois pour toutes de ces gênants perturbateurs de ses plans n'était revenu. Le soleil se levait et aucun des zodiacs n'était en vue.

Après avoir jeté la petite et ses protecteurs aux requins, Boyens avait bien failli remonter l'ancre pour rentrer en Europe, mais Calvin avait découvert un émetteur épinglé à une petite culotte dans les toilettes du bar. Il avait donc demandé à ses navigateurs de balayer les alentours. Ils en avaient mystérieusement trouvé trois autres à quelques kilomètres du navire, sur une petite île. Puisqu'ils étaient regroupés, Boyens avait tout de suite compris que ses invités n'avaient pas été dévorés par les squales et il avait demandé à ses hommes de main d'éliminer ces fauteurs de troubles.

— Ils sont parvenus à assassiner des chefs politiques protégés par une légion de gardes du corps et ils n'arrivent pas à faire disparaître une fillette de dix ans, une adolescente et deux hommes qui ne possèdent aucune arme ? explosa Boyens.

— Ce ne sont pas des gens ordinaires, lui rappela Calvin.

— Dis-moi quelque chose que je ne sais pas !

— Seulement deux d'entre eux possèdent un lien lointain avec nos ennemis d'Éridan. Ce sont des sang-mêlé. Une étrange énergie circule dans le corps des deux autres, mais je n'arrive pas à cerner ce que c'est.

— C'est à toi que j'aurais dû confier cette importante mission, pas à ces abrutis de demi-dieux qui ne savent plus quoi faire dès qu'on les place en situation inattendue.

— Je suis à vos ordres, maître.

— S'ils ne sont pas revenus d'ici une heure, tu iras terminer ce travail et tu me rapporteras une preuve qu'ils sont bel et bien morts, cette fois.

— Avec plaisir. Que préférez-vous : la langue ou les doigts ?

— Rapporte-moi leurs yeux. J'en raffole.

Calvin se courba devant son patron en esquissant un sourire cruel et le quitta. Il se dirigea au poste de pilotage opéré par trois Igigis vêtus d'uniformes immaculés, comme des officiers de la marine. L'un d'eux était posté devant une des grandes fenêtres et examinait l'horizon avec des lunettes d'approche.

— Sont-ils sur le chemin du retour ? demanda Calvin.

— Toujours rien.

— Leurs embarcations étaient pourtant munies d'émetteurs-récepteurs, non ?

— Oui, monsieur, et ils indiquent qu'ils sont toujours sur l'île, mais ils ne nous ont donné aucun signe de vie depuis leur départ.

« Pourquoi quatorze hommes entraînés à tuer n'arrivent-ils pas à éliminer cette vermine ? » se demanda le bras droit de Boyens. Il sortit sur le pont et se rendit au bar pour aller se verser un verre d'eau mêlée d'or en attendant que ce soit enfin son tour de faire ses preuves. Contrairement aux Igigis qu'employait le maître, Calvin était de sang plus pur, mais ses parents l'avaient longtemps gardé dans leur ombre. Maintenant qu'il s'était libéré d'eux, il avait commencé son ascension vers les hautes positions que méritaient les maîtres de l'univers.

En sirotant la boisson énergisante, l'extraterrestre peaufina son plan. La mitraillette n'était pas la seule façon de se débarrasser de ses ennemis. Il existait des moyens beaucoup plus raffinés... L'espace d'un instant, les yeux sombres de Calvin pâlirent jusqu'à devenir vert clair et ses pupilles s'allongèrent jusqu'à prendre une forme verticale.

— Nous allons faire disparaître tous les mages et leurs disciples, maugréa-t-il. Cette planète nous appartient.

* * *

Grâce à son ouïe plus fine que celle de ses amis, Alexei avait très bien entendu le cri perçant de Sara-Anne. Il ne pouvait imaginer ce qui l'avait effrayée, car tous leurs adversaires avaient été abattus, mais il avait capté la détresse de l'enfant et y avait instantanément réagi.

— Venez ! cria-t-il à ses compagnons.

Christian et James s'élancèrent derrière lui à travers les arbres. « Il se dirige vers la cache », comprit l'ancien policier, maintenant aussi inquiet que lui. Au détour d'un bosquet de bananiers, Alexei s'arrêta net, forçant ses compagnons à en faire autant. Devant eux, un Igigi tenait Sara-Anne par les cheveux, le canon de son arme appuyé sur sa tempe.

— Marchez vers la plage, ordonna-t-il.

Christian sentit l'homme-loup rassembler son énergie.

— Fais ce qu'il dit, Alex, chuchota-t-il. Nous avons besoin de plus d'espace pour manœuvrer.

— Passez devant, exigea le nervi en s'adressant à David et Alexanne.

Ils avancèrent en silence, chacun s'efforçant de trouver une façon de tirer la petite des griffes de l'assassin. Lorsqu'ils débouchèrent enfin près de la mer, l'Igigi les fit agenouiller sur le sable chaud.

— Il va nous exécuter, s'alarma David.

James cherchait désespérément un oiseau suffisamment massif pour s'attaquer à la tête de l'assassin, mais il ne trouvait que des passereaux multicolores pas plus gros que son pouce.

— Est-ce que je peux le supprimer, maintenant? gronda Alexei, irrité.

— Laisse-moi d'abord lui parler, tenta de l'amadouer Christian.

L'ancien policier savait fort bien qu'au moindre geste agressif de leur part, l'Igigi appuierait sur la détente pour compléter au moins une partie de sa mission.

— Peu importe ce que vos supérieurs vous ont offert, je peux vous en donner le double.

— Je ne travaille pas pour de l'argent.

— Demandez-moi ce que vous voulez.

— Vous ne possédez rien qui nous intéresse. Vous êtes la race la plus primitive de la galaxie et vous ne méritez même pas tout ce que vous avez.

En voyant les larmes silencieuses qui coulaient sur les joues de Sara-Anne, David tenta le tout pour le tout. Il se leva lentement pour ne pas provoquer la colère du tueur.

— Prenez ma vie et laissez partir la petite. Je suis un mage d'Éridan et elle n'est qu'une enfant.

— Taisez-vous et remettez-vous à genoux.

David tendit la main et la retourna vers le ciel. Un hologramme du système solaire d'Éridan apparut au-dessus de sa paume.

— Cessez vos trucs et remettez-vous à genoux.

Au lieu de lui obéir, David amplifia les images et le groupe se retrouva bientôt dans la cité de ses ancêtres.

— Connaissez-vous vraiment les gens que vous tentez d'annihiler ? fit le Français. Les mages d'Éridan sont pacifiques, évolués et désireux d'aider les habitants de tous les systèmes solaires.

— Ce sont des casse-pieds qui veulent tout s'approprier et leurs descendants ont été contaminés par les humains. Ils ne nous priveront pas de ce monde.

— Ils vous empêcheront de les réduire en esclavage et de continuer de les traiter comme du bétail.

Alexei en eut assez de ces pourparlers inutiles. Profitant de la diversion que lui fournissait David, il se téléporta derrière l'Igigi sans que personne ne s'en aperçoive. Il frappa durement la mitraillette pour en déloger le canon sur la tempe de Sara-Anne et la faire pointer vers le ciel. L'assassin pressa sur la détente et se mit à tirer partout. Avant qu'il ne finisse par baisser son arme sur eux, Christian fonça et le plaqua au sol à la manière d'un joueur de football. Libérée de l'emprise de l'extraterrestre, Sara-Anne courut se réfugier dans les bras de David. Celui-ci fit disparaître les hologrammes et tira la petite vers la villa en courant pour aller s'y abriter. Alexanne s'empressa de les suivre, laissant à Christian, James et son oncle le soin de neutraliser leur ennemi.

L'Amérindien s'élança, arracha la mitraillette de la main de l'Igigi et la projeta dans la forêt, où il ne pourrait pas la retrouver facilement. Physiquement très fort, l'assassin réussit à s'asseoir. Christian s'apprêta à lui envoyer son poing en plein visage lorsqu'il le vit s'écrouler devant lui comme une poupée de chiffons. Alexei venait de lui rompre le cou.

— Ça ne changera rien à mon karma, grommela l'homme-loup en apercevant le regard interrogateur de son ami policier.

Les cris de milliers de dauphins et de sirènes les firent sursauter.

— Que se passe-t-il, cette fois ? s'alarma Christian.

Les trois hommes s'empressèrent de retourner à la terrasse et de scruter l'horizon. Ils s'étonnèrent d'apercevoir des têtes de milliers de mammifères marins émergeant de l'eau et poussant des sifflements aigus.

— J'espère que ce n'est pas la fin du monde que les prophètes passent leur temps à nous annoncer, s'inquiéta David en arrivant derrière ses amis, Sara-Anne accrochée à sa main.

Alexanne vint se poster près d'Alexei.

— Qu'est-ce que tu captes ? s'enquit-elle.

— Ce n'est pas de la peur. On dirait plutôt qu'ils se réjouissent.

— Peux-tu nous dire pourquoi ? fit Christian, stupéfait.

Le groupe fut plongé dans l'ombre et seule Sara-Anne pensa à lever les yeux vers le ciel.

— Regardez ! s'exclama-t-elle.

Un énorme aéronef de forme triangulaire était en train de passer au-dessus de leur tête !

— Est-ce un OVNI ou un prototype de l'armée américaine ? laissa tomber Christian.

— Ils ne possèdent rien de cette taille, affirma James.

— Moi, ce que j'aimerais savoir, intervint Alexanne, c'est si ce sont des amis ou des ennemis.

Un rayon ardent s'échappa du vaisseau et frappa la plage en créant un petit incendie. Sara-Anne poussa un cri de frayeur et se réfugia encore une fois dans les bras de David.

— Ils nous attaquent ? s'alarma Alexanne.

— Non, avança Christian. C'est le corps de l'extra-terrestre qu'il a calciné.

Pour confirmer ses dires, l'aéronef géant poursuivit lentement sa course en direction du large, augmentant l'euphorie des dauphins et des sirènes.

* * *

Sur le *Redemption*, ancré à quelques kilomètres de la petite île, à proximité du premier site de plongée, les archéologues avaient également aperçu l'étrange machine volante qui se dirigeait vers le sud. Étienne et Vicky s'étaient emparés des jumelles et examinaient attentivement l'appareil.

— Ça ne provient certainement pas de notre monde, laissa tomber le jeune homme, étonné.

— On dit qu'il y a beaucoup d'observations d'OVNI dans la région, les informa Roger.

— Alors, nous allons en ajouter une autre à la liste, lui fit savoir Vicky. Étienne a raison : ce n'est pas un de nos avions. Pour commencer, cet objet est aussi gros que l'île d'Orléans et je ne pense pas me tromper en disant que nous n'avons jamais réussi à faire voler un aéronef de cette taille.

— Il n'y a aucun système de propulsion visible et pourtant, il réussit à avancer à une bonne vitesse, ajouta Étienne.

— Pas de fenêtres nulle part non plus, poursuivit Vicky. Sa surface noire est unie et ne reflète pas le soleil. Je crois percevoir une lumière circulaire en plein centre sous son ventre.

— Il n'y a donc pas que les artéfacts que vous savez décrire de façon scientifique, les félicita le professeur.

— C'est évident que ce vaisseau arrive d'un autre

monde, s'en mêla Hamilton en les rejoignant sur la terrasse.

— Comment savoir si ses passagers sont hostiles ou pas ? se découragea Vicky.

— Ce sont peut-être des alliés du multimilliardaire, proposa Étienne.

— Ou des Atlantes qui reviennent maintenant que leur monde a recommencé à faire surface, lui fit écho la jeune fille. J'espère qu'ils n'ont pas l'intention de reprendre tout le contenu de leurs bâtiments.

— Moi, ce qui m'inquiète, avoua Roger, c'est que nous avons abandonné nos nouveaux amis sur l'île sans ressources.

— Nous devrions aller les chercher, proposa Vicky.

— Au péril de nos vies ? les avertit Hamilton.

— Nous ne sommes pas des extraterrestres insensibles, répliqua Étienne. Ce qui fait de nous des humains, c'est notre désir de nous entraider.

— Bon, d'accord, accepta le capitaine. Nous les ferons monter à bord et nous les conduirons directement à Nassau. C'est tout ce que moi j'accepte de faire.

Hamilton retourna à son poste de pilotage tandis que les archéologues continuaient de suivre la progression de l'OVNI.

* * *

Au même moment, sur le *Inanna II*, Calvin avait été le premier à apercevoir le vaisseau qui se dirigeait droit sur eux. Contrairement aux naufragés de l'île et aux archéologues, il connaissait l'identité de ceux qui approchaient. Sans perdre une seconde, il fonça dans le grand salon, où Boyens avalait une pomme recouverte d'or après l'autre pour se calmer.

— Nous avons de la compagnie, lui annonça son fidèle serviteur.

— La garde côtière ?

— Non. Des gardiens.

Boyens laissa tomber le fruit sur le plancher et s'élança dans l'escalier qui menait au poste de pilotage.

— À quelle distance sont-ils ? hurla-t-il avant même d'avoir atteint le palier.

— Ils sont presque à portée de nos canons, monsieur.

— Détruisez-les !

Le capitaine aboya ses ordres et quelques secondes plus tard, les huttes sur le gaillard d'avant glissèrent sur le côté, dévoilant six grands silos.

— Préparez-vous à lancer les missiles ! ordonna le capitaine.

Il se tourna ensuite vers Boyens.

— Nous serons sans défense pendant plusieurs secondes lorsque nous tirerons, monsieur.

— Ils n'auront pas le temps de riposter.

Calvin, qui n'arrivait pas à faire confiance aux Igigis comme le faisait son maître, se demanda s'il aurait le temps d'abandonner le navire avant que les gardiens ne commencent à les bombarder.

— Vous n'auriez pas dû inviter la fillette à bord, reprocha-t-il à Boyens. C'est grâce à elle qu'ils vous ont trouvé.

— Ce n'est pas le moment de s'étendre sur nos erreurs.

— Vous êtes le premier des grands coryphées qu'ils sont arrivés à localiser.

— Tais-toi, Calvin.

L'énorme triangle noir n'attendit pas d'être au-dessus de l'île flottante avant d'exécuter sa sentence. Avant que le capitaine du *Inanna II* puisse appuyer sur le bouton de lancement, un rayon ardent jaillit du disque lumineux sous son ventre. Il enveloppa tout le navire, mais au lieu de le faire exploser, il se mit à le comprimer impitoyablement jusqu'à ce qu'il implose et soit réduit à néant.

Sur l'île, Christian et ses compagnons regardaient toujours vers le large. Ils avaient aperçu le faisceau qui s'était échappé de l'OVNI géant, mais rien de plus.

— Normalement, on le verrait si un bateau de cette taille était en feu, laissa tomber l'ancien policier. Il y aurait une grosse colonne de fumée.

— C'était peut-être un rayon tracteur, suggéra Sara-Anne.

Tous se retournèrent vers elle.

— Un quoi ? s'étonna Alexei.

— Dans un film que j'ai vu, les troupes impériales s'en sont servi pour attirer vers elles le vaisseau qu'elles voulaient capturer.

— C'est encore Matthieu qui t'a laissé regarder un truc pareil ? se fâcha Alexanne.

— Ce n'était pas un film juste pour les adultes, se défendit l'enfant.

— *Soyez sans crainte*, leur parvint une voix étrange.

Alexei pivota pour voir d'où elle venait. C'est alors qu'un homme blond portant une longue tunique vert clair apparut à quelques pas d'eux sur la terrasse.

— Vous êtes d'Éridan ! s'égaya Sara-Anne.

— *Non, mais je suis né sur une planète qui lui ressemble. Permettez-moi de me présenter. Je suis Watonn, l'un des gardiens choisis par le conseil galactique pour assurer la paix dans l'univers.*

— Vous étiez à bord de cette chose là-bas ? demanda Christian.

— *En effet. Il s'agit d'un des milliers de croiseurs que nous utilisons pour assurer les missions de surveillance et de protection. Nous étions à la recherche de ce coryphée depuis fort longtemps.*

— Vous l'avez aspiré dans votre gros vaisseau ? s'enquit Sara-Anne.

— *Certaines créatures ne peuvent tout simplement pas être réformées. Nous avons choisi de le détruire ainsi que tout son équipage.*

— Et l'assassin que vous avez fait flamber sur la plage ? voulut savoir David.

— *Nous ne devons pas laisser de traces sur cette planète d'un combat qui ne regarde pas ses habitants... du moins pour l'instant, fils des étoiles. Nous te remercions de nous avoir fait venir jusqu'ici.*

— Moi ?

— *Nous avons senti ton désespoir de voir se terminer aussi brutalement la mission de paix que vous aviez commencée, l'enfant et toi. C'est ton signal cérébral que nous avons suivi. Paix et longue vie.*

Le mage s'effaça comme un mirage.

— Il n'était pas vraiment devant nous, se troubla Alexei. Je ne pouvais pas sentir sa présence.

— Il a utilisé une projection de lui-même, expliqua James. Peut-être ne peuvent-ils pas respirer notre air.

— C'est possible... admit Christian.

— Nous ne sommes plus en danger, maintenant ? demanda Sara-Anne.

— À moins qu'un autre chef reptilien se mette spontanément à nos trousses, non, mademoiselle.

— Nous allons pouvoir profiter un peu de la vie ?

Sa question les fit rire.

— Il nous reste deux ou trois jours de vacances, je ne sais plus, tenta de se rappeler Christian.

— As-tu toujours nos documents ? s'inquiéta Alexanne.

— Je les ai rangés dans une pochette en plastique, à l'intérieur d'un compartiment secret dans ma valise. Normalement, ils devraient toujours y être, mais j'irai vérifier tout à l'heure pour vous tranquilliser l'esprit.

— Qu'est-ce qu'on fait ?

— Nous avons une tonne de poissons à nettoyer et à faire cuire.

— Est-ce que je pourrais plutôt jouer dans l'eau ? demanda Sara-Anne.

— Certainement.

— J'y vais avec toi, décida Alexanne, qui ne voulait pas la perdre de vue.

Ils entendirent alors le vrombissement d'un petit moteur de zodiac.

— Pas encore, soupira David.

Alexei et sa nièce utilisèrent en même temps leur don d'écholocalisation pour identifier les passagers du bateau pneumatique.

— Tu les connais ? demanda l'homme-loup.

— Ce sont nos amis archéologues.

— Waouh ! s'écria Sara-Anne en s'élançant sur la plage.

Le zodiac glissa sur le sable.

— Dieu soit loué, vous êtes vivants ! fit Vicky, folle de joie.

Elle descendit de l'embarcation et serra la petite dans ses bras. Roger et Étienne tirèrent le bateau plus loin sur le sable, tandis que le reste de la bande les rejoignait.

— Mais qu'est-ce que vous faites encore ici ? les taquina Christian.

— Nous avons assisté à la destruction de l'île flottante, alors nous avons pensé qu'il était désormais sécuritaire de revenir vers vous, répondit le professeur.

— Les extraterrestres à bord du gros triangle étaient donc vos alliés ? voulut s'assurer Étienne.

— Si on allait se raconter tout ça sur la terrasse pendant que James et moi préparons le poisson.

— Je peux vous aider ! offrit Vicky.

Ils marchèrent en direction de la villa.

— J'ai apporté du café, fit Roger en observant la réaction de Christian.

— Là, c'est certain que je ne vous laisserai pas partir, répliqua l'ancien policier avec un large sourire.

— Qui est l'homme aux cheveux noirs qui n'était pas ici auparavant? chuchota Vicky à Alexanne en se rapprochant d'elle.

— Mon oncle Alexei. Nous allons vous relater tout ce qui s'est produit en détail dans quelques minutes.

Ils grimpèrent sur la terrasse et prirent place sur les chaises longues pendant que Christian, James et Vicky allaient chercher le poisson pour le vider à l'extérieur.

Chapitre 23
La colonie

Profitant pour la première fois d'une paix bien méritée, les archéologues et les naufragés mangèrent le poisson grillé autour d'un grand feu que James avait allumé sur la terrasse. Seul le capitaine du *Redemption* était absent, car il ne quittait jamais son navire. Cette liberté retrouvée allégeait les cœurs et déliait les langues. Christian, David, Alexanne et Sara-Anne racontèrent à leurs amis les dernières attaques des extraterrestres qui, heureusement, avaient échoué.

— Vous avez répondu à l'invitation de cet homme croyant pouvoir protéger ainsi la petite d'un éventuel enlèvement, résuma Roger. Mais vous avez été trahis parce qu'il n'a jamais eu d'autre intention que celle de vous faire disparaître à tout jamais.

— Nous nous doutions qu'il n'était pas honnête, mais nous n'avions pas d'autre choix que de lui obéir, puisque depuis le début, c'était lui qui menait la danse, expliqua Christian.

— Y en aura-t-il d'autres comme lui ?

— Sans doute, mais nous verrons ça le moment venu.

— J'aimerais mieux qu'on ne parle plus d'eux, gémit Sara-Anne.

— Tu as raison, coccinelle, l'appuya Alexanne.

James s'était assis plus loin, près d'Alexei, intrigué par ce qu'il l'avait vu faire sur la plage ce jour-là.

— J'ai appris des choses incroyables grâce au mentorat d'un vieux chaman, mais il ne m'a jamais parlé de téléportation.

— Il a peut-être juste oublié de le faire, répliqua l'homme-loup en haussant les épaules. Tu possèdes déjà des dons spéciaux, alors, je suis certain que tu pourrais y arriver.

— Où as-tu acquis les tiens ?

— Je suis né ainsi.

Serrant son ourson de peluche contre elle, Sara-Anne s'était assise sur les jambes de sa grande sœur.

— Est-ce que nous retournerons à l'hôtel ? demanda-t-elle à Christian.

— J'imagine que notre chambre n'a pas été inondée puisqu'elle se trouve au dernier étage.

— Vous pourriez aussi rester ici jusqu'à votre départ pour le Québec, proposa Vicky. Les propriétaires de cette villa ne semblent pas du tout pressés de venir voir si elle a souffert du tsunami. Et nous pourrions enfin tous vous emmener sur le site de plongée sans craindre qu'on nous tire dessus.

— Dans l'eau ? supplia la petite. Pas dans le bateau ?

— Je pourrai te prêter un masque à ta taille, mais pas de bombonnes. Je t'apprendrai à rester à la surface et à regarder sous toi. L'eau est si claire que tu verras le palais de tes propres yeux.

— Tu resteras avec moi ?

— Promis.

— Alors, oui, j'aimerais ça, mais Alex devra nous accompagner, lui aussi.

— Où ça ? se méfia l'homme-loup.

— Là-bas, sous les flots, ils ont trouvé une très ancienne cité. Tu sais nager, n'est-ce pas ?

— Dans une rivière.

— C'est la même chose, sauf que c'est salé.

— Nous commencerons par l'emmener sur la mer, puis après, c'est lui qui décidera s'il veut y entrer ou non, trancha Christian.

Ils parlèrent ensuite de l'actualité que les naufragés avaient complètement perdue de vue, ces derniers temps. Il s'était produit des explosions d'hostilité un peu partout sur la planète, mais maintenant Christian comprenait qu'elles étaient le produit de l'activité des Annunakis qui désiraient voir les humains s'entretuer. « Eh bien, ça n'arrivera pas », décida-t-il intérieurement.

Lorsque la fatigue s'empara enfin d'eux, les archéologues retournèrent sur le bateau, promettant de revenir les chercher au matin.

— Ça ne sera pas nécessaire, les informa Christian. Nous avons désormais les moyens de nous déplacer nous-mêmes. Nous vous ferons même cadeau de trois bateaux pneumatiques tout neufs lorsque nous partirons.

— J'entends déjà le capitaine nous dire : laissez-les ici, on pourrait les reconnaître et nous accuser de vol, plaisanta Roger.

Ils regardèrent leurs amis disparaître dans l'obscurité et décidèrent d'aller se coucher. Les filles se dirigèrent vers leur lit, suivies de David.

— Je pense que je vais dormir à la belle étoile, décida Christian.

James et Alexei en firent autant. Ils s'allongèrent donc sur les chaises et observèrent les étoiles.

— Comment la nature fait-elle pour se renouveler s'il n'y a jamais de neige ? demanda l'homme-loup.

— Elle s'arrange autrement, répondit Christian. Chaque région du monde est soumise à des conditions climatiques différentes, Alex, et elle s'est habituée à son milieu. Les gens d'ici ne savent même pas ce qu'est la neige.

— Est-ce la même chose sur les autres planètes ?

— C'est sûr.

James trouvait étonnante l'ignorance de l'homme-loup, mais jugea que ce n'était pas le moment d'en parler. C'était l'oncle d'Alexanne, alors c'est elle qu'il questionnerait à ce sujet.

Le doux vent des Tropiques et le rythme des vagues qui venaient mourir sur la plage eurent raison des trois hommes, qui s'endormirent quelques minutes plus tard. Cette nuit-là, Christian recommença à avoir des visions, ce qui ne s'était pas produit depuis longtemps.

Il se vit à bord d'un autre gros navire, mais moins extravagant que le *Inanna II*. L'équipage s'affairait fiévreusement autour de lui sans le voir. Curieusement, tous ces hommes avaient la peau verdâtre… Pour comprendre ce qui se passait, Christian les suivit sur le gaillard d'avant, s'approcha de la rambarde et se pencha. À une centaine de mètres du bateau, l'eau tourbillonnait autour d'une source lumineuse aveuglante.

Christian se réveilla en sursaut. Il faisait encore nuit et ses deux compagnons dormaient à poings fermés. « Mais qu'est-ce que je viens de voir ? » se demanda-t-il, intrigué. « Un vaisseau spatial immergé ? Un bout de l'Atlantide ? Une source d'alimentation pour les Annunakis ? » Cette dernière hypothèse le fit frissonner d'horreur. « Et moi qui pensais me mesurer uniquement à des sorciers et des démons… » Il eut beaucoup de difficulté à se rendormir et, heureusement, lorsqu'il y parvint, il ne fit plus de rêves.

Au matin, lorsqu'il ouvrit finalement les yeux, le soleil se levait et ses compagnons n'étaient plus de chaque côté de lui. Il se redressa et aperçut Sara-Anne qui dansait sur la plage en toute innocence. « Elle le mérite bien », se dit Christian. Il se retourna et vit David, Alexanne, James et Alexei qui sortaient de la forêt, transportant des bols à punch remplis de fruits. « J'ai tellement hâte de manger des œufs et du bacon », ne put s'empêcher de songer l'ancien policier.

Il rejoignit les autres à table pendant que la fée allait chercher sa petite sœur. Il se régala de fruits exotiques en pensant qu'Ophélia serait très fière de le voir manger autant d'aliments santé.

— C'est aujourd'hui le grand jour ? s'exclama Sara-Anne, gaie comme un pinson.

— Oui, c'est aujourd'hui, confirma Alexanne.

— Imaginez un peu tout ce que je pourrai raconter dans mes prochaines compositions !

— Si tu veux garder tes amis, je te conseille de t'en tenir uniquement au travail des archéologues et de ne pas parler des extraterrestres, des OVNI et des mitraillettes, la taquina Christian.

— Même si c'est réellement arrivé ?

— Fie-toi à moi, petite : la vérité nous met souvent dans l'embarras.

Il faisait référence à son court séjour dans un hôpital psychiatrique après qu'il eut mentionné l'influence d'un sorcier dans ses pensées, les gargouilles volantes et sa résurrection dans son rapport de police. Sara-Anne n'avait sans doute pas été mise au courant de cet épisode de sa vie, alors il ne poussa pas plus loin.

— Nous allons être à l'étroit dans un seul zodiac, dit-il plutôt. Je suggère que nous en utilisions deux.

— J'allais justement le suggérer, fit James.

Dès que tous furent rassasiés, ils enfilèrent des maillots de bain. Christian en prêta un à Alexei. Ils remirent deux des embarcations à l'eau, choisissant celles où l'hélice n'était pas immobilisée par un vieux filet de pêche, puis se divisèrent spontanément en deux groupes. David et Alexei montèrent avec James, tandis qu'Alexanne et Sara-Anne suivirent Christian. Ballotés par les vagues, les deux zodiacs se rendirent jusqu'au *Redemption*, ancré près du site de plongée.

Étienne et Vicky les aidèrent à monter à bord et Christian accepta avec un large sourire la tasse de café que lui tendait Roger.

— Je n'aurais pas tenu le coup autrement, plaisanta l'ancien policier.

Pendant qu'il sirotait la boisson chaude avec bonheur, les étudiants distribuèrent les masques.

— Personne ne portera de bombonnes aujourd'hui, les informa Étienne. Ce sera une journée familiale.

— Tout le monde se baignera ? se réjouit Sara-Anne.

— Pas moi, annonça Hamilton. Je garde le fort.

Alex reçut son masque dans les mains, mais ne sut pas quoi en faire. James lui vint tout de suite en aide et l'ajusta sur son visage.

— Nous allons jeter à l'eau des bouées rattachées au bateau, leur apprit Vicky. De cette façon, si vous êtes fatigués, vous pouvez vous y accrocher pour reprendre votre souffle.

— Ça va aller, Alex, l'encouragea Christian. Je suis un bon nageur et je resterai près de toi.

— Je sais nager, aussi, mais c'est tellement vaste, ici.

— Mais la mer est chaude et claire comme du cristal. Tu vas adorer cette nouvelle expérience.

Vicky et Étienne aidèrent les moins expérimentés à s'asseoir sur la rambarde et à se laisser tomber sur le dos dans les vagues, puis les rejoignirent. Même Roger plongea avec eux. Bravement, David agrippa une bouée et se laissa tirer par Étienne.

Ils n'eurent que quelques mètres à parcourir pour atteindre le ballon qui flottait à la surface, indiquant l'emplacement du palais. Accrochée elle aussi à l'une des bouées que les étudiants traînaient avec eux,

Sara-Anne avait commencé à regarder sous elle avec intérêt. Elle écarquilla les yeux en apercevant l'immense bâtiment qui se dégageait peu à peu des sédiments.

— C'est magnifique ! s'écria-t-elle en relevant la tête. Il faut que j'apprenne à plonger !

— Je ne sais vraiment pas où tu vas pouvoir prendre des cours pareils à Saint-Juillet, réfléchit Christian tout haut.

— Nous nous informerons, fit Alexanne pour ne pas brimer l'enthousiasme de l'enfant.

Ils nagèrent autour du palais. Comme de véritables poissons, Étienne et James se risquèrent en profondeur, mais Vicky resta près de Sara-Anne, comme elle le lui avait promis. Roger suivait le groupe sans se presser. Il avait apporté sa caméra sous-marine et prenait des photos de tout le monde, pour que ses nouveaux amis puissent avoir un meilleur souvenir de cette aventure.

— Ça va, Alex ? lui demanda Christian.

— C'est moins angoissant que je l'avais imaginé.

L'ancien policier avait déjà remarqué qu'il nageait lentement, sans lutter contre les vagues.

— Si tu retiens ton souffle, tu peux plonger pour te rapprocher du bâtiment.

— Pas tout de suite.

Christian ne le pressa pas. Il observait lui aussi le palais en se comptant chanceux de faire partie des premiers humains à le voir.

Ils venaient à peine de compléter un premier tour des lieux qu'une bande de sirènes vint à leur rencontre en poussant des sifflements aigus. Ce n'étaient pas des cris d'alarme, mais leur façon de leur faire comprendre qu'elles étaient heureuses de les revoir. Vaï s'approcha aussitôt d'Alexanne.

— *Les anciens nous ont donné la permission de vous emmener jusqu'à l'une de nos colonies.*

La fée répéta ses mots au reste du groupe.

— Nous emmener comment ? s'inquiéta Christian.

Alexanne posa la question à son amie écaillée.

— De la même façon qu'elles nous ont sauvés des requins, mais avec moins d'empressement.

— La tête en dehors de l'eau, n'est-ce pas ? s'alarma David.

— Elles vont faire bien attention, car je lui ai dit que ni Alex, ni toi ne savez bien nager.

Au lieu de les attraper par la taille et de les entraîner avec elles, cette fois, les sirènes se placèrent deux par deux sous chaque bras des nageurs et les firent avancer en douceur, s'éloignant considérablement du site.

Moins d'une heure plus tard, ils atteignirent un atoll. Ce récif corallien en forme d'anneau n'était en fait qu'une petite bande de sable au milieu de laquelle se trouvait un lagon. Celui-ci communiquait avec la haute mer par un passage étroit où une embarcation n'aurait pas pu se faufiler.

— Vous habitez ici ? demanda Sara-Anne, curieuse.

— *La plupart d'entre nous.*

Les sirènes déposèrent les humains sur le sable. L'atoll était vaste, mais ne supportait aucune végétation. Il n'intéressait donc pas les humains et les sirènes pouvaient y vivre en paix.

— *Sous vos pieds se trouve une multitude de grottes où nous sommes à l'abri des prédateurs et où nous pouvons élever nos enfants en toute sécurité*, expliqua Vaï.

Alexanne se fit un plaisir de traduire ses paroles pour ses amis, puis elle demanda à la sirène si ceux qui savaient plonger avaient le droit d'aller voir ces cavernes. Cette dernière leur fit signe de la suivre. Tous plongèrent sauf David. Il avait accepté de flotter jusqu'à la colonie, supporté par deux femmes-poissons, mais il ne se sentait pas du tout prêt à s'enfoncer sous l'eau. Alexei ne s'enfonça pas aussi profondément que les autres. Sara-Anne, quant à elle, se laissa flotter à la surface et regarda sous elle, comme elle l'avait fait près du palais atlante. Le fond du lagon grouillait de vie ! Une centaine de sirènes nageaient en cercle et elles n'étaient pas toutes de la même taille. Elle comprit pourquoi lorsqu'elles remontèrent vers elle. Certaines de ces gracieuses créatures étaient des enfants et d'autres, des mâles.

Les minuscules sirènes encerclèrent Sara-Anne en émettant des sifflements légers. Elles affichaient une grande curiosité de voir tous ces humains, car elles n'avaient jamais quitté l'atoll. Fatiguée, l'Amérindienne remonta finalement sur le sable et les enfants la suivirent. Elle s'assit, les jambes pendantes dans le gouffre, si bien que les sirènes purent s'approcher d'elle et la toucher.

— Tu t'es fait des amis, on dirait, la félicita David.

— Ce sont des enfants et ils sont tellement beaux ! s'exclama Sara-Anne.

— En tout cas, c'est un endroit fantastique pour les élever en toute sécurité. La brèche qui donne accès au lagon est trop étroite pour qu'un prédateur puisse s'y faufiler et les mères défendent certainement à leurs petits de le franchir en sens inverse.

Ils entendirent des bruits de plongeon derrière eux et se retournèrent. Un banc de dauphins approchait, mais lorsqu'il ne fut plus qu'à quelques mètres d'eux, David et Sara-Anne se rendirent compte qu'il s'agissait de sirènes qui rabattaient du poisson vers l'atoll.

— Je pense que nous sommes arrivés au beau milieu du déjeuner, plaisanta le Français.

Tout comme les adultes, les enfants se mirent à

pourchasser leur repas jusqu'à ce qu'ils l'attrapent et le dévorèrent sur place.

En retenant leur respiration, Roger, Christian, Étienne, James, Vicky et Alexanne avaient plongé plus profondément avec l'aide de leurs amies palmées. Ils s'étaient aperçus que de magnifiques coraux s'étaient formés sur les rebords d'un ancien cratère et que celui-ci était percé de multiples cavernes. Le fond de l'atoll était recouvert de sable. Il leur était donc facile de voir les sirènes s'y promener. Tout comme Sara-Anne, ils virent remonter les enfants à la surface, puis se lancer à la poursuite des poissons qui venaient de pénétrer dans le lagon.

Lorsqu'ils revinrent à l'endroit où ils avaient laissé David. Sara-Anne était assise près de lui, visiblement enchantée.

— J'imagine que je ne pourrai pas en parler non plus dans mes compositions, soupira-t-elle.

— Je sais que c'est décevant, répliqua James, mais ces créatures ont besoin de notre protection. Si les humains venaient à apprendre leur existence, ils se précipiteraient dans la région pour les voir et finiraient par détruire leur écosystème.

— Je comprends...

Roger allait suggérer de revenir au *Redemption* avant que le capitaine s'inquiète, quand les têtes d'une vingtaine d'enfants sortirent de l'eau en même temps.

— *C'est pour toi*, fit une petite fille timide en s'avançant vers Sara-Anne.

Elle lui tendit un collier de coquillages reliés ensemble par du fil de pêche, qu'elles avaient sans doute trouvé sur les fonds marins.

— Pour moi ? se réjouit Sara-Anne en l'acceptant. Vous êtes tellement gentilles !

Alexanne aperçut derrière le groupe une maman qui

tenait un petit bébé contre elle. « Ces créatures méritent vraiment qu'on les protège », se dit-elle.

— Nous devons repartir, annonça la fée.

Son message fut aussitôt transmis aux sirènes qui les avaient emmenés jusque-là. Elles revinrent s'installer sous les bras des humains et les ramenèrent prudemment jusqu'au bateau, où elles les libérèrent.

— Tout s'est bien passé ? lança Hamilton du pont.

— C'était très édifiant, affirma Roger.

— Quelles sont vos nouvelles directives, professeur ?

— Plonger pendant qu'il fait encore jour afin de trouver d'autres artéfacts.

Roger se tourna vers Christian avec un air interrogateur.

— Les jeunes peuvent rester avec vous s'ils en ont envie, mais personnellement, je vais rentrer à la villa et vérifier si j'ai encore nos papiers de retour.

— J'y vais aussi, annonça David.

Alexanne et James décidèrent de demeurer avec les archéologues, tandis qu'Alexei préféra suivre Christian et le Français. Il avait eu sa dose d'océan pour la journée. Sara-Anne hésita un moment, puis descendit dans le zodiac avec les hommes.

Puisqu'il n'avait aucune valise à préparer, Alexei alla explorer l'île avec la petite et la laissa ramasser autant de coquillages qu'elle le voulait sur la plage.

— Je les offrirai en cadeau à mes amis à l'école, lui dit-elle.

Elle remplit les poches de sa robe d'été, puis entreprit de faire la même chose avec les poches du pantalon de son oncle. La plage de sable blanc faisait tout le tour de l'île, mais vers l'est, l'eau était turquoise, alors que vers l'ouest, elle était bleu sombre. Ils finirent par revenir à leur point de départ. Sur la terrasse, Christian avait ouvert sa valise. Il tenait fièrement à la main une enveloppe de plastique étanche remplie de documents.

— Je les ai toujours ! annonça-t-il. Nous allons pouvoir rentrer chez nous, demain.

— Moi, je voudrais rester sur cette île pour toujours, gémit Sara-Anne.

— Dans d'autres circonstances, je serais tenté de dire la même chose, poulette, mais nous sommes beaucoup trop vulnérables, ici. Et puis, j'ai vraiment envie de manger une nourriture un peu plus familière.

— Les fruits, c'est bon pour la santé.

— C'est vrai, mais j'ai atteint mon quota de fruits. Ce qui me fait penser qu'il faudrait bien que je nous nourrisse.

— J'ai prévu le coup, déclara David en sortant de la maison. Il restait des boîtes de thon et du pain dans les affaires de James et si nous ne le mangeons pas tout de suite, il ne sera plus consommable.

Sara-Anne aida donc le Français à préparer des sandwichs, pendant qu'Alexei allait cueillir des bananes. Tous ces fruits, qui ne poussaient pas à Saint-Juillet, le fascinaient.

— Qu'est-ce qu'on fait ensuite ? demanda la petite, une fois rassasiée.

— Ma valise est prête, alors on pourrait remettre la tienne en ordre, offrit David.

— Oh oui ! Comme ça, je pourrai y ranger mes coquillages.

— Nous allons commencer par les nettoyer, d'accord ?

Il l'emmena dans la maison pour laver ses trouvailles dans l'évier.

— Seras-tu capable de rentrer chez toi ? demanda Christian à Alexei.

— Je crois bien que oui. Si je me retrouve ailleurs, je t'appellerai.

— Tu pars aujourd'hui ?

— Non. Je le ferai en même temps que vous… juste au cas où.

— Tu as aimé plonger ?

— C'était amusant, mais je ne crois pas que je le ferais tous les jours.

— Donc, tu n'aimerais pas vivre dans les Caraïbes ?

— Pas du tout. J'aime bien la chaleur de l'été, mais la fraîcheur de l'automne me manquerait.

James et Alexanne rentrèrent pour le dernier repas du jour en compagnie des archéologues, qui avaient puisé dans les réserves du *Redemption* pour leur offrir quelque chose de spécial : des macaronis au fromage auxquels ils n'avaient qu'à ajouter un peu d'eau avant de les faire chauffer. Les filles se chargèrent même de les préparer. Les amis festoyèrent sur la terrasse.

— La dernière fois que j'ai mangé ça, je devais avoir quatorze ans ! lança Christian en riant.

— Moi, c'est la première, avoua Alexei en humant son assiette.

— Quand partez-vous ? demanda Roger.

— Nos billets d'avion indiquent que notre vol est demain, répondit l'ancien policier.

— Est-ce que ce sera le même ? s'enquit Sara-Anne. J'aimerais bien revoir Enkimdou.

— Tu te souviens de son nom ? s'étonna Alexanne.

— Qui ne se rappellerait pas un nom pareil ?

— Euh… moi, signala David.

— Sans vouloir te faire de la peine, coccinelle, intervint Christian, cet homme était à la solde de Boyens et l'avion lui appartenait.

— Mais ils ne savent peut-être pas encore qu'il est mort, suggéra Vicky.

— On n'a qu'à faire semblant qu'on n'en sait rien, proposa Sara-Anne.

— Ce serait en effet plus prudent, admit Christian, mais il est tout de même possible qu'on soit obligés de prendre un autre vol. Nous verrons ça sur place, d'accord ?

— Mais comment saurons-nous qu'on ne peut pas monter dans le bel avion salon ?

— Quand ils nous diront, au comptoir de l'aéroport, qu'il n'est plus disponible.

— Préféreriez-vous que nous vous ramenions ce soir à Paradise Island afin de coucher à l'hôtel ? demanda Roger.

L'idée de manger ailleurs convainquit l'ancien policier de lever le camp sur-le-champ. Il demanda à Alexei s'il voulait les accompagner, mais celui-ci refusa.

— Je suis arrivé ici, alors il est préférable que je parte d'ici, déclara-t-il.

— Et toi, James ?

— Je dois ramener le catamaran à la marina, car il ne m'appartient pas.

L'Amérindien avait donné son numéro de cellulaire au professeur afin qu'il l'appelle à son retour à l'université. Il pourrait alors lui consacrer un peu de temps pour faire des dessins en touchant les autres artéfacts que l'équipe avait recueillis.

— C'est donc ici que nous nous séparons... comprit Alexanne.

Ils rassemblèrent leurs affaires, puis firent une dernière vérification dans la villa pour s'assurer qu'ils n'oubliaient rien. David avait déjà fait les lits, lavé la vaisselle et remis à sa place tout ce qu'ils avaient utilisé.

— À part la porte fracassée, tout est exactement comme nous l'avons trouvé... avec quelques bouteilles de bière et quelques boîtes de conserve en moins.

— On dédommagera le propriétaire quand on l'aura identifié, le rassura Christian.

— Je vous enverrai ses coordonnées, promit James qui avait déjà effectué cette recherche.

Christian serra la main de James.

— Nous n'aurions pas pu survivre sans votre aide.

— Je suis heureux d'avoir pu vous être utile, rétorqua l'Amérindien.

David le remercia à son tour, puis les filles l'étreignirent.

— Nous reverrons-nous un jour? lui demanda Alexanne.

— Si vous continuez de vous mettre les pieds dans les plats, c'est fort possible, la taquina James. Faites bonne route.

Sans s'attarder davantage, il tourna les talons et s'enfonça dans la forêt.

— Es-tu sûr de ne pas vouloir nous accompagner, mon homme? demanda encore une fois Christian à Alexei.

Un sourire espiègle se dessina sur les lèvres de l'homme-loup, juste avant qu'il disparaisse sous les yeux de son ami.

— Laissez les zodiacs de l'île flottante derrière les arbres, recommanda Roger à David.

Il alla les traîner plus loin avec l'aide de Vicky et d'Étienne pour qu'on ne les voie pas à partir de la mer.

— Mais nous serons trop nombreux pour le vôtre, répliqua Alexanne.

— Nous allons faire deux voyages, les rassura Roger.

Une fois tout le monde à bord du *Redemption*, Hamilton mit le cap sur Nassau. L'air était frais et les étoiles époustouflantes. Appuyé à la rambarde,

Christian observait le ciel en se détendant. Il se doutait bien que les Annunakis apprendraient ce qui s'était passé dans les Bahamas. Combien de temps avant qu'ils ne ripostent ?

— À quoi penses-tu ? fit Sara-Anne en arrivant près de lui.

— Au tournedos bien tendre que je vais manger en arrivant à l'hôtel...

— Mais ce sera presque la nuit.

— J'aurai faim quand même.

— Est-ce que je pourrai t'accompagner au restaurant ?

— Certainement, mademoiselle.

Hamilton accosta à la marina de Paradise Island, où il ne restait plus aucune trace du tsunami. Toutefois, il y avait beaucoup moins de touristes qu'à leur départ. Les archéologues descendirent sur le quai et firent leurs adieux à leurs amis. Vicky et Alexanne promirent de garder le contact via Internet, puis empoignant les valises, le quatuor se dirigea vers l'hôtel.

— Que fait-on si Boyens a annulé notre réservation ? chuchota David.

— Nous implorerons Lyette de nous payer une chambre, ce soir, le rassura Christian.

En montrant la carte de leur suite, ils purent grimper dans l'un des petits autobus qui desservaient tout le site hôtelier et descendirent devant leur tour.

— C'est maintenant qu'on va le savoir, fit bravement l'ancien policier.

Ils montèrent dans l'ascenseur et se dirigèrent à leur suite. Christian inséra la carte dans la serrure et entendit un déclic. Il poussa la porte avec un sourire de satisfaction. Il avait à peine déposé sa valise dans sa chambre qu'il s'emparait du téléphone.

— Service aux chambres. Est-ce monsieur Pelletier ?

— En personne.

— Vous nous avez manqué.

— Nous étions en mer lorsque vous avez été frappés par la lame de fond et nous avons décidé d'y rester jusqu'à ce que vous ayez tout nettoyé.

— Sage décision. Que puis-je faire pour vous ?

Christian consulta ses amis et commanda finalement de la nourriture pour tout le monde et un gros sundae pour Sara-Anne.

Chapitre 24

L'intermédiaire

Après avoir quitté ses nouveaux amis, James traversa l'île et retourna à l'endroit où il avait attaché le catamaran. Satisfait de son intervention dans cette affaire, il grimpa à bord et se dirigea vers New Providence sans se presser. Se laissant guider par son intuition, le jeune savait qu'il arriverait au bon endroit, au bon moment. Il profita donc de ces quelques heures pour réfléchir à tout ce qui s'était produit ces derniers jours. Le chaman l'avait averti que ses missions seraient de plus en plus dangereuses. Encore une fois, il avait eu raison. James ne reculerait pas devant les prochaines non plus. Il ne voulait qu'une chose : débarrasser la Terre de toutes les mauvaises personnes qui tentaient de la transformer en enfer pour la race humaine.

Une fois à Nassau, le lendemain matin, il rendit l'embarcation au locateur et retourna à son hôtel. Il avait appris à ne prendre qu'un gros sac à dos pour voyager et faisait en sorte qu'il contienne toujours le minimum. Avant de quitter sa chambre, il s'assit sur son lit et ferma les yeux. Utilisant une ancienne technique de respiration, il entra en transe.

— Maître, j'ai accompli ma mission, murmura-t-il. Où dois-je aller, maintenant ?

— *Je t'attendrai dans les cavernes.*

Le jeune homme ouvrit les yeux. Jamais on ne lui remettait d'adresse ou d'itinéraire. Ainsi, ses ennemis ne pourraient rien lui faire avouer, car il ne savait rien. Les premières fois, cette façon de procéder avait angoissé

James, mais il avait fini par s'y habituer. En arrivant dans les villes choisies par le chaman, bien souvent, il avait le temps de visiter les lieux, ce qui lui permettait de s'instruire davantage. En portant attention aux coïncidences, il finissait toujours par retrouver l'endroit où on l'attendait.

Il prit une douche, enfila des vêtements frais, retira ses papiers du coffre-fort et quitta l'hôtel. Il marcha sur la rue commerciale pendant quelques minutes pour se délier les jambes puis héla un taxi. Celui qui accepta de le faire monter était conduit par un homme âgé qui avait été policier à Nassau toute sa vie. James l'écouta parler de sa ville et de ses problèmes. Tous les pays en avaient, mais ce qui importait, c'était de trouver de nouvelles façons de les régler. Les habitants de la Terre étaient souvent bien démunis devant l'adversité. « Ils apprendront à s'en sortir », songea James. Dès qu'ils seraient débarrassés des Annunakis, dont la haine alimentait les guerres, cette planète pourrait enfin évoluer et se joindre au conseil galactique.

En arrivant à l'aéroport de Nassau, James découvrit dans une enveloppe qu'on lui remit au comptoir d'information, que sa place était réservée sur un vol à destination de Washington, D.C., qui partait à dix-huit heures. Après avoir traversé les douanes, il alla s'asseoir près de la porte d'embarquement et se détendit. Les premières fois, il avait craint que ce soient ses ennemis qui l'envoient dans des villes où ils pourraient s'emparer de lui. Avec le temps, il avait appris à faire confiance aux soldats de lumière. Il se doutait bien qu'il arriverait un jour où ils ne pourraient plus le protéger, mais il refusait d'y penser. Pour l'instant, tout allait comme sur des roulettes.

Malgré les deux escales, James atteignit Washington

deux heures plus tard. Dans l'avion, il avait continué d'étudier les documents qui accompagnaient ses billets d'avion. Il y trouva une réservation d'hôtel, une nouvelle carte de crédit et un dépliant sur les cavernes de Luray. C'était donc là que l'attendait le vieil homme.

Dès qu'il eut franchi les derniers postes de contrôle, il se dirigea vers le Marriott, qui était rattaché à l'aéroport. Il déposa ses affaires dans sa chambre et fit monter son repas. Tout comme Christian, il avait envie de revenir à sa diète habituelle. Il commanda donc un hamburger végétarien et des frites et les mangea en écoutant les actualités. En aucun moment il ne fut question de la soudaine disparition de Boyens. Pourtant, les autres Annunakis qui dirigeaient le monde devaient certainement être au courant de sa perte.

Il dormit sans la moindre inquiétude, cette nuit-là, et descendit déjeuner à la salle à manger. Puis, il demanda un taxi pour se rendre jusqu'aux cavernes. Pendant le trajet, il admira les magnifiques paysages d'automne, surtout en traversant les montagnes. Les feuilles des arbres étaient rouges, orangées ou jaunes selon leur essence et le vent les agitait en un ballet féérique.

Lorsqu'ils arrivèrent enfin à Luray, James constata qu'il s'agissait d'une belle petite ville américaine propre et tranquille. Elle se situait dans la vallée de Shenandoah, à cent quarante-quatre kilomètres à l'ouest de Washington et soixante-douze kilomètres au sud de Winchester. Les édifices de chaque côté de la rue principale étaient carrés ou représentatifs de l'architecture du début du vingtième siècle.

James descendit devant le bâtiment qui abritait le guichet et la boutique de souvenirs. Il acheta son billet et suivit le groupe qui était prêt à partir pour la visite guidée. Il pénétra dans ce spectaculaire monde souterrain, à l'écoute de ses sens subtils, tout en admirant les stalactites et les stalagmites géantes à qui on avait donné des noms variés, selon leur forme. Ce n'est qu'une fois dans le hall du géant qu'il aperçut enfin celui qu'il cherchait. Le chaman, en tenue de cérémonie, se tenait près d'un mur de calcaire et personne ne semblait le voir.

James se dirigea droit vers son mentor qui, dès qu'il fut plus prêt, se retourna et pénétra dans le roc. Sans hésitation, le jeune Amérindien le suivit et traversa lui aussi le mur. Ils se retrouvèrent tous les deux dans une petite grotte au centre de laquelle brillait un feu de camp.

— *Tu devines de plus en plus rapidement mes intentions*, dit le vieil homme en s'assoyant sur une peau de fauve.

— Je fais de mon mieux.

Il s'assit devant le chaman, de l'autre côté des flammes.

— *Nous avons suivi tes gestes avec grand intérêt.*

— Si Boyens avait réussi à assassiner les soldats de lumière, ma présence là-bas n'aurait pas été très utile.

— *Heureusement, la petite s'est fait des amies parmi les sirènes.*

— J'imagine que vous allez m'apprendre que toute la communauté annunaki est outrée par ce qui vient de se passer ?

— *Boyens était en effet l'un des piliers de leur gouvernement, mais s'il avait été moins arrogant, il serait encore en vie. Les autres connaissaient certainement son outrecuidance.*

— Autrement dit : bon débarras.

— *Malgré tous ses défauts, il n'était pas le plus dangereux des représentants de sa race.*

— Êtes-vous en train de me dire que d'autres voudront faire taire Sara-Anne ?

— *Ou s'assurer que son message soit saboté.*

— Ce qui la poussera à vouloir en faire d'autres…

— *Elle sera très vulnérable jusqu'à ce qu'elle atteigne enfin la puberté.*

— Mais elle a aussi de puissants alliés.

— *Dont tu fais partie.*

— Moi ?

— *Comme je te l'ai expliqué lorsque tu étais plus jeune, notre seul but, c'est d'installer une paix durable sur cette planète, afin qu'elle puisse enfin évoluer. Les conflits la font sans cesse régresser. Les hommes doivent maintenant y mettre fin.*

— Je me souviens vous avoir répondu que c'était une tâche monumentale et que je ne voyais pas comment ce serait possible de mon vivant… Mais c'était avant que je voie un énorme vaisseau spatial s'attaquer au navire de Boyens.

— *Comme tu peux t'en douter, les gardiens ne peuvent pas se permettre d'intervenir de cette façon au-dessus des régions peuplées.*

— Nous suffit-il alors d'attirer les dirigeants reptiliens en pleine mer pour qu'ils leur règlent leur compte ?

— *C'est un plan risqué, mais concevable.*

— Je suis prêt à y dévouer ma vie, mais je ne voudrais pas me servir de Sara-Anne comme appât. Il doit y avoir d'autres choses qui les attirent.

— *Ils sont très riches et peuvent se payer tout ce dont ils ont envie, mais ils ont également une attitude de prédateurs et ils se lancent à la poursuite de tout ce qui peut menacer leur suprématie.*

— Donc, tout effort de paix… Mais pourquoi n'envoyez-vous pas des assassins à leurs trousses ?

— *Ne comprends-tu pas ce que signifie le mot « paix », James ?*

— Les gardiens ont le droit d'éliminer ces monstres, mais pas nous ?

— *C'est leur travail. Le nôtre, c'est de les faire remonter à la surface. Nous voulons éliminer la violence sur la Terre.*

— Alors, nous permettons aux extraterrestres de faire ce que nous refusons de faire.

— *Chasse cette frustration de ton cœur, mon enfant. Elle est inutile.*

— Il doit exister une façon de tous les exterminer en même temps…

— *S'il y en a une, les gardiens la trouveront.*

James ravala son dernier commentaire.

— Quelle est ma prochaine mission ? demanda-t-il plutôt.

— *Même si les gardiens se sont efforcés d'être très discrets sur l'océan, leur intervention n'est pas complètement passée inaperçue. Les autres dirigeants du gouvernement secret ont dépêché l'un d'entre eux pour enquêter sur la disparition de Boyens.*

— Maître, je préférerais traquer seul cet Annunaki au lieu de veiller sur un groupe de personnes en danger.

— *Nous ignorons encore son identité, pour le moment. Mais sois prêt à intervenir.*

— Dois-je rester à Washington ?

— *Non. Tu peux aller où tu veux. Nous te retrouverons.*

— Merci, fit James, incapable de dissimuler sa frustration.

— *Et essaie de maîtriser tes instincts de guerrier.*

— Oui, bien sûr.

— *Porte-toi bien jusqu'à notre prochaine rencontre.*

James se courba devant lui et revint sur ses pas, traversant le mur comme s'il n'était pas là. Sa soudaine arrivée sur le sentier d'observation ne passa pas inaperçue. Trois gardiens de sécurité convergèrent vers lui.

— Où étiez-vous passé, monsieur ? lui dit l'un deux, très inquiet. Nous vous avons cherché partout.

— J'ai dû prendre un mauvais tournant, répondit James en feignant d'éprouver des remords. Je suis vraiment navré.

— Venez. Nous allons vous conduire à votre groupe.

Le jeune homme se laissa emmener sans faire d'histoire.

Chapitre 25

Saufs...

Au matin, Christian laissa dormir ses compagnons. Il se prépara un café grâce au percolateur de la suite et sortit le boire sur le balcon en contemplant l'océan une dernière fois. Autrefois, il était allé en vacances à quelques reprises à Cuba avec ses dernières conquêtes, mais il avait passé plus de temps dans les bars que sur la plage. À partir de maintenant, il ne verrait plus la mer de la même façon. « Les seules personnes qui me croiront font partie de ma loge », se dit-il. « Je pourrais aussi écrire mes aventures et vivre de ma plume... »

Dès que les autres furent réveillés, il s'assura qu'ils n'oubliaient rien, leur fit boucler leurs valises une dernière fois et les emmena déjeuner au Marketplace. Sara-Anne mangea tout ce qu'elle trouvait, comme si c'était son dernier repas, et personne ne parvint à lui faire entendre raison.

— Malgré tout ce qui nous est arrivé, cet endroit va me manquer, avoua David.

— Tu pourrais revenir dans les Bahamas avec Thibault, lui suggéra Alexanne.

— Seulement si je ne lui parle pas des extraterrestres et des engins volants qui pulvérisent les bateaux. Il n'est pas très courageux devant l'inconnu.

— Mais tu es un extraterrestre toi-même! lui rappela Sara-Anne.

— Il faudra bien que tu finisses par le lui dire, signala Christian.

— Le véritable amour requiert beaucoup de confiance mutuelle, ajouta Alexanne.

— Alors, je choisirai le bon moment pour le faire mourir de peur, plaisanta David.

Ils allèrent chercher leurs valises et montèrent dans un taxi.

— Quand tu reviendras dans les îles avec Thibault, il faudra que tu m'emmènes aussi, décida Sara-Anne, parce que je m'ennuierai trop des sirènes. Puisqu'elles ne peuvent pas prendre l'avion, ce sera à moi de leur rendre visite.

— Promis.

À l'aéroport, Christian se rendit au comptoir d'Atrahasis Aviation et présenta les documents de tout le groupe, persuadé qu'on le dirigerait prestement vers une autre compagnie aérienne. À sa grande surprise, la préposée fit appeler le porteur qui les accompagna au poste de sécurité. Les valises roulèrent dans le détecteur de métal et autres matières dangereuses, puis leur furent rendues. Ils traversèrent l'immeuble en direction de la piste d'atterrissage où les attendait l'avion privé de Boyens. « Et si c'était un piège ? » s'inquiéta Christian.

— Restez ici, ordonna-t-il à ses compagnons.

Ayant capté son ton d'alarme, David saisit aussitôt les bras des filles pour les inciter à s'immobiliser. L'ancien policier continua seul et grimpa les quelques marches menant à l'intérieur du jet. Enkimdou apparut à la porte, lui bloquant la route.

— Heureux de vous revoir, monsieur Christian.

— Avant que nous montions à bord, j'ai besoin de m'assurer que nous ne courons aucun danger.

— Si vous faites référence aux assassins qu'emploie monsieur Boyens, sachez qu'ils ont tous péri en mer.

— Êtes-vous un Annunaki ?

— Non, monsieur. Je suis un Igigi ou, si vous préférez, un de leurs bâtards condamnés à n'occuper que des postes inférieurs pour le restant de leur vie.

Christian était si surpris par sa franchise qu'il le regarda droit dans les yeux pendant quelques secondes sans rien dire.

— Faites-vous partie des ennemis de la petite ? finit-il par demander.

— Théoriquement, oui, mais je n'ai plus de maître pour me donner l'ordre de la faire disparaître, alors, à votre place, je me dépêcherais de monter à bord avant que d'autres gros bonnets ne s'en mêlent.

— Puis-je vous faire confiance ?

— Oui, monsieur. J'aime bien la fillette.

— Et le pilote ?

— C'est un humain qui accepte des contrats indépendants.

Puisqu'il ne ressentait au fond de son estomac aucune des crampes qui le prévenaient habituellement du danger, Christian fut tenté de croire Enkimdou.

— Et si vos supérieurs vous contactaient en plein vol pour vous demander de nous éliminer ?

— Je n'accepte aucune communication avant l'atterrissage, monsieur. Cela pourrait nuire aux instruments du pilote. Je vous donne ma parole que vous arriverez sains et saufs à Montréal. Après, ça dépendra de vous.

Christian fit signe aux autres d'avancer.

— Que se passe-t-il ? se désola Sara-Anne. On ne peut pas utiliser le beau jet ?

— Mais il est à votre service, jolie demoiselle, la rassura l'agent de bord. Je vous en prie, montez. Monsieur Christian et moi discutions de vos besoins durant le vol.

Enkimdou recula pour les laisser passer.

— Est-ce que tous les gens qui travaillent dans les avions sont aussi gentils que vous ? demanda l'enfant en passant près de lui.

— Je ne connais pas les autres, mais je suis sûr que oui.

L'ancien policier et ses amis s'installèrent sur les fauteuils près des hublots et bouclèrent leurs ceintures pendant qu'Enkimdou verrouillait la porte.

— Dès que nous serons dans les airs, vous pourrez regarder un film ou jouer à un jeu vidéo, annonça-t-il. Avant l'atterrissage, je vous servirai un bon repas chaud. Si vous avez besoin de quoi que ce soit, vous n'avez qu'à m'appeler.

Christian le regarda disparaître derrière le mur où était accroché le téléviseur géant et espéra ne pas regretter sa décision de lui faire confiance. Il demeura alerte jusqu'au dîner et huma sa nourriture avant d'en prendre une bouchée. De son côté, Alexanne avait également inspecté le contenu de son assiette et de celle de sa sœur avec ses facultés de fée.

— C'est tout bon, chuchota-t-elle.

Après avoir desservi la vaisselle, Enkimdou vint s'asseoir sur le bout du sofa, à quelques centimètres du fauteuil de Christian.

— Je dirai à mes supérieurs que je ne vous ai pas revus et que j'ai dû ramener l'appareil à Montréal. Le pilote ne sait même pas que vous êtes là. Une fois chez vous, tâchez de ne plus attirer leur attention. C'est le seul conseil que je peux vous donner.

— Merci, monsieur Enkimdou. J'imagine que vous n'avez aucune autre information à me révéler au sujet de nos ennemis ?

— Non et c'est mieux ainsi. Préparez-vous à l'atterrissage.

Sara-Anne serra le Bahamien dans ses bras avant de descendre du jet. Elle suivit ses amis jusqu'à la section des douanes réservée aux diplomates et aux gens importants, puis jusqu'au stationnement. David aida Christian à ranger les valises dans le coffre pendant que les filles grimpaient sur la banquette arrière.

— Sommes-nous vraiment saufs ? murmura-t-il à l'intention de l'ancien policier.

— Probablement pas, mais je pense que ça fait partie des risques de notre nouveau métier.

Ils regagnèrent les Laurentides, toujours revêtues de leurs majestueuses couleurs d'automne. Au lieu d'aller reconduire tout le monde, Christian fila tout droit à la loge. Il était important qu'elle apprenne ce qui s'était passé et que les quatre voyageurs se conforment à ses directives quant à cette affaire. Il poussa la porte de l'entrée et vit arriver Lyette, Sachiko, Ophélia, Sylvain, Chayton et Gowan, qui les avaient sans doute vus apparaître sur les caméras de surveillance. Après un bon nombre d'étreintes, la Huronne exigea que tous remontent au grenier.

— Nous étions très inquiets de ne plus avoir de nouvelles, avoua-t-elle en s'assoyant au bout de la longue table de la loge.

— Jamais autant que nous de ne pas pouvoir vous en donner, répliqua Christian, mais nos cellulaires sont devenus inutilisables après qu'on nous ait jetés aux requins dans l'océan.

— Quoi ? s'étonna Sylvain.

— Et même s'ils avaient survécu, il n'y avait aucun réseau sur l'île déserte où des sirènes nous ont emmenés pour nous empêcher de servir de repas aux requins.

— Pourriez-vous recommencer du début, je vous prie, exigea Lyette.

— Avant, j'aimerais savoir si Alex est revenu.

— Revenu d'où ? s'enquit Sachiko.

— Il est arrivé sur l'île par téléportation.

— Je vous en prie, plus aucune question avant que ces jeunes gens aient terminé leur récit, trancha la Huronne.

Christian, David, Alexanne et Sara-Anne racontèrent donc leur étrange aventure dans les Bahamas en autant de détails qu'ils purent réunir.

— Puis-je vous suggérer de ne plus jamais accepter d'invitation de la part de qui que ce soit à partir de maintenant ? proposa Lyette lorsqu'ils eurent terminé.

— Cette idée nous a effleuré l'esprit, plaisanta Christian.

— Vous avez beaucoup de chance d'être encore vivants, tous les quatre.

— C'est vrai, fit Sara-Anne, mais nous avons vu tellement de choses auxquelles personne ne croit !

— Les sirènes et l'Atlantide, répéta Sylvain, l'eau à la bouche. Avez-vous des photos ?

— Les archéologues en ont pris, l'informa David. Alexanne a leurs coordonnées. Je suis certaine qu'ils lui en enverront.

— Et ce jeune homme que vous appelez James ? s'enquit Ophélia.

— Il fait essentiellement le même travail que nous, mais seul, répondit Alexanne.

— Et, comme Alex, il possède le don de dessiner des scènes du passé en touchant de vieux objets, ajouta Christian, et il a le don de projeter son esprit hors de son corps. Maintenant que vous savez tout, j'aimerais aller reconduire les autres et ensuite dormir pendant douze heures.

— Nous avons besoin de rentrer chez nous, renchérit David.

Christian déposa donc le Français devant son chalet, car il se situait sur la même route que le manoir de Lyette, puis s'arrêta chez les Kalinovsky. À son grand soulagement, il vit Alexei sortir de la maison en compagnie de Tatiana. Pendant que les filles couraient se jeter dans leurs bras, Christian retira les valises de la Jeep et s'approcha de la guérisseuse.

— J'imagine que vous savez déjà tout ? s'enquit-il.

— Alex m'a en effet raconté vos péripéties dans les Caraïbes. Comme vous vous en doutez, il n'est plus question que cette enfant se rendre où que ce soit.

— Ne me laissez pas partir non plus, d'accord ? Je vous laisse réconforter vos nièces. J'ai besoin de dormir.

— Revenez souper cette semaine, quand vous serez reposé.

— Je vous en fais la promesse.

Pendant que Christian retournait chez Lyette, David avait à peine eu le temps de déposer sa valise dans le salon que Thibault se ruait sur lui. Après l'avoir étreint à lui rompre les os, il recula de quelques pas pour le regarder.

— Tu es tout bronzé ! s'exclama joyeusement le jeune homme. Ça te va à merveille ! Viens d'asseoir. Laisse ta valise, je m'en occuperai plus tard.

Il le prit par la main et l'emmena sur le sofa.

— Raconte-moi tout !

— Mais ça prendra des jours, plaisanta David.

— Seulement les grandes lignes, alors. Avez-vous finalement rencontré l'homme très riche ?

— Oh oui…

— Comment vous aidera-t-il à faire entendre partout le message de Sara-Anne ?

— En fait, il ne pourra rien faire du tout, puisqu'il est mort.

Thibault perdit instantanément son sourire.

— Jure-moi que tu n'as rien à voir là-dedans, exigea-t-il.

— Me crois-tu vraiment capable de tuer quelqu'un ?

— Bien sûr que non !

— Il a perdu la vie sur son énorme yacht.

— Est-ce arrivé pendant que vous étiez là ?

— Heureusement, non. Nous avons donc passé le reste de la semaine sur la plage à goûter à la cuisine locale et à faire de la plongée.

— Toi ? Mais tu ne sais même pas nager.

— Nos nouveaux amis archéologues m'ont accroché à une bouée à partir de laquelle je pouvais voir jusqu'au fond de l'eau, tellement elle est claire.

— Archéologues ? Et moi qui craignais que tu te morfondes dans cette chaleur étouffante en sachant que j'étais tout seul ici…

— Crois-moi, mon amour, je n'ai pas eu le temps de penser à grand-chose.

Voyant que Thibault s'apprêtait à bouder, David décida de lui en dire un petit peu plus.

— Ils ont découvert l'Atlantide…

— Vraiment ? Et c'est ça que tu regardais à partir de ta bouée ?

— Eh oui, mais je n'ai vu que le palais. Ils en ont pour des années à travailler sur cet immense site.

— Oh… j'aimerais tellement le voir aussi !

— Alors, j'y retournerai avec toi.

— Je t'adore !

Fou de joie, Thibault parsema le visage de David de baisers.

* * *

Quand Christian revint enfin au manoir, il s'aperçut qu'il ressentait une très grande lassitude. Pendant toutes les années où il avait travaillé pour la police, il ne s'était jamais retrouvé aussi souvent en danger que durant la semaine précédente. « J'ai été formé pour être enquêteur, pas espion », songea-t-il en entrant dans la maison. Cette fois, pas de comité de réception. Il grimpa à sa chambre où quelqu'un avait porté la valise qu'il avait laissée dans le vestibule à son premier passage.

Il n'eut pas le courage de l'ouvrir et se laissa plutôt tomber sur le dos dans son lit. Il n'était pas facile de trouver le sommeil quand l'esprit refusait de se calmer. Depuis qu'il était revenu en sol québécois, il n'avait pas cessé d'analyser tout ce qui lui était arrivé.

— Ça va ? demanda Sachiko sur le seuil de la chambre.

Christian se rendit compte qu'il avait oublié d'en refermer la porte.

— Je survivrai.

— Mes techniques d'autodéfense t'ont-elles été utiles ?

— Tu parles ! Maintenant que j'y pense, j'aurais dû insister pour que tu nous accompagnes. Ce n'était pas juste une petite visite de courtoisie. Cet homme n'avait qu'une seule idée en tête : nous tuer.

— Que ça te serve de leçon, Christian Pelletier.

— J'en ai pris plus qu'une aux Bahamas, crois-moi.

— Je te laisse dormir. On s'en reparlera au souper… si tu arrives à te lever.

— Très drôle.

La jeune femme eut raison, car l'ancien policier dormit comme une bûche jusqu'au lendemain matin. Lorsqu'il ouvrit les yeux, il était complètement désorienté. Il resta assis un long moment sur son lit à examiner sa chambre. « Est-ce que cette aventure n'était qu'un simple rêve ? » se demanda-t-il en se levant. Sa valise, à quelques pas de lui, confirma que non. Il prit une douche, enfila son jean préféré, une chemise blanche et ses souliers de course, puis descendit à la cuisine. La seule qui s'y trouvait à une heure aussi hâtive, c'était Ophélia.

— Je t'ai préparé du café, lui dit-elle.

— Pas de thé ?

— Je ne voulais pas t'effaroucher dès ton retour, plaisanta-t-elle. Je t'obligerai à boire du thé plus tard.

Christian se versa une tasse et fouilla dans le réfrigérateur. Il fit griller des bagels et les tartina de fromage à la crème.

— Ça m'a manqué… avoua-t-il en mâchant.

— Vous vous en êtes quand même bien tiré sur cette île déserte.

— Mais je ne suis vraiment pas un Robinson Crusoé.

— Parle-moi du jeune homme qui vous a aidé.

— James ? Pourquoi ?

— Parce que je crois l'avoir vu dans une vision.

— Une vision de quoi ?

— Ce n'était pas très clair, mais il se tenait au-dessus de ce qui ressemblait à un tourbillon lumineux dans l'eau.

Christian laissa tomber le bagel dans son assiette.

— J'ai fait un rêve semblable, mais je n'ai pas vu James.

Il le lui décrivit de son mieux, puis eut une idée.

— Puis-je emprunter ton téléphone ? Le mien est mort.

Il envoya un texto à Alexanne pour savoir si elle avait reçu des photos de Vicky et si James apparaissait sur l'une d'entre elles. Une minute plus tard, la fée lui en transmettait une, prise le jour où il avait plongé avec elle.

— Est-ce l'homme que tu as vu ? demanda Christian en retournant le téléphone vers Ophélia.

— Oui, c'est bien lui.

— C'est quoi, ce tourbillon ? Qu'est-ce que James a à voir là-dedans ?

— Je n'en sais rien... pour l'instant. Mais je vais continuer à méditer là-dessus.

Une fois qu'il eut avalé son repas, Christian sortit dans la cour du manoir pour prendre l'air. Il avait bien aimé la chaleur du Sud, mais la fraîcheur de l'automne lui plaisait encore plus. « Je ne suis pas un cocotier », songea-t-il. « Je suis un sapin. » Il suivit le sentier qui menait à l'ancienne cabane à sucre et encore une fois, son esprit se remit en marche.

Boyens n'était qu'un des rouages de son organisation. Qui étaient les autres ? De quelle façon pourrait-il déterrer ces informations hautement secrètes et ainsi mieux se préparer aux prochaines attaques des Annunakis ? Lorsque ses pensées lui accordèrent enfin un peu de répit, il s'aperçut qu'il était revenu sur ses pas. L'odeur d'un feu de bois lui chatouilla les narines. Il se rapprocha de la maison et trouva Lyette assise devant le braséro où elle faisait brûler de vieilles branches.

— Comment vous sentez-vous, ce matin, monsieur Pelletier ?

— J'ai de la difficulté à croire que ce qui m'est arrivé ces derniers jours n'était pas une illusion.

— J'aimerais vous rassurer et vous dire que oui, mais vous êtes bel et bien allé aux Bahamas.

— Et je suis tombé dans un guêpier comme un enfant d'école.

— Nous nous doutions que cet homme n'était pas honnête et il n'y avait aucune autre façon de le vérifier.

— Comment fait-on pour en apprendre davantage sur l'emprise des Annunakis sur notre monde ?

— Ces informations ne sont disponibles qu'à une poignée de personnes qui ont des liens avec eux. À moins d'infiltrer leurs rangs, je ne vois pas comment ce serait possible. Et n'y songez pas, non plus. Ils ont vu votre visage.

— Mais ceux qui se trouvaient à bord du bateau sont tous morts.

— Croyez-vous vraiment que votre signalement n'a pas été transmis aux autres ?

— Vous avez sans doute raison.

— Le feu qui vous anime est le même que je retrouve dans le cœur de ma petite-fille.

— Nous sommes des guerriers.

— Certaines guerres sont gagnées par la ruse, vous savez.

— Avez-vous un plan ?

— Non, affirma Lyette en riant. Lorsque j'ai créé la loge, c'était surtout pour surveiller ce qui se passait sur la planète et pour transmettre ce que je trouvais à ceux qui pouvaient y changer quelque chose. Nous n'avons jamais été une force de frappe.

— Mais vous n'êtes plus seule.

— Les Annunakis ont les dents trop longues, monsieur Pelletier.

— Il doit bien y avoir une organisation sur la Terre qui les combat ?

— S'il y en a une, elle doit être très secrète.

— Je parie que Sylvain pourrait la retracer.

La porte arrière du manoir claqua, faisant sursauter Lyette et Christian. Sylvain se précipita dehors et courut jusqu'à la terrasse.

— En parlant du loup, plaisanta l'ancien policier.

— Vous semblez déconcerté, monsieur Paré, remarqua la Huronne.

— J'ai reçu ceci chez moi, balbutia le journaliste, pâle comme un fantôme.

Il lui remit une enveloppe dorée, qui ressemblait beaucoup à celle qu'avait utilisée Boyens pour attirer Sara-Anne aux Bahamas. Lyette en retira le carton brillant, dont Sylvain avait déjà pris connaissance. Christian se pencha par-dessus son épaule pour découvrir lui aussi le contenu de la missive. Elle ne comportait qu'un seul mot en plein centre en lettres noires d'imprimerie :

RENONCEZ

Christian s'empara de l'enveloppe. Il se doutait bien que l'expéditeur n'y avait pas inscrit son adresse, mais pourrait-il y avoir laissé ses empreintes...

— Votre nouvelle caméra de sécurité a-t-elle capté des images de celui qui vous a apporté cette menace ? demanda Lyette.

Sylvain leur montra la clé USB qu'il tenait dans l'autre main.

— On voit bien son visage et je vous jure que ça fait peur.

— Laisse-moi deviner, intervint Christian. Il a une face de lézard ?

— Comment le sais-tu ?

— Je reviens d'un camp de survie extrême sur les Annunakis, mon cher.

— Qu'est-ce qu'on fait ?

— Si vous voulez rester en vie, je suggère que nous leur obéissions, fit Lyette en cachant sa frayeur de son mieux.

— Je suis déjà dans cette affaire jusqu'au cou, lui

rappela Christian. Allons au moins voir si nous pouvons trouver des indices qui nous mèneraient jusqu'à celui ou celle qui essaie de nous intimider encore une fois.

— Monsieur Pelletier…

— Il est toujours plus prudent de savoir à qui on a affaire, madame Bastien.

Les deux hommes foncèrent dans la maison sans que la Huronne ne puisse les arrêter. Elle continua d'attiser le feu avec le tisonnier en se demandant si la montée de ces créatures extraterrestres était liée à la fin du monde dont Chayton et Ophélia ne cessaient de lui parler. « C'est ce qu'on verra », soupira-t-elle intérieurement.

Du même auteur chez le même éditeur :

Les ailes d'Alexanne, Tome 1: *4 h 44*, 2010

Les ailes d'Alexanne, Tome 2 : *Mikal*, 2010

Les ailes d'Alexanne, Tome 3 : *Le Faucheur*, 2011

Les ailes d'Alexanne, Tome 4 : *Sara-Anne*, 2013

Les ailes d'Alexanne, Tome 5 : *Spirales*, 2014